一寸河山一寸血

关河五十州 著

05

历史不死

1941～1945

武汉出版社
WUHAN PUBLISHING HOUSE

（鄂）新登字08号

图书在版编目（CIP）数据

一寸河山一寸血. 5／关河五十州著. —武汉：武汉出版社，2011. 12

ISBN 978-7-5430-6387-7

Ⅰ. ①一… Ⅱ. ①关… Ⅲ. ①长篇小说—中国—当代 Ⅳ. ①I247. 5

中国版本图书馆CIP数据核字（2011）第214877号

著　　者：关河五十州

责任编辑：雷方家

装帧设计：清水工作室

出　　版：武汉出版社

社　　址：武汉市江汉区新华下路103号

邮　　编：430015

电　　话：（027）85606403　85600625

http：//www. whcbs. com　E-mail：zbs@ whcbs. com

印　　刷：北京中印联印务有限公司

经　　销：新华书店

开　　本：710mm×1000mm　1/16

印　　张：20. 5

字　　数：300千字

版　　次：2011年12月第1版　2011年12月第1次印刷

定　　价：32. 00元

序　言

我相信，书有书的命运，就像本书所书写的这段历史，在它发轫之初真相就摆在眼前了，曲折、繁复、虚饰都不是它的全部，只要你在不断地接近，就有意义。

这本书最早的书名叫《正面抗日战场》，但只出了第一部“我的家在松花江上”、第二部“烽火大地”，之后就因故停了下来。其间，有很多朋友在网上留言，问第三部何时面世，对此我也不知如何作答，因为我当时也不知道确凿答案。

唯一可以告慰大家的是，作为作者，我从来没有想到过放弃，也一直在努力，直到有了《一寸河山一寸血》。在这本重新出版的书中，凝聚了一些新的写作思考，尤其是吸收读者意见，加快了叙述节奏，因此它既是《正面抗日战场》的续篇，同时也是一个新的起点。

为了保持延续性，以免突兀，第一部“长城以北”把原先《正面抗日战场》的第一部、第二部综合了起来，并沿着这一线索继续下去，从二十九军参加长城抗战起，写到了长城抗战结束。因为这个原因，“长城以北”的部分内容与《正面抗日战场》前两部不能不有所重复，谨以说明。

借这个机会，需要特别感谢在困顿时期帮助过我的朋友和前辈。

有杨琦和她所在的关爱抗战老兵网，后者数十年如一日地给抗战老兵们送去温暖，显示的是一种来自民间的道德良知。同时他们也收集和积累了很多珍贵的第一手口述资料，这些对本书帮助很大。

有我曾登门拜访过的那些抗战老兵，如现居上海的夏世铎、祝宗梁，现居南通的汪吉佑，现居北京的赵振英、尤广才。这些老人都已九十岁以上高龄，但思维仍十分清晰，能回忆起当年的很多往事。其中，汪吉佑、尤广才两位老先生都是参加过一线作战、打过硬仗、立过大功的抗战英雄，其叙述更给我笔下增添了很多闪亮的元素。

还有很多我见过面或从未谋面的网友、书友，他们有的和我一起踏访过战场原迹，拜谒过烈士墓园，还有的给我寄来过抗战资料及图片，无法一一列举，在此一并致谢。

关河五十州　于2011年7月1日深夜

目录

第一章 最精彩的一战
教训/// 001
主见/// 003
磁铁吸刀/// 005
决战兵团/// 007
什么都不靠/// 009
愈吸愈近/// 011
全力奔跑/// 012

第二章 黄河悲歌
以不变应万变/// 015
不是向好而是向坏/// 017
最后的愚人/// 019

第三章 小块头也能做大事情
常胜将军/// 023
冲动是魔鬼/// 025
孤掌难鸣/// 027
还有谁行/// 029
川中猛人/// 031
能钻瓷器的小金刚/// 033

第四章 谁才是生活的导演
赌国运/// 037
魔术/// 041
书生大使/// 044
谁是导演/// 046

第五章 以胜利者的名义
天炉战法/// 051
提前庆祝/// 053
能战之军/// 055
地堡战术/// 057
吃我三拳/// 060

目录

第六章 大号飞虎队

二流和一流/// 066
“要你命三板斧” /// 068
快乐赢天下/// 072
仰光神话/// 074

第七章 残阳如血

开心一刻/// 080
王师重来/// 082
生杀予夺/// 085
孙式训练/// 087
光荣之战/// 090
迷魂汤/// 093
致命缺陷/// 094

第八章 该来的总是会来

军中圣人/// 099
总有一款适合你/// 102
计划没有变化快/// 105
什么叫了不起/// 108

第九章 每一天都是崭新的

鄂中大怪物/// 111
牛刀杀鸡/// 114
想到了一块儿/// 117
大将之别/// 119
最后的三分之一/// 122
中国的伏尔加格勒/// 124
省钱之法/// 126
虎部队/// 128

第十章 虎贲万岁

“婆媳” 之间/// 133
兵者诡道/// 136
代号虎贲/// 137
凄绝之战/// 139
末路突围/// 143
小虎和大虎/// 146

第十一章
谁伴我闯荡
傲慢和偏见/// 149
学田横易，做大事难/// 151
丛林历险/// 154
“八阵图”/// 156
骠骑列传/// 159
九九八十一难/// 162
东方巴顿/// 165

第十二章
速度与激情
迂回再迂回/// 172
从天而降/// 175
不得不服/// 177
没有第二个密支那/// 180

第十三章
怒江在咆哮
东山再起/// 188
最弱军/// 191
信心之战/// 194
最艰苦的行军/// 196
“水牛”发力/// 199
钢将军/// 201
血色腾冲/// 203

第十四章
倚天屠龙记
自力更生/// 207
地堡大攻防/// 210
弄巧成拙/// 214
时间竞赛/// 217
脾气最大的门生/// 221
宝刀屠龙/// 226

第十五章
烈焰中的军旗
山水有相逢/// 231
“虎师团”/// 233
办公室法则/// 238
姜还是老的辣/// 241
中坚兵团/// 243

目录

目录

第十六章 浴血孤城

死架子/// 247
龙卷风/// 249
美髯公/// 250
激将法/// 253
课上课下/// 256
解围/// 258
无解的死局/// 260
华南旅顺之战/// 262
最长的一日/// 264

第十七章 家家有本难念的经

谁大谁小/// 269
泥瓦匠/// 271
是攻是守/// 273
时空错位/// 275
不抽你抽谁/// 277
忍无可忍/// 280

第十八章 愤怒的拳头

中国悲剧/// 286
风中的承诺/// 290
猪胖不是命好/// 293
谁斩谁的首/// 296
绝版青春/// 300
无价可还/// 300
以青春的名义/// 302
特异战术/// 305
仇人相见/// 308
飞刀，又见飞刀/// 309
必杀技/// 311
终结者/// 314
老兵不死/// 316

第一章

最精彩的一战

枣宜会战结束后，第十一军司令官园部和一郎一度自我感觉非常良好。那一仗，不仅导致对方的集团军总司令阵亡，而且日军渡过襄河，占领宜昌，无疑是对他的前任的一种突破。

如今的第十一军，称得上是日本“中国派遣军”的骄傲，园部也几乎就是“中国派遣军”司令官西尾寿造一手捧出来的明星。

但这颗星星升得快，掉得也快，很快就要成流星了。

教训

园部倒霉，起因却是“华北方面军”。

当时“华北方面军”计划进攻中条山，因兵力不足，打算把第十一军驻于南昌以西的第三十三师团给借调到华北去。

走了一个师团，等于缺了一个角，南昌日军无疑会受到威胁，这可怎么办?

按照通常办法，无非是拆东墙补西墙，由“中国派遣军”从别处再调部队过来填补空缺，可这回西尾突然想起要换一种活法，而启发他的正是园部本人。

枣宜会战之后，园部提出了一个战术，叫“短切突击”。简单点说，就是对中国军队的防区攻而不占，且无论出击距离还是时间都控制在一定范围内，打完就回家。

相对于组织费工费力费时的大战役，短切突击看上去确实比较经济实惠，有时只要出去三四天工夫，就能威风好一阵子，所以园部对此很是得意，也常在自己的上司面前吹吹。

既然下级说得那么活灵活现，西尾也就真以为这个短切突击可以无所不能了。

趁第三十三师团走之前，不妨把部队集中起来，对南昌以西的中国军队也好好地“切”一下，那不就有一段时间可以关上门睡大觉了吗？

园部这时正是神神道道的时候，认为此计甚妙。

在此之前，园部已经在周围“切”过一圈，效果确实不错。要说不顺的时候也有，像跟汤恩伯打交道时就比较费劲，在豫南的短切突击战中，后者反过来还“切”了他一刀，仅名古屋第三师团便伤亡了三千多人。

汤恩伯有几个？不也就一个吗？园部对此并无顾虑，况且，他即将面对的对手是第十九集团军总司令罗卓英，后者在南昌会战时就曾输给冈村宁次。

前任的手下败将，我却郑重其事，岂不惹人笑话，所以园部起先只将此次作战视为他短切突击战中的一个小项目，根本也没当一回事，甚至都没到南昌去设立敌前指挥所。

他不知道，失败这个东西不是专属品，不会一门心思跟着哪一个人走，尤其是那些头脑清醒的人。

罗卓英从来没有忘记过南昌会战给他带来的耻辱。这位喜欢写诗的将军身上并无一点文人的迂腐之气，即使打了败仗，也从不会为自己鸣冤叫屈或寻找战场以外的各种借口。

他的名言是：军人事业在战场，军人功罪也在战场。

哪里跌倒了就从哪里爬起来，既然是在战场上吃的亏，教训还得到战场上去找。

罗卓英总结出的第一个教训是麻痹大意，敌情观察不仔细，结果仅仅相差九天，主动就变成了被动。

于是，从九江到南昌，罗卓英都派出了很多情报人员。

传来的情报表明，铁路上的日军军列来去频繁。罗卓英想知道的是，这是要撤兵，还是要增兵。

有人说是撤兵，根据是有一些列车的车厢窗口露出人和枪，而这些列车都是朝北去的，但也有人说可能是增兵，因为有更多的军列在南下，只不过上面窗户紧闭，看不真切。

要对此做出判断，就得使用铁道游击队的办法：晚上趴在铁路边，耳朵贴着铁轨。

一听，北上的军列很轻，南下的军列却很重。

明白了。北上列车让你看到人和枪，那是故意制造的假象，其实里面没几个人，而装载着部队和武器装备的，恰恰是南下列车，不然车厢不会那么沉重。

拿到“化验报告”后，罗卓英就为大打一场做好了准备。

主见

1941年3月15日，在园部的指挥下，日军分三路攻向南昌以西的上高地区。

正面迎击日军的是李觉的第七十军，湘军虽然英勇，但要在平地或丘陵上与日军正规师团作战，还是有力不从心的感觉。

头两天，罗卓英刚好不在上高，由参谋长临时指挥，后者实战经验不足，听到前方战事不顺的消息后，显得十分紧张，脸色也变得铁青，坐在司令部里一个劲地给薛岳打电话，请示机宜。

第九战区司令长官给他打气，“不要怕，这是日军的老一套，打一下就会回去的。”放下电话，薛岳立即催促罗卓英返回上高进行直接指挥。

3月17日，罗卓英赶回上高，并连夜召集幕僚进行商议。

开始是高层幕僚。他们的看法跟薛岳差不多，认为日军只是出来扫荡一下，应避免决战，先撤出上高，等其撤退时再进行追击。

这是薛岳在第一次长沙会战中就采用的战术，以后李宗仁也用，看上去既符合实情，也很稳妥。

如果是在南昌会战前，也许罗卓英一点头就同意了，但自那一战后，他得到了第二个教训：作为主帅，在从谏如流的同时，一定还要有自己的主见。

罗卓英提出了一个很尖锐的问题，“假如我们撤出上高，日军继续攻击怎么办?”

中方指挥官在前线观察敌情

他说："上高后侧与长沙相通，公路也未被破坏，对方是完全可以沿着公路直扑长沙的。"

众人闻言，顿时都说不出话来。

为慎重起见，罗卓英决定扩大决策层次，让所有幕僚人员与会发表意见。

多数底层幕僚都反对撤退，主张与日军在上高展开决战。这些小伙子大多血气方刚，做梦也想干它一场，况且位卑责就轻，对于打仗，自然要积极得多。

客观地来讲，高层幕僚的主张也不是没有道理。园部的"短切突击"，一共出动了两师一旅团。其中，第三十三、第三十四师团虽非常备老师团，但比原来那两个"最弱师团"要强得多，在新编师团里至少属于中上水平。独立混成第二十旅团则是从广岛第五师团中抽出了一些老兵打底子，然后重新组建的新老混搭部队。

罗卓英能集中的兵力，光从编制看有三个军，但由于兵员严重缺额，数量上一个军只与日军一个师团勉强相当，这样一算，光人数就不占优势。

无论是按照先前日本人的换算方式还是实际作战经验，即便部队满额的话，中国军队也至少需用两到三个军才能对付一个师团。第一次长沙侵略战的例子表明，日军一旦打好了，四个军都不一定挡得住一个师团，哪怕是被称为“日本最弱师团”的第一〇六师团。

何去何从，最后还是要看军事主官如何决断。罗卓英思忖片刻，一锤定音，“打!”

磁铁吸刀

任何一种战术，都没有绝对的好坏，全在使用效果如何。

园部从三路分进合击，与冈村宁次发动第一次长沙会战时的打法类似，属于迂回包围中的老套路，运用得好，足可以使对手未战先怯，自乱阵脚。

但是这个战术也有明显弱点，那就是容易分散自己的兵力，结果导致被各个击破。冈村的失败即为最好例子。

罗卓英输过一次，不能输第二次。他显然研究过长沙会战的战例，因此知道如何利用这一战术的弊端。

打个比方，园部的三路兵马，假如中路的第三十四师团是身子的话，北路的第三十三师团和南路的第二十旅团则是左右两只胳膊，“分进”之后，它们必然要在上高实现“合击”，发挥最大效能，才能完成预想中的迂回包围。

罗卓英首先要做的，就是拗断那两只胳膊。

诱击兵团由此现身。

罗卓英从南昌会战中得出的第三个教训：如果很多部队平时不归你统率，临时才交你指挥的话，会直接导致调配不当甚至指挥失灵。

为此，他曾亲自打报告呈送蒋介石的统帅部，要求将南昌附近的部队，不管以前属第九战区，还是第三战区，全部由他统一训练和指挥。

报告通过后，罗卓英大权在握，于是按照各部队的特点重新进行了分层设置，比如李觉的第七十军，原先是预备队，但他认为以湘军的战斗力，只能排在二三流水平，当预备队还不够格，应调到第一线消耗对方。

现在第七十军能不能挡住日军，并不是罗卓英所关心的，事实上，他也不需要湘军去死拼。

针对园部的"短切突击"，罗卓英使用了一个新的战术，名为"磁铁战术"，也就是通过"磁铁"的吸引，让园部跟着自己走。

湘军成为第一个诱击兵团。在罗卓英的指挥下，第七十军且战且退，使北路的第三十三师团不知不觉间离上高越来越远，一抬头，周围已全是山区。

进了山，那就是湘军的天下，当年的金官桥之战，曾经打得第一〇六师团一步一个趔趄，其实沾了很多地势之光。

第三十三师团在平地上也许会比"最弱师团"强，到了山上却没什么不一样了，只有两个字：犯晕。

几天的圈子兜下来，第三十三师团都要吐了，还没找到湖南兵在哪里。

这时候，他们连会师上高的兴趣都没了，于是向远在武汉的园部报告："下个月就要到北方出差了，且容我等回去收拾一下行路的包裹。"

那你们策应第三十四师团的任务完成没？

当然是完成了。

园部不在现场，对真实情况不熟悉，回电照准。

一只胳膊没了。

王铁汉的第四十九军属第三战区，这支东北军在南昌会战中可谓是丢盔卸甲，败得不可收拾，论战斗力还不如湘军。

不过，这只是问题的一方面，另一方面，你只要跟他们处长了，同样能把钢刀使在刀刃上。

东北军的特点是，不擅打苦仗恶仗，尤其吃不消日军特种部队的冲击，而如今这些不利因素要少得多。

罗卓英在得到日军要发动侵略的情报后，就对交通进行了破坏，能挖的地方被挖得连马都不能骑，步兵只好排成队，呈一路纵队往前走。

路当然是可以靠工兵来修的，但修路需要时间呀。东北军毕竟是正规军出身，又久经战阵，在对方火力尚不算猛的情况下，先守几天阵地总没多大问题。

罗卓英把他们往南路一摆，第二十旅团暂时就只能望上高而兴叹。

另一只胳膊也没了。

决战兵团

早在第三十三师团望着山沟沟发呆的时候，他们还不知道，其实陪他们兜圈子的只是少部分人马，李觉第七十军主力早已抽身去了上高以北。

直接侵占上高的，是中路的第三十四师团，在两师一旅团中实力居于老大。湘军当然挡不住，好在他们的任务本来就是诱敌深入，所以打不了，可以撤。

湘军的一个营撤着撤着，碰到了川军团，后者属王陵基第三十集团军。

这时，日军飞机飞来，湘军立刻疏散隐蔽，并架设高射机枪，可是川军在看到飞机后却完全乱了套，犹如一群没头苍蝇一样乱跑乱撞，军官既不会指挥，士兵也不会躲避，结果造成无谓伤亡，辎重行李更是丢得到处都是。

明白了，这些友军平时的训练肯定不咋地。湘军营长在心里对比了下，川军的战斗力显然比自己的部队还要差好多。

这种心理优势并没能维持太久，因为在上高他遇到了一支从没见过的部队，后者军容整齐，精神饱满，官兵全部使用中正式步枪，每个步兵连都有九挺捷克式轻机枪，而每个机枪连则有六挺马克沁重机枪。

那位营长想象不出这样一支部队发起威来，那火力将是什么样子，只能自叹不如。

第二天，他便得以大开眼界，这一天是3月22日。

由于上高是主要的战略目标，园部把特种部队几乎全部配置给了第三十四师团。

当天上高空中的日机达到七八十架之多，如同蝗虫一样遮天蔽日，在地面则是火炮齐轰，坦克开路，一时间地动山摇，震耳欲聋，有的山头被轰得像耕牛犁过的田一样。

湘军营长当时正在山上观战，自认如此多的飞机和如此凶猛的炮火，是从军以来所仅见。

接下来，让他惊服的事情发生了。

任你再多的炮弹倾泻过来，上高阵地都静悄悄，没有一点声音，让人担心，守军是否已全部被炸死，或撤走了。

大家都这么认为，日军也不例外。

第三十四师团的步兵冲了过来，离上高越来越近。就在那一瞬间，犹如有一个开关被揿了一下，子弹突然像雨一样泼洒过去。

所有战壕和山洞都在喷吐着火舌，与此同时，后方远程火炮也开始进行地毯式轰击。

十二个小时之后，战场上已到处都是日军尸体和坦克残骸。97 式战车怎么样，在这种摧枯拉朽的猛击下亦难幸免。

不服不行。

这就是罗卓英在上高用来兜底的决战兵团，也就是著名的第七十四军。

决战兵团的火力组合令人折服

此前，蒋介石统帅部决定在西南成立两支战略军（又称“攻击军”），作为可直接调配的机动部队。

除武器和兵员优先供给外，战略军与普通军最大的差别，就是学习日本军一级的建构，配备了相当于一个师的特种部队。

一共就两个名额，杜聿明第五军毫无争议地拿走一个，剩下来的大家都在抢，几乎把头都要抢破了。

有四个师进入海选名单，里面又以第十八军和第七十四军旗鼓相当。

论资历，第十八军是老字号，早在中原大战前就有了，第七十四军直到抗战初期才在上海建立，再怎么算，都只能说是小弟弟。

论战功，第十八军无论在内战还是抗战中都以善战著称，一个“血肉磨坊”把日军老牌师团都磨得没了脾气，不过也唯独在这一点上，第七十四军却有后来居上的气势，特别是万家岭大捷，已经显示出了战略军的雏形。

什么叫“战略军”，决不能是有它不多，没它不少，而是要有它没它大不一样。简单点来说，不管薛岳的指挥多么高明，假如没有第七十四军，万家岭即便围住第一〇六师团，要想打漂亮了也很困难。

蒋介石反复思量，在第七十四军的名字上画了一个圈。得到消息后，全军上下欢声雷动。

蒋介石的眼光不错，需要指出的是，这支军队是在上高会战前才被冠以“战略军”的，根本还没来得及按待遇整补。

第七十四军能取得如此神速的进步，不能不提到一个人，那就是王耀武，对第七十四军来说，他是比张灵甫还要重要的人物。

什么都不靠

王耀武，山东泰安人，毕业于黄埔第三期，时任第七十四军军长。

民国年间，军校遍地，武人到处都是，要想在军队混出名堂，就得有点自个儿的绝活，所谓“虾有虾路，蟹有蟹道”是也。

比如有的人靠资历，某某年起就做革命党人，或者某某年给孙总理他老人家打过工。又比如有的人靠关系，投了哪帮哪派，正好投的这帮这派得了势。再不济的，还可以靠运气：子弹老是打不着你，但却专门朝着你的上司脑袋上撞……

可是王耀武什么都不靠，他一路升迁，只靠军功。

当然，更现实的问题是，就算他想靠也很难。要知道，王耀武要资历没资历，要关系也没什么了不得的关系，横过来竖过去，不过是个黄埔三期生。

在黄埔学生中，高一期就要压死人，多少黄埔一期两期的还在下面慢慢爬哩，你不苦干硬干拼命干怎么行！

内战时期，王耀武有一次在江西宜黄被红军包围。蒋介石传下令来，让其弃城而走，但他一直守着城，守了整整一个月都未被红军攻破，几乎算得上是一个军事奇迹。

蒋介石也很好奇，就特命召见他，问他为什么有令都不突围，当时到底是怎么想的。

王耀武老实作答："围成那个样子，根本就突不出去啊！与其出城失败而亡，不如在城里守到最后，而且宜昌是战略要点，失守后很难再夺回来，因此我就下了宁死也不放弃的决心。"

召见以前，王耀武不过是一个团长，召见之后，他便成了旅长。

能拼命当然不是王耀武唯一的优点，因为黄埔精神几乎就是拼命精神，大家都在拼，所以他还得会点别的。

应该说，王耀武的治军和指挥才能在黄埔生中也是很突出的。

蒋介石给他的那个旅，其实是个补充旅，战斗力本来一般，但王耀武任旅长后，忽然变得厉害起来。

从淞沪会战开始，王耀武与刚刚建立的第七十四军结缘，并从此与这支部队无法分开，直到取得万家岭大捷。

在第七十四军的整训和编练上，王耀武秉持一个宗旨：纪律好、能作战、不怕死、听指挥。

这一点，从上高第一战就可以看出来。如果没有严格的战场纪律，在那种高强度的炮火打击和心理威慑下，要做到不退不跑，实在是相当困难的。

第七十四军火力如此猛烈，但实际上每个师的防守正面也只安排了一个团，其阵地和火力点设置之隐蔽和巧妙可见一斑。

一个师共有四个团，王耀武来了个车轮大战，这个团吃不消了，马上再派另一个团上去，以此保持兵力使用上的充裕自如。

愈吸愈近

第三十四师团被打急了。

3月22日那天，他们之所以攻得这么猛，是因为在接近上高时，已经吃过第七十四军的亏了。

当时他们正要渡河。之前由于一路碰到的都是湘军、川军这样的二三流部队，而且一打就退，日军官兵开始变得手舞足蹈，都不知道自己姓什么叫什么了，自然渡河时也未多加防范。

埋伏在周围的第七十四军忽然就开火了。

那是他们第一次感受到中国军队的强劲火力：一个大队当场覆没，配属的山炮兵大队也遭到袭击，很多山炮被炸毁，慌得炮兵们连装定标尺都来不及，直接瞄准了往前乱轰一气。

第三十四师团长大贺茂中将过于轻敌，把野战医院和辎重部队都放在前面，结果也一个不少地挨了揍，把他给气得暴跳如雷。

搞偷袭这一套算什么本事，有本事面对面决斗。

现在面对面了，但情况似乎并没有变得更好一些，一个师团配上特种部队在冲击，连对方一个团都奈何不得，这在以前是不可想象的。

可大贺师团长还是不肯打道回府。他就像个红了眼的赌徒一样，继续疯狂下注，完全忘记了看一看周围那两只“胳膊”还在不在，以及自己是否已经孤军深入。

由于携带火炮不够用，第三十四师团干脆请航空队增加出动次数，以空袭来代替炮击。第七十四军经历过淞沪会战的老兵说，在上高看到的日军飞机，是淞沪会战后见到的最多的一次。

王耀武随之采取逆袭的方式，反复发起冲击，使得双方阵地犬牙交错，你中有我，我中有你，这样一来，日机不得下手，只能暂停轰炸。

双方连斗两天，到 3 月 24 日，打到最惨烈的阶段，山上山下伏尸遍野，草木为赤。王耀武亲率军部特务营策应，才击退日军。

没力了，打到这种地步，大家都没力了。

犹如一阵冷风吹来，大贺猛然惊醒，他这才发现自己处在一个仅几十平方公里的狭小区域，周围旌旗林立，全是中国军队，而其中的很多军队并不上阵，只是像看猴子一样地看着他。

被包围了！

如今没有谁比大贺对罗卓英的“磁铁战术”领悟更深：愈吸愈近，愈近愈紧，向前不可，脱身不能。

大贺急忙向武汉的园部发去急电，请求增援。

收到电报后，园部手忙脚乱，命令那两只“胳膊”赶紧动起来，不是上前打别人了，而是把那破身子给拖回来。

第二十旅团不用园部招呼，早就突破东北军的防御线奔上高来了，但半途中就碰到了王耀武派出的另一路部队。

前有阻击，后有追兵，这个“混搭部队”撞上了和第三十四师团一样的霉运，过河时被击沉十多艘渡船，船上都满载官兵……

第二十旅团是救不了，已经回家的第三十三师团则是来不及救，第三十四师团因此开始出现给养困难，不仅需要飞机空投粮弹，还得捎带着扔些鞋袜下来，不然就只能光着脚走路了。

不可能日日是晴天，碰上阴雨天，飞机就来不了了。这时候很多日军官兵都恐惧得要命，既怕遭到进攻，又担心明天没饭吃、没鞋穿，有个别不争气的还急得呜呜地哭起来。

这样下去死路一条，大贺决定不待援兵，自行突围。

全力奔跑

3 月 27 日，第三十三师团刚刚做出撤退动作，罗卓英的总攻命令就下来了。那些整天在周围作壁上观的湘军、川军，全都奉命跟着第七十四军冲了出去。

这是一个雷雨之夜，然而奇迹就在眼前。

黑夜里，大家比的都是速度，中国军队看谁跑得快，就能多得到俘虏和战利品，日军也看谁跑得快，除了脚上生风，自然还得少带重东西。

第三十三师团的炮兵部队以前最神气，到了这步田地，却变成了真正的死玩意儿——大炮太重，来不及拖走啊。

没法带走，那就毁坏。忙了一会儿，等到想溜的时候已经太晚了，结果炮兵成了步兵，被灭得一个不剩。

大贺师团长带着主力猛跑，沿途还有许多小部队遭到围攻而无法撤退，都在向他发电报求援，有的就恨不得给师团长下跪了。

大贺倒是能派兵前去救一下，问题是这样的话，速度就要慢下来了。那能停吗？当然不能，所以任你们说出花来，我也只能自己顾自己了。

每支陷于绝望中的小部队都收到了大贺的答复："从速跟上主力。"

崩溃了。我能跟得上你，还要请你来救我？

要说怪，还真怪不得大贺，他是泥菩萨过河，自身难保。一路上，到处都有中国军队跳出来进行追击，这个时候第三十四师团由于粮弹已空，早就失去了还手之力，于是伤兵越来越多，担架队延伸出去竟然有好儿公里长。

第三十四师团近乎遭到全歼，大贺是带着一群伤兵和残兵败将逃出去的。他应该感谢的是第三十三师团，没有这个师团的接应，则插翅亦难逃生天。

第三十三师团解脱了同伴，自己却遭到第七十四军的猛击，回到驻地后，个个脸如死灰，犹如从地狱中逃出来一般。原本说是要去参加中条山会战的，经此一劫，第三十三师团的北方之行只能告吹。

战后清点，仅来不及带走的日军遗尸就有三千多具，生俘七十二人，是历次作战中俘虏最多的。

直到二十世纪八十年代，部分参加过上高会战的日军士兵旧地重游。回忆当年情景时，他们仍神色不安，认为那种凄苦的惨状，是无法用语言来形容的。

上高会战的失败，让园部"短切突击"的牛皮"噗"的一声破掉了。

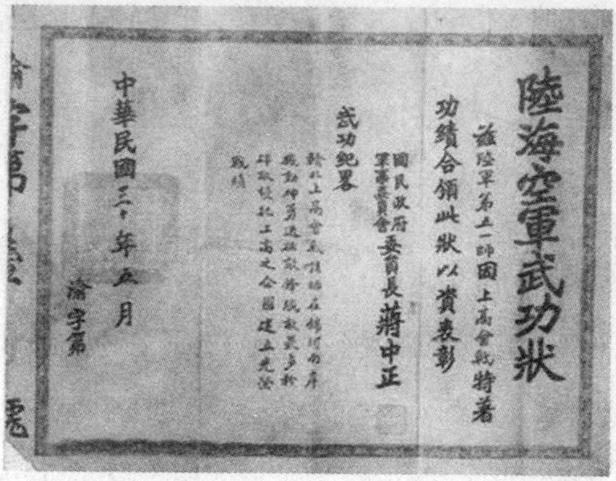
陸海空軍武功狀
茲陸軍第五一師因上高會戰特著
功績合頒此狀以資表彰
國民政府軍事委員會委員長蔣中正
武功紀畧
中華民國三十年五月
渝字第

上高会战后第七十四军荣膺第一号武功状

日本统帅部随即以指挥失当为由，免去了其第十一军司令官的职务。

然而，不管谁当第十一军司令官，都得放张纸条在自己桌上，那就是江北有个汤恩伯、江南有个王耀武，这两人都很难对付，打仗时要特别留心。

在抗战中，上高会战是中国国内极少能以接近对等兵力完胜日军的战役，何应钦见多识广，他毫不吝啬地称赞这是“最精彩的一战”。此战打响前，在选择谁成为战略军时，尚有分歧，此战之后，即众望所归——当然是第七十四军。

再猛的拳头，也抵不过一只抗打的沙袋。罗卓英的“磁铁战术”固然精妙，可他的成功说到底还得仰仗第七十四军，这就是一支战略部队难以替代的价值。

第二章

黄河悲歌

“华北方面军”要进攻中条山，并非一时兴起，而是蓄谋已久的计划。

太原会战后，这座位于山西最南端、以山势狭长而命名的山区就成了华北日军的眼中钉。山上分布着第一战区的二十万人马，你要南下，它侧击你，要西进，它挡住你，中条山由此成为保卫中原和大西北的一道屏障，被日军称做“华北的盲肠炎”。

有诗赞曰：尘黄日白风萧萧，寻常百姓都带刀，只须卫上将军在，敌人不敢窥中条。

这首诗里面的“卫上将军”，说的就是卫立煌。

以不变应万变

卫立煌，安徽合肥人，时任第一战区司令长官。

国民党早期有“五虎上将”的称谓，卫立煌亦居其列，但和其他人不是陆士就是保定的出身不同，他是纯粹的行伍，从军营中慢慢升上来的。

卫立煌特别沾光的一点，就是他给孙中山当过警卫，还因公受过伤，此后便一路擢升，二十二岁就成了营长。

由于担心年轻镇不住人，“小营长”就像当年唐生智传授过的那样，特意留起胡须——我这么老成了，谁还能质疑我的能力？

卫立煌的能力是有的，要不然给孙总理当警卫的多了，也不是谁都能出人头地。

太原会战中的忻口战役，是卫立煌以第二战区前敌总指挥的身份，在抗战中第一次担当方面之责。以后太原失守，大家都玩了命地逃，卫立煌当时也很狼狈，一气渡过黄河跑到陕西去了。

没待几天，蒋介石的电报就来了，过黄河的每个人都挨了一顿骂。于是，众人打点包裹，转身又折回山西——阎锡山在晋西，卫立煌则立足晋南，都是半正规战加半游击战，日子也都过得十分不易，用阎锡山的话说，就是“一日不得一饱，衣服不能更换”。

总算，苦头没有白吃，阎锡山挺住了，卫立煌也在中条山站住了脚。

1938 年冬，卫立煌接替程潜，升任第一战区司令长官兼河南省主席，常驻洛阳，负责全权指挥包括中条山在内的晋南所有部队。

从 1938 年到 1940 年，“华北方面军”先后对中条山发动十二次进攻，但每次都怏怏而归。有一年夏天，日军九路侵略围攻，然而激战三天后，不仅未能攻取中条山，反而遭遇不小损失，来不及带走的尸体横陈在山路上，天热发臭，以至于半年多了都无人敢从那里经过。

中条山守军曾先后十二次击退日军进攻

这确实是一份不错的成绩单，遗憾的是，时间一长，卫立煌却因此在思想上出现了麻痹。

在中条山战役之前，蒋介石统帅部已得到情报，判断“华北方面军”的此次进攻规模不同以往，鉴于中条山背靠黄河，在大兵压境的情况下不易固守，因此曾建议中条山守军撤往黄河南岸，据河防守。

但卫立煌不以为然。

中条山是他多年经营之地，以此山为依托，已形成半圆形防御线，无论日军从北、从东，还是从西，要想破这条防御线都很难，这叫做置之险地而后生。

兴致勃勃之下，卫立煌还夸下海口，称中条山是抗战中的“马其诺”，防御工事坚固，官兵士气旺盛，完全不用担心守不住。

参谋总长兼军政部长何应钦为此亲自到洛阳与卫立煌见面，后者仍坚持自己的策略。

背水一战，别人都不敢使用这一战术，只有我敢而且使用成功了，这次我也会以不变应万变，像以往那样继续守住中条山。

何应钦最终表示同意。

不是向好而是向坏

古往今来的很多军事实例都表明，险地可以守，但必须有所凭峙，不然险地就会很快变成“死地”。

按照卫立煌的认识，他的第一个凭峙是防御工事，也就是他所说的“马其诺”。

可是，我们或许可以得出一个规律，但凡叫做马其诺的，几乎没有一个不被人家攻破。

淞沪会战时的“东方马其诺”从头至尾就没派上什么大用处，而法国真正的马其诺，一年前就被德国人绕过去了。

不是说防线不重要，而是说如果过于看重和依赖防御工事，最后的结果一定不妙。中条山防区南北纵深很小，就算防御工事真的达到马其诺水平，也很难长期坚守，更何况还不达标。

中条山上有“站、跪、卧”三种防御工事，有交通沟、有据点堡垒，卫立煌在山上转了转，以为这就不错了。

可是苏联顾问也上山视察了，人家看后就大摇其头。

知道什么是现代防御工事吗？得把一座山都给掏空了，山洞里可以过汽车、拖大炮那种的。你这还叫马其诺？简直儿戏一般，太好笑了。

如果工事不行，那就只剩下了官兵士气旺盛。卫立煌虽没读过正规军校，但在陆军大学特别班进修过，兵法战策还是懂的，知道手中若不握有强兵的话，背水一战的确很危险。

张自忠当初过襄河，前三次都有第五十九军保驾护航，到第四次，前面是川军，身边是鲁军，战斗力都大大逊色于第五十九军，这也是他战死南瓜店的重要原因。

能够挡住日军十二次侵占，使卫立煌对中条山守军颇为自信，不过他长驻洛阳，很少像张自忠那样亲自过河，对前线的实情已然非常生疏。

此一时彼一时，1941 年的中条山已经有了根本变化，不是向好，而是向坏。

这当然与大环境有关。历史学家黄仁宇谈到，到 1941 年，即抗战进行到一半时，国内物价已是战前的二十倍。随着贫困加剧和给养不足，厌战情绪开始蔓延，军队中的吃空额和走私现象屡见不鲜，且很难遏制。

这种情况各战区都有，但以卫立煌的第一战区尤为严重。

中条山守军，号称二十万，其实根本就不足二十万。首先是因为招不满，使“壮丁”竟然沦为商品，能够进入市场买卖了，开始是秘密的，后来就转入公开。比如在洛阳，一个壮丁的价格是棉花一千斤，或者小麦三十石。

有利可图之后，“壮丁”也成了职业。同一个人可以被卖到十次以上，也就是先到市场上去“卖”自己，然后再从部队里逃出来，接着再“卖”，如此往复，等于拿来换了十次以上的钱。

其次是逃兵现象控制不住。中条山的生活条件极其艰苦，士兵都要自己打柴、背粮，甚至是推磨子，可谓是战时拼性命、战前做苦工。后方部队的士兵，只要听到是开去中条山，就哭的哭、逃的逃。

当兵的苦，当官的也不好过，饷少就得想别的招，或者吃空额，或者派些人到沦陷区做生意，一来二去，已全无一点打仗的欲望和警惕性。

到 1941 年，中条山的所谓“抗战”，真的弄得跟儿戏一般了，很多部队都坐在山上不闻不动，就算是偶尔下山，也是一群人在空地方胡转一圈，连枪都没放，就算“凯旋”了。

有些军官对此非常忧虑，把情况反映给卫立煌，可是卫立煌不相信，反而怪对方不会带兵。

你放松，对手却没放松。“华北方面军”一直在观察着中条山动向，他们很快便发现自己有机可乘。

最后的愚人

1941 年 5 月 7 日夜间，“华北方面军”突然对中条山发起空前规模的侵略，参战部队达到了六师三旅团。

中条山战役的一个显著特点，就是战前日军通过侦察，已经掌握了守军指挥机关的所在位置，他们组织突击队，或提前空降潜伏，或抄小路，对师以上指挥系统进行突袭，由此造成一种奇怪现象，即前方还没怎么打，后方却已无法有效地进行指挥。

仅仅一天时间，中条山的两支集团军便被分割开来，双双陷入困境。

卫立煌这才感到大事不好。

在“失街亭”这场戏中，马谡要屯兵山上，王平说你这是自处绝地，如果魏军断掉我们的水源，岂非不战自乱？

中条山守军除了怕断水断粮外，还最怕没有退路，因为身背后就是黄河。

按理，中条山靠黄河北岸应预先建筑一定数量的桥头堡，这样才能保障战时的水上交通，但卫立煌在这方面又做得不够好，结果日军一个迂回，率先抢占黄河岸边，大家都回不去了。

中条山区南北纵深不过五十公里，要想藏到山里去打游击都很困难，守军在被日军包围后，立刻步当年三国蜀军之后尘，如同多米诺骨牌一样，一支接一支地陷入崩溃边缘，其失败之快，几乎令人难以置信。

这是一场不打就垮的战争，但有一些勇敢的云南人坚持到了最后。

唐淮源，云南江川人，时任第三军军长。

唐淮源是个略显固执的人，也可以说是有些“愚”。有一次打仗，眼看打不过了，唐淮源说要撤，而同僚反对，最后还是撤了回来，途中丢了门大炮。

那个时候，部队有一门大炮都不得了，往往打仗输赢全靠它。同僚因此责怪，“我说的吧，要不撤，大炮就不能丢，你还是太胆小。”唐淮源一听就急了，两人吵着吵着，竟然操起家什打了起来，结果老唐脑袋上挨一扁担，终生留下一道疤。

唐淮源在云南滇军中本来已坐到了前几把交椅，后来唐继尧杀回云南，要夺他的权。大家事先说好，找个空地方单挑，谁败了谁下台。

唐淮源败了，于是他二话不说，带着部队走了。

退出云南后，唐淮源从师长干起。某天上面来人视察，私下要打点费，老唐没理他，那斯没捞到好处，回去后就气呼呼地给打了个差分，将唐淮源由中将师长一下子降到上校师长，比下级的军衔还要低。

这样的“愚人”，本来是不适合在场面上混的，唐淮源自己说过，他之所以能忍受得下来，全是因为要顾及自己的母亲。

唐淮源未满周岁时，就被父亲弃养，由母亲一手带大，因此事母至孝。由于家里实在太苦，他便去报考了云南讲武堂，当时由于身上长了痔疮，他害怕让学校知道后不予录取，于是偷偷跪在地上朝天祈祷，翻来覆去地说一句：“老天爷，求求你让我好了吧，这样我才可以谋得一官半职，也才有能力让母亲免受饥寒。”

等到当了大官，家里生活条件好了，唐淮源因在社会上屡遭挫折，一度欲效仿古人退隐，但这时抗战爆发，他想到要给母亲争取更大荣耀，来安慰老人家，所以又毅然留在军队里。

1939 年，唐淮源老母病逝。他在回云南奔丧后，便对家人说：“我这一生都是为了母亲，现在她不在了，我也就一无牵挂，此身当为国有！”

唐淮源的第三军大部分为云南子弟兵，他们是中条山战役中少数表现较好的部队之一。

通过重机枪组成的火力网，第三军给日军以很大杀伤，但当时的局面已非区区一军所能挽救，经过几天的厮杀后，部队伤亡大半。

5月11日，唐淮源见整体冲不出去，决定化整为零，分路突围。分别时，他郑重告诫下属："中国只有阵亡的军师长，没有被俘的军师长，千万不要由第三军开其端。"

中国民间有一个只可意会不能言传的说法，即"大将忌犯地名"。5月12日，唐淮源被困于悬山，此地又称"唐王山"。

王者亡也，唐淮源组织残部三次突围都突不出去，已经弹尽粮绝，此时下起了滂沱大雨，他屏退左右，一个人走进一间土屋。

一切都显得那么糟，但是我尽力了，现在是给部下们做个榜样的时候。

第三军军长用手枪结束了自己的生命，宁死也不愿成为敌人的俘虏。

他的部下果真追随而来。第十二师师长、云南腾冲人寸性奇得到消息后说了一句："当初忻口战役有郝梦龄、刘家骐一道殉国，第三军打了败仗，牺牲两位军师长也是应该的。"5月15日，寸性奇右腿被日军炮火炸断，不愿被俘受辱，遂用腰中佩剑自尽而亡。

6月15日，中条山战役（又称晋南会战）结束。

"愚人"唐淮源在中条山做到了最好

日方指挥中条山战役的是由参谋次长转任"华北方面军"司令官的多田骏，一个月后他便回国，并因功晋升为大将。

中条山战役与几个月前的上高会战形成强烈反差，可以说是抗日战争以来打得最差劲的一仗。经此一战，中条山的第五、第十四集团军大部分都损失掉了。据日方统计，中国军队当场战死四万二千人，被俘达到三万五千人，而日军死伤三千都不到，悬殊十分骇人。

蒋介石羞愤交加，接连用了“最大之错误”、“最大之耻辱”来进行评价。作为第一责任人的卫立煌被免去第一战区司令长官本兼各职，同时革除陆军上将衔。

第三章

小块头也能做大事情

在 1941 年的中日大会战中，中日双方都各有一次完胜，中方是上高会战，日方则是中条山战役。让陈诚羡慕不已的第二次长沙会战其实打得并不好，甚至起先连陈诚自己都没有意识到，要不是他出兵猛攻宜昌，薛岳将会输得很惨。

这次会战起自于 1941 年 9 月 18 日，进攻长沙的第十一军由新任司令官阿南惟几中将亲自负责指挥。

常胜将军

阿南惟几，毕业于日本陆军大学第三十期，与石原莞尔是同期生，此前为陆军省次官。

日本侵略军司令官阿南惟几

阿南属于那种见过世面的军人。别人一辈子能见上天皇一面已足够出去吹上半天，但阿南有一段时间却能跟裕仁天天见面——他曾担任天皇的侍从武官，由于小样儿整得挺带劲，据说在皇宫里的时候，还特招宫女们喜欢，连皇后娘娘都对他另眼相看。

这种优越感也被阿南带到了中国。在武汉第十一军司令部，他把两位前任的作战案例都拿出来翻了一下，得出的结论却是冈村也并不比园部高明到哪里去，毛病都差不多，那就是出兵太“散”。

园部分成三路，南北两路都没起什么作用，导致中路孤军深入，被第七十四军打得落花流水。

冈村也分三路，应该说比园部要强一些，可并不是战略战术强，而是“最弱师团”小宇宙爆发，突然表现扎眼，才吸引了包括第七十四军在内的五个军。

阿南要想超过冈村和园部，显然就必须克服“散”，争取“合”。

第二次长沙会战，第十一军就专攻湘北一路，各部队齐头并进，相互策应，目的就是寻找并消灭第九战区主力。

如果可以，阿南很希望来个突袭，可惜他做不到，双方天天大眼瞪小眼，各地兵力突然向一个地方集中，实在很难瞒过对方的眼睛，相关情报早就飞到了薛岳的案头。

发现日军由三路变成一路后，薛岳也赶紧调兵遣将，不仅将本战区兵力调往湘北，而且通过统帅部要来了四个军加强防守。

有了这么多部队后，他的思路忽然变了。

老虎仔既以岳飞自命，对打胜仗就有一种比一般人都炽热得多的渴望。道理很简单，在民间的野史评书里，岳鹏举可是常胜将军，谁听说他吃过败仗的？

然而，真实的战场并不是这样。胜利的毕竟只有一方，你胜对方就要败，所以要想天天赢，哪有那么简单！

薛岳的战绩起起伏伏，似乎有一胜必有一败，有一败方有一胜。比如，兰封会战功亏一篑，万家岭便扬眉吐气，南昌会战郁闷得说不出话，到首战长沙就能笑上一笑。

老实说，在敌强我弱的条件下，能做到这个样子，乃至有百分之五十的胜率，老虎仔已足可以“军事天才”自傲，也完全能划入常胜将军之列了。

他自己大概也是这么想的。第一次长沙会战后，在抗战后方出现了一幕京剧。

开场后，人们看到男一号首先亮相。但见他顶盔贯甲，前有马童引导，后有帅旗衬托，两厢一排龙套，每人手上各执一旗，上书“精忠报国”四字。

显然，男一号扮的应该是岳飞，可再看帅旗上写的大字，却不是“岳”，而是“薛”。

然后，男二号出场了。这位头戴纶巾，手持羽扇，身着八卦衣，分明就是孔明他老人家。

观众全都纳闷了，以为演的是《说岳全传》，怎么又变成《三国演义》了，而且岳飞还改了姓。

再仔细看节目单，才弄明白，原来这是一出玩穿越的现代京剧，名字就叫“新战长沙”，其中岳飞代表的是薛岳，孔明代表的则是薛岳的参谋长。

外行无所谓，看看热闹而已，内行却不满意，有人看到一半就看不下去，扭头便走。

报界一查，才知道这个雷人剧竟然是薛岳自己让人编的，于是议论纷纷。老虎仔脸上挂不住，便推说是参谋长在瞎搞，参谋长一脸委屈，说这是得到长官同意的……

笑不出来了。现代京剧演不下去的同时，战役的功过成败也不得不打上个大问号。

冲动是魔鬼

薛岳很清楚，第一次长沙会战虽然被宣传成“长沙大捷”，然而胜得实在很勉强。冈村宁次固然没有能击破第九战区的任何一支部队，可他反过来也未能击破对方任何一支成建制武装，双方互有伤亡，只是在第十一军撤退时，第九战区才捡到了便宜。

没能捞到大战果，与采取的战略战术是密切相关的：主力“逐次抵抗”，边打边退，等第十一军主动后撤时再返身追击，当然杀不了人家的大龙，只能抓些小鱼小虾了。

这次兵力足够，完全可以打得狠一点。

薛岳的最新部署是，先在新墙河一线“持久防御”，等第七十四军等其他强力军团到来后，再像上高会战那样美美地打它个大胜仗。

这一战术奏效的前提是必须前面能守住，老虎仔对此信心十足，因为新墙河的守军是第四军，在薛岳看来，那是一道铁闸。

前有“老铁军”把门，后有“新铁军”上阵，到时候把日军这么一围，那戏演起来指定好看了。

人一冲动，魔鬼就会上身。老虎仔光顾看着自己的碗乐，他没想到别人吃饭用的已不是碗，而是盆子。

此次，阿南所使用的兵力超过以往任何一次。

冈村进攻长沙，虽说使用了六个师团，但里面相当一部分都是以旅团为单位，充其量只能算支队，而园部进攻上高，更是小气得要命，从头到脚只投下去两师一旅团。

中条山战役说明，没有大投入就不会有大产出，空手套白狼的时代早就过去了。

阿南采取舍弃部分据点的办法，一口气抽调四个师团，另加五个支队，同时他还参照南昌会战的经验，空前加强了特种配备。

由于湘北的道路遭到破坏，日军特种部队的集结很费劲，足足花了半个月的时间，但是完成之后，立刻露出峥嵘。

在新墙河北岸，光炮兵就有二十六个大队，相当于四个以上炮兵旅团，全部炮兵接近步兵的一半以上。南昌会战时，冈村动用火炮一百七十门，阿南集结的火炮差不多是这个数字的两倍：三百三十二门！

炮群齐射之后，南岸的守军阵地已是一片狼藉，到处是滚滚浓烟以及被炸死炸伤的人。

在特种兵的使用上，阿南比冈村更胜一筹。在湘北一线，他不仅使用了炮兵、坦克兵、航空兵，还首次出动了伞兵。这些伞兵从天而降，突然从后方对第四军形成威胁。

新墙河正面，不过才二十公里的范围，一下子堆这么多步兵和特种兵，老铁军也受不了。

南昌会战的情景再次重现。9 月 18 日上午，第四军阵地就遭到突破，形势急转直下。

在察觉到对手阵势很大，可能远远超过以往规模之后，薛岳立即命令东面幕阜山区的部队发动侧击。

这是早在第一次长沙会战中就曾使用过的战术，即将大部队保持在日军进攻的侧面，在防止对方迂回的同时，通过侧击来寻机反包围。

重新出招后，前线战况出现缓和，日军的侵略攻势也慢了下来。

薛岳很高兴，认为自己这一掌正击中对方的要害，然而他错了，错在电令已经被阿南截获并破译出来。

正面的缓和，并不是幕阜山区的部队侧击造成的，相反，那是因为阿南临时改变作战计划，从正面抽出两个主力师团，拿去进攻幕阜山区了。

孤掌难鸣

防守幕阜山区的是萧之楚第二十六军，属军委会直接指挥的战略预备军。它原为老西北军的一个分支，长城抗战后期，曾取得过“兴隆大捷”，一战歼灭日本关东军一个大队，颇为世人称道。

问题是你再有战斗力，也得使用得当才行。进攻幕阜山区的两个师团，其中之一就是熊本第六师团，后者在日军中也属于超一流部队，以超一流对一流，再加上两个打一个，结局可想而知。

军长萧之楚察觉日军主力向他包围过来后，急忙打电话向薛岳报告。薛岳大发雷霆，“慌什么慌，难道你不会还手？丢了阵地，我就杀你。”

萧之楚只好放下电话，组织人马进行固守。

提起萧之楚，现在的年轻人没几个知道，这个招牌还得靠他的公子扛。萧公子者，萧逸是也。现代武侠小说四大家，金庸、古龙、梁羽生，然后就是他。

不知道是不是萧家本身就有一种神秘氛围，老天在关键时候给萧老爸支了招，要不然，第二十六军怕是连半天都难撑下去。

9月21日，幕阜山区突然爆发日食。日本人也很迷信，有的人一辈子都没见过这种自然现象，一下子慌得连手都抖了起来。

这就是传说中的天狗吃太阳，什么时候不好吃，现在吃了，莫非是我们的行动触犯戒律，天照大神降下坏兆头来了？

日食发生的时候，什么都看不见，没法打仗。日食结束，两个师团的官兵因此变得心神不安，不敢打仗。

一天等于虚度。

9 月 22 日，阿南再次截获电报，上面薛岳正不断催促一支部队向长沙附近赶——快，快，快！`

这支部队正是第七十四军！

自从上高会战后，日本人就把第七十四军视作中国的首席王牌——“虎部队”。阿南此行的目的不是要占领长沙，而是要消灭第九战区的主力，现在对方的王牌自投罗网，岂不正好！

阿南立刻致电两师团，要求不得迟疑，赶快攻，以便为对阵“虎部队”排除障碍。

经过两天两夜的激战，萧之楚第二十六军终于吃不消了，不得不突围而去。

薛岳红了眼睛，又派上一个军，垮，再派一个军，接着垮。

薛岳兵团与日军激战

十天不到，垮了三个主力军，“持久防御”和“侧击战术”也双双失效，但薛岳却一相情愿地认为，在长沙以北歼灭日军的时机已成，可以让第七十四军大显身手了。

薛岳指挥作战，不像罗卓英那样倚重幕僚。从参谋长开始，能给他干的活，都仅限于抄抄电报、接接电话，整个战役从头至尾，皆由其一手掌控。

这种指挥方式有利有弊。有利的方面是反应快捷，当断则断，没有什么拖泥带水、犹犹豫豫的情况发生。不利的方面是往往不能及时采纳好的意见，以补其短。

当时，第七十四军已赶到浏阳。有人建议，既然前面三个军都垮了，像上高会战那样的口袋阵已做不起来，光靠第七十四军孤掌难鸣，不如让它就地停在浏阳，以俟其余援军到达，等攒齐力量后再一拳打出去，必能反败为胜。

薛岳没有听进去，而他要决战长沙以北的电令竟然又被阿南破译了。

还有谁行

9月26日，阿南得到战报，进入长沙以东的名古屋第三师团被中国军队击退。

名古屋师团是参加过淞沪会战的常备师团，非一般新编师团可比，怎么会说被击退就被击退呢。阿南立刻意识到，这一定就是那支把园部赶下台的第七十四军。

真是踏破铁鞋无觅处，得来全不费工夫。原来你在这里，终于找到了。

阿南一扫小挫的沮丧，变得兴奋不已，他赶快把幕僚们召集到一齐，当众宣布了这一消息。

从冈村到园部，都吃过第七十四军的苦头，及至阿南上任，也是对这支部队久闻其名。这三个人曾动用了各种各样的手段，包括地面侦察、空中侦察以及电报破译，想确定第七十四军的具体位置，可是怎么也找不到。

第七十四军在成为战略军之前，就已经是第九战区的机动部队，其驻防地并不固定，基本上需要它到哪里就到哪里。升格为战略军后，它更是行踪飘忽，一度还划入了第三战区，所以找不到它是正常的，找到它才是不正常的。

现在一听第七十四军终于现身，参谋们也个个手舞足蹈。大家一致认为，如果能够消灭第七十四军，这一趟就算没白来。

既然众人都这么说，阿南决定集中全部力量与第七十四军对阵。在让名古屋师团缠住对方的同时，又令熊本师团及军直属的特种部队疾速南下。

别的活都统统放下，要紧的是消灭第七十四军。

9 月 27 日，王耀武与日军主力面对面展开对攻。

这是真正的硬仗，第七十四军长途奔波，连喘息和构筑工事的时间都没有，就得和对方两个常备师团厮杀，当然非常被动。

一天之内，一半人马被打光了。在防线被突破后，连王耀武也遭到日本骑兵联队的冲击，最后藏到路边树林里才逃得一劫。

由于指挥者的失误，一个具有超强战斗力的战略军就这样败下阵来，而且败得如此之惨，殊可痛哉。

9 月 28 日，日军侵占长沙，所谓决战长沙以北完全成了泡影。

到这个时候为止，如果没有新的转机，薛岳已经快要输得精光了。

转机一半出在陈诚身上。从 9 月 27 日起，他的第六战区开始猛攻宜昌，第十三师团连叫救命，阿南坐不住了。

另一半，则是第十一军进攻长沙的目的本来就不是为了侵占，所以由新墙河到长沙的道路，都没有顾得上修复，沿途也无可用于补给的兵站。

自集结湘北开始，日军出来已经三周时间了，不仅随身携带的粮弹越来越少，而且本身也疲惫不堪，如再深入下去，恐怕胜负难料。

10 月 1 日，阿南下达撤退令，日军开始大撤退，而且撤退的速度非常快。

在这种情况下，只要追击就有战果，薛岳看上去仍有机会。

可是你让谁追呢，原来的威龙猛将，垮的垮、伤的伤，就算知道前面会有一大堆便宜等着捡，也没人有力气再爬起来了。

此时，薛岳一定把肠子都给悔青了。要是早听幕僚之计，把第七十四军藏在身背后，此时发力，大胜必然唾手可得。

还有谁行?

一个人站了起来，他叫杨森。

川中猛人

杨森，四川广安人，时任第二十七集团军总司令。

杨森是个猛人，可以用一连串特猛的数据加以说明。

四川军阀头目，大多妻妾成群，可是谁也比不过杨森。这兄弟简直就是以古代皇帝的标准来严格要求自己，姨太太数量之多到了令人叹为观止的程度，据说达到百余。

老婆多，子女就多，有好些连他自己都不认识。据说有一年回重庆，轰隆隆一大群小孩去码头迎接他，杨某兴致来了，就选其中较为乖巧的抱在手中亲热。

随行的参谋长又急又尴尬，原来那小孩是参谋长的独子。四川人由此引为笑柄，甚至有人还编了“杨森娶了亲生女儿”的段子。

杨森晚年到台湾后，继续一猛如斯，都九十岁了，还娶了一位十七岁的姨太太，更让人大跌眼镜的是，竟然又能生下一个女儿，从而连破两项吉尼斯世界纪录——一为夫妻年龄悬殊，一为老年得子。

杨森还有猛的。

民国新闻中曾有报道，说川军为了防止士兵逃跑，晚上都要让士兵把裤子脱掉，这其实说的就是杨森的部队。

杨森这么做，其实还不完全是怕士兵逃跑，更多的原因是他缺钱，发不起新军装，怕当兵的睡觉时把衣服给磨破了。

但是衣服白天总要穿，破是免不了的，于是杨森又想一招。

某天，他出了个通告，号召大家移风易俗，告别旧日的长衫，全部改穿短装。

通告一出，立刻城门四闭，只要看见有穿长衫的，巡逻队便掏出大剪子，咔嚓咔嚓，把你的长衫剪成短装，这就算是“移风易俗”，剪下来的布料，则全部拿去给他的部队缝补破军服了。

除了爱娶姨太太这一点外，杨猛人在其他方面倒堪为四川军人的表率，他不抽鸦片，也不赌博，且治军很严，提倡“军人常带三分怒”，与很多一手拿真枪一手拿烟枪的“双枪将军”迥异。

他有一个连长犯了错误，被当场撤职，对方不服，临走时踩得地板咚咚直响。

小小连长竟然脾气如此之大，反了你，杨森马上把连长叫住，大声责问：“你是不是不高兴？”

这连长把脖子一梗：“报告，我走路向来如此，这是一种军人的精神！”

杨森大为诧异：“你还有精神？不错，那就继续当你的连长去吧。”

在川军将领中，杨森素有勇敢善战之名，因此才能与刘湘川中争霸，但是最后终究还是没能斗得过“巴壁虎”（刘湘的外号），只得退出四川，以后便成了“中央军杂牌”。

猛人杨森在川中享有善战之名

在淞沪会战中，杨猛人表现十分突出，他的川军曾经坚守阵地达四昼夜。深达两米的战壕，开始还要踮着脚尖、踩在踏脚坑上才到看到前方，打到后面，尸体叠起来竟然比战壕还要高，然后官兵就以此为掩体，继续作战。

到撤出淞沪战场时，杨森的基干部队第二十军已伤亡大半，有人甚至断言这支部队将很快覆没，但说来也怪，第二十军不但没有散架，反而还愈挫愈勇。

这不能不说是一种本事，追根究底，杨森的川军不是一般的川军，其实是学生军。

能钻瓷器的小金刚

地方军队中的官兵，很多出自行伍，从西北军到川军，莫不如此。

杨森的第二十军开始也是这样，但杨森有头脑也正在此处。他自己是四川陆军速成学堂毕业的，知道知识的作用，因此非常热衷于举办各种军事学校，以便为自己的部队培养军官。

干什么事都会有阻力，而这种阻力又主要来自于既得利益阶层。这些学生显然对部队里行伍出身的军官是一种威胁，因此反对杨森办学的人很多，可是杨森置若罔闻，该办的学校一个不少。

学员毕了业，就要一批批地分到部队。那些“行伍军官”私下里很害怕，于是三天两头的到杨森那里去告状，说学生官这个不行、那个不行，既打不得仗，又带不得兵。

见杨森还是无动于衷，这些人火了，索性拿学生官出气，找借口对他们进行打骂。

杨森听到后，来了个以牙还牙，“谁打学生官一巴掌，我就当面给谁一巴掌；谁踢学生官一脚，我就踢谁一脚”。

由于杨森的撑腰，第二十军中的学生越来越多，军官从下级到中级再到高级，几乎全有军校学生的身影，最后弄得那些“行伍军官”反过来要抢着到军校报名，以免遭到淘汰。

在几十年时间里，杨森光通过正规军校，就培养出了不下五万的军官，而他的第二十军人数从来没有达到过五万，也就是说储备军官比兵还多。

这就是杨森的部队即使打残后也能迅速重建的原因。因为军官都是现成的，还嫌位置不够安排哩，只要重新再招一些兵，马上就可以把队伍重新组建起来。

至于第二十军为什么不会散，那就更容易理解了。杨森对于他的学生官，就如同蒋介石之于黄埔军官，双方既是上下级关系，同时也相当于校长与学生。这些军官的脑子里都只有一个杨森，并且认为跟着杨森，才有前途有奔头，所以第二十军的官兵无论新老，始终都肯追随杨森效命疆场。他的部队，别人既插不进来，也摆布不了。

因淞沪会战之功，杨森被任命为第二十七集团军总司令，但他那个集团军里的部队，大部分都是由薛岳直接指挥的，他能左右的实际仍只有第二十军。

第二次长沙会战刚开始时，第九战区里面尽是第七十四、第二十六军这样的由大块头官兵组成的军队，众人站成一排，杨森几乎就是最矮的，薛岳哪里能看得到他。

好了，大块头都趴了下去，该轮到小块头了。

杨森立即指挥第二十军衔住撤退日军，大胆进行侧击和尾击。

第二十军虽然以学生官为主，但在杨森的亲自示范下，猛人还有不少。

第一猛是军长杨汉域。他不是学生官出身，文化不高，被戏称为“土包子”，可是这个“土包子”记忆力超强，能够一字不差地随口报出全军的任何一个数据。

打起仗来，觉得哪里重要，“土包子”就撂给哪里的军官一句话：“打得好，我升你的官，打得不好，老子杀你的头。”

第二猛是师长夏炯。他有个绰号，叫做“夏马刀”，源于战时都要带上一把马刀。其实也不算马刀，而是关云长那样的大刀，得几个卫士扛着走。

战场之上，“夏马刀”就在后面挥舞着他的大刀，谁要是敢临阵脱逃，给他看见了横过去就是一刀。

“夏马刀”名气很大。那些连排长有时还借他来压阵，眼看没人敢往日军堆里冲，就会大叫一声：“夏马刀来了！”

众人听得后，马上不顾性命地冲将出去，就仿佛那把冷森森的大刀片已经架在脖子上了。

阿南认为自己已经把第九战区的主力削得差不多了，做梦也想不到斜刺里会突然杀出这么多猛男。

经过杨森的疯狂追击，日军撤退秩序变得混乱异常，其中一个负责掩护的联队几乎被完全击垮，遗落的辎重马匹车辆更是丢得到处都是。

杨森一直追到新墙河才停下来。由于东洋死马很多，川军官兵坐下来就地饱餐，就这样还吃不完，又分给当地民众，好一派“壮志饥餐胡虏肉，笑谈渴饮匈奴血”的动人景象。

川军在第二次长沙会战中大放异彩

大家都未料到四川人如此了得，真是人不论大小，马不论高低，金刚虽小，同样能钻瓷器。

薛岳抹了一把额头冷汗。有了这么一个插曲，第二次长沙会战终于又可以算成是“大捷”了，然而他也十分清楚，若没有杨森在关键时刻拉上一把，自己的下场可能不会比中条山战役后的卫立煌好上多少。

薛岳当面称赞杨森，并且把守备新墙河的任务交给了他。

这个活本来是第四军的，若放在以前，杨森想也不敢想。他虽然心里乐开了花，嘴上却还要假装谦虚两句，薛岳则不由分说，“我相信第二十军有和第四军一样的防守能力。”

杨森走出门去，乐得差点没变成小鸟飞起来，而他即将得到的好处仍没有到结束的时候。

在随后召开的南岳军事会议上，因指挥失误问题，薛岳遭到蒋介石的严厉批评，只有第二十军将士得到全体嘉奖，杨森本人则被特授为陆军上将。

第四章

谁才是生活的导演

当时中国的进出口岸主要包括香港、越南、新疆、缅甸四地，但是进入1941年下半年后，大半都被封杀掉了。

广州失陷，基本切断了香港通道。

继南宁之后，广岛第五师团击败法军，侵入越南北部，使越南通路完全失去作用。

1941年4月，日本和苏联签订“苏日中立条约”。通过这个条约，断绝了中国今后继续依靠苏联支援的任何一点念头，新疆线也被掐断了。

只剩下了缅甸，而日本要想侵占，就必须继续侵入越南南部，这样才能开辟出向缅甸进攻的前进基地。

赌国运

起先，日本对进军越南南部还是犹豫的，倒不是怕英法两国。

东瀛的野心，向来不仅限于一个中国，小小岛国的胃口大得很哩。不过东南亚原先大部分都是英法荷的殖民地，假使欧战不爆发，就是馋到流口水，它也不敢轻易染指。

可如今不比往日，德国一个闪电战，法国和荷兰就投降了，昔日的日不落帝国虽然靠一座海峡暂时保得平安，然而也是岌岌可危。

要说惧，还就是惧苏美两国。

“苏日中立条约”签订后，斯大林亲自到火车站送别日本代表松冈洋右，而且还破例与对方同坐火车，最后两人“依依惜别”。

多么温馨的一个场面，可惜的是大家心里都有数，这不过是暂时互相利用而已，也许没过多长时间，就要你咔嚓我、我咔嚓你了。

当时，日本已经和德国、意大利建立了三国同盟，最好就是德国和苏联打起来，那就少了一个心腹大患，然而谁都知道，德、苏签过“互不侵犯条约”，它们怎么可能说打就打呢？

1941 年 6 月 22 日，德国突然对苏联发动袭击。

日本人马上明白过来，什么互不侵犯，什么中立，其实大家全是心照不宣，骗骗人的，觉得时机到了，想打还是照打不误。

这真是天佑我也，此时不下手更待何时。

7 月 2 日，裕仁天皇批准了南进计划。

7 月 25 日，日军从海南出发，向越南南部进军，其囊括东南亚的野心已毕露无遗。

美国总统罗斯福闻之大为震惊，当天就决定冻结日本在美国的所有资产。为防止日本进攻东南亚，他还将太平洋舰队调至夏威夷，以作为对日本的外交威慑。

日本无法绕过太平洋舰队而在东南亚逞凶，美国因此成为“南进战略”的最大障碍。

事情再清楚不过，要想继续南进，势必要冒跟美国开战的风险，这是一个比“中国赌局”还要大得多的“世界赌局”，而能放到台上的赌注将是全部的身家性命——日本国运。

红着眼睛的赌徒们不得不一而再、再而三地合计来合计去。不过，与发动侵华战争时不同，这次反对开赌的恰恰是前线指挥官。

时任“中国派遣军”第二任司令官的畑俊六虽然接替西尾寿造的位置不久，但他早在徐州会战前就指挥对华作战，深知这池水有多深。

如果实施“南下战略”，就必须两面作战，不仅要对付中国，还得跟美国以及英、法、荷打得死去活来，前途实在难卜啊。

畑俊六主张放弃“南进”，集中兵力优先解决“中国事件”，为此，他还提出了一个新的作战计划，“北面应该调集八个师团，从中条山攻入西安，南面再调集七个师团，从越南攻入昆明，如此，大事可成矣”。

畑俊六的计划报到军部后，却被嗤之以鼻。

如今的军部由两个人掌控，一为“老强硬派”杉山元，时任参谋总长，一为“新强硬派”东条英机，时任陆军大臣。

要论强硬，东条比杉山元还变本加厉。

这位有“剃刀”之称的家伙当年曾指挥一个只有几千人的混成旅团(东条兵团)，短时间内就占领了整个内蒙古。他的前任板垣虽然也依靠中日之战风光过，可后来却在忻口和台儿庄吃过瘪，只有东条，见好就收，除了胜利还是胜利，自我感觉越来越好，渐渐地就不知道自己姓甚名谁了。

拿到畑俊六的报告后，东条从鼻子里面哼了一声，“说得那么正经八百，其实还不是担心我抽他的兵？小样儿的，以为我扛不住你的忽悠是不是?”

畑俊六的新计划看上去很美。不过我倒要问一句，你们早干什么去了，如果事情真的这么容易解决，“中国事件”还用拖到今天?

两个斗大的问号，让畑俊六的报告彻底变成废纸一张。

东条当的是近卫内阁的陆相。这个近卫内阁已经是第三次近卫内阁，没办法，大家都搞不定“中国事件”，内阁就变成了军部的出气筒，一不称心，发句话就能让内阁倒台。

第一次近卫内阁后，先后有平沼、阿部、米内三届内阁，但他们最长的待半年，最短的仅维持几个月就崩溃了，只好再拉出近卫来充门面。

时间一长，“青年政治家”终于想明白了，一旦招架不住，我就走人，执政半年后这个老油条果真又宣布辞职，然后下面换一批人重新组阁，跟小孩子玩过家家一样。

在发动侵华战争乃至关闭中日谈判大门时，近卫表现得曾是何等气宇轩昂、义无反顾，然而在汤姆大叔面前却也十分胆怯。自第二次组阁以来，他就开始与美国进行谈判，希望找到一条两全其美的解决办法。

东条看在眼里，对此十分不屑，当着面就对近卫说：“有些时候，我们也要有勇气去做点非凡的事情，比如从平台上往下跳，两眼一闭就行了。”

两眼一闭，说得轻巧，近卫可没这么大的胆子，他还是主张与美国进行和谈。

东条都没耐心听完，他把桌子一拍："笑话，难道和谈能给我们带来土地、资源和阳光吗?"

在以东条为首的"强硬派"的压力下，日本统帅部做出决定，以10月上旬为截止时间，到时候要是还谈不拢，就不惜与美、英、荷一战。

东条英机要以日本国运作为赌注

本来，美、日双方是有可能谈成的。

美国的困难明摆着，它必须首先面对欧洲战场，大部分军事力量也都部署到了那一侧，如果再与日本打起来，无疑将陷入两面作战的窘境，所以对谈判乐观其成。

在近卫一方，由于时间逼得近，为尽快结束谈判，也做了让步，答应只要美国对日本解除禁运，日本就将从中国撤军。

似乎可以皆大欢喜了。

然而，近卫刚刚在御前会议上提出这一方案，东条就当起了咆哮哥，他冲动地大喊大叫，根本没有必要再谈下去了。

"你们究竟是怎么谈的，让我们从支那撤军？那不就意味着美国把日本给打败了吗？未战先败，这是日本历史上的耻辱。"

末了，东条还没忘记再泼一盆冷水过来，"近卫君，最后期限已经到了，难道让帝国撤军就是你谈判的结果吗？我看你该辞职了！"

"近卫君"羞愧不已，当着天皇的面就让人刮脸皮，这个首相如何还能再干下去。

10月16日，近卫宣布内阁总辞职。

东条可早就惦记着这把交椅了，10月18日，他被天皇晋升为大将，自己出面组阁。

东条内阁跟以前的任何一届内阁都不一样，因为阁员的位置几乎都让他一个人给包了：首相、陆相、内相……

开什么会，有什么可商量的，整间会议室里，就我一个人才好呢，反正不就打仗那点事吗？

这是一个彻头彻尾的战争内阁。至此，日本两眼一闭，真的从平台上跳了下去。

魔术

东条已经把子弹推上了膛，但令人惊异是，他不但没有中止谈判，反而还扩大了谈判阵容。

原来的谈判代表只有一个，即日本驻美大使野村吉三郎。东条组阁以后，又给野村添了位名叫来栖三郎的外交官作为伙伴，看上去，他对和谈的热情似乎比下台的近卫都大。

东条的变化，来自于一位海军大将的启发，此人便是日本联合舰队司令长官山本五十六。

山本此时正在策划一场针对美国太平洋舰队的惊天行动，他对东条说，靠和谈想弄到好处，当然是不可能的，但和谈绝不是没有用，它有用。

听得此言，杉山元凑过来摇了摇他那积水过多的大脑袋，“和谈，嘿嘿，那不过是政治家的把戏罢了，我们军人只能用我们特有的方式——战争去解决一切问题。”

这个老朽，山本也不理他，自顾自地继续高论。

不错，和谈的确是政治家的一种欺骗手段，不过难道政治家会用，我们军事家就不会用吗？

“剃刀首相”眼前一亮，有门，说下去。

山本于是和盘托出了他的妙计，“南进计划天皇都批下来了，谁能挡得住，不过在此之前，我们先要利用谈判把美国人给哄住。”

原来是欺骗式谈判，太高了，东条由此顿悟。

在自己组阁后，他也认识到，有时候通过谈判同样能获得战场上难以捞到的好处。

我过去反对和谈，不过是反对从中国撤军，假如可以不从中国撤军，甚至逼迫美国放弃对中国的援助，何乐而不为？

11 月 2 日，东条内阁——或者说东条，决定用一个月的时间，继续实施“欺骗式谈判”，交涉成功便罢，不成再打。

既然是欺骗，就得有演技。东条自任导演，对野村和来栖这两位演员好好指点了一下，所幸二位天生就有混娱乐圈的潜质。

野村在“一·二八”后期遭遇刺杀，给炸瞎了一只眼睛，但他模样中看，而且跟罗斯福有私人交情，给人印象不错，因此被称为“令人尊敬、人格高尚”的军人外交官。来栖则任何时候都是一副可怜巴巴、让你不同情他都于心不忍的样。

这是一对绝配，放迷魂汤和施烟幕弹的都有了。

奉东条之命，野村和来栖找到美国国务卿赫尔，交给他两份新的谈判方案。

赫尔一一看过去，发现这两份方案都有一个共同的特点，那就是要求美国停止援助中国。

赫尔收下了两份方案，表示要回去再认真研究一下。

野村和来栖回去后没有发现彼此有什么明显漏洞。野村扮真诚，说明费尽心机才想出了这两个万全之策，来栖扮憨厚，说明如此做法，实在是情非得已。

演得很棒，可并没有能瞒过罗斯福和赫尔的眼睛。

现代战争在某种程度上拼的就是技术，比如电码破译技术。

在这个高精尖领域，日本超过中国，美国又超过日本，特别是美国人掌握了一种名为“魔术”的最新技术，已能成功破译日本大使馆和东京的往来密电。

通过“魔术”的帮助，罗斯福和赫尔掌握了东条谈判的欺骗性，甚至他们都知道东条所划时限，即谈判必须在11月29日以前取得成果。

日本人要为军事行动拖延时间，美国人同样也想这么做，因为按照海陆军的报告，必须有两到三个月的时间，美军才能最终完成在太平洋的布防，否则不足以阻止日军的南进行动。

考虑到如果接受日本的方案，从书面上确定“停止援助中国”的话，容易对中国和其他盟国造成刺激，罗斯福和赫尔决定采取一种他们认为更稳妥的办法。

11月24日，赫尔召集中、英、荷、澳四国大使开会，宣布了美国的“临时过渡办法”：要求日本将越南驻军减少到两万五千人，在此基础上，美国将解除对它的经济封锁。

中国驻美大使立即致电国内，蒋介石闻知后大惊失色。

显然，美国人暂时不想跟日本干仗，所以只需要日本不继续“南进”即可，至于日本撤不撤出中国，实际并不在他们的考虑范围之内。

东条方案的提出，也正是看到了这一点。所谓“停止援助中国”，如同甲午战争时的翻版，迁就于列强，却独独胁迫中国。

解除对日本的经济封锁，跟变相援助日本差不多，这比“停止援助中国”又会好到哪里去呢？

蒋介石为此“忧愤交集”，那一刻，他甚至想到了“崖山之败”。

崖山位于广东海岸，六百多年前，大宋王朝在那里组织了抵御元军的最后一战，即崖山海战。经过那一战，宋军实力消耗殆尽，见事不可为，皇帝、文武

崖山之败使“古典中国”走向消亡

大臣和军民百姓相率跳海自杀。《宋史》记载：七日之后，十余万具尸体被冲到海边，场面悲壮至极。

“崖山之败”不仅宣告了宋朝的灭亡，也标志着中国在历史上第一次完全沦陷于外族之手，所谓“崖山之后无中国”，文化意义上的古典中国从此不复存在。

重庆，或者是昆明，会成为近代的崖山吗？

对古史相当熟悉的委员长不寒而栗，他有了一种绝望之感。

书生大使

站在罗斯福和赫尔的立场上，这么做无可厚非，人家毕竟是美国的总统和国务卿，不是中国的，考虑任何事情当然不可能先替你着想。

能够事先通知中国驻美大使，那是客气的，就算不打招呼又怎么样？

罗斯福和赫尔管不了那许多，他们准备在11月26日与日方正式达成协议。

从“魔术”破译的情报来看，“临时过渡办法”与东条的想法一致，那就是对中不利、对日有利，对方是肯定愿意接受的。

美国人的做法虽不地道，但在国际政治中却并不鲜见。牺牲小国，保全大国，历来都是如此，现在只不过是又增加了一个新的范例而已。

11月25日成为最关键的一天。

蒋介石不断向华盛顿发来措辞强硬的长篇电文。在电文中，他再三强调，在日本从中国撤军之前，只要美国对日经济封锁有一点点松动，中国这边就顶不住了，“抗战必见崩溃”。

似乎电文给罗斯福和赫尔造成了很大的心理压力，特别是看到下面这些句子的时候——假如真的到了那一步，你们以前的援助就是一场空，大家都白忙活了。以后我们也不再需要你们的帮忙，更不会相信那句“人间自有真情在”的谎言（“从此国际信义与人间道德，亦不可复闻矣”）。

这不是绝交信，但意思差不多。

赫尔一整天都坐卧不安，郁闷不已。此时，有人来敲门了，一看，却是胡适博士。

胡适，字适之，安徽绩溪人，时任中国驻美大使。

纵观民国学界，素有“前有梁任公（梁启超），后有胡适之”的说法。当时的胡适，无论在学界还是舆论界，均处于绝对的领袖地位，但鲜为人知的是，胡适和汪精卫等人一样，也曾经是“低调俱乐部”的重要成员。

即使在南京国防会议召开的前一天，胡适仍然在呼吁政府“做一次最大的和平努力”。在他看来，以其时中国军力，尚不足以战。如果战，必定要败，与其败而求和，还不如现在就着手，以谋求“五十年之和平”。

对胡适的话，蒋介石表现得不以为然，在国防会议上，他“颇讥某学者之主和”，某学者，影射的就是胡适。

但奚落归奚落，蒋介石对这位有些书生气的老夫子还是颇为敬重和欣赏的。他曾经评价胡适是“新文化中旧道德的楷模，旧伦理中新思想的师表”，可谓一语中的。

后来胡适终于明白，和比战还难，难百倍，当战争来到眼前的时候，不是你想躲就能躲得了的。于是，他在态度上发生了根本转变，并从此告别了“低调俱乐部”。

不久，他应蒋介石的要求，暂时弃文从政，先以“政府特使”、后以“驻美大使”的身份赴美游说，以争取国际支持。

胡适能担当这一重任，缘于他的名气实在太大，不仅国内知名，在西方国家中也有很强的影响力，连老外吹牛，张口闭口，都喜欢把“我的朋友胡适之”挂在嘴边。

某次，一位刚当选的美国议员到中国大使馆赴宴，糊里糊涂也弄不清楚中国大使是谁，就知道觍着脸吃。吃完送客，胡适邀请该议员今后到中国旅游——当然是客气，兵荒马乱的，怎么个游法。

这位议员点点头，“好的好的，我一定会去，而且首先要去拜访一下我的朋友胡适博士。”

胡适闻言莞尔，“议员先生，那你不用走那么远，因为胡适就站在你对面！”

胡适虽贵为大使，出门却不带随员，就那样一个人夹着皮包到处跑。

他在美国行程几万公里，做了四百多场讲演，使美国朝野上下充分了解到了一个正在遭受苦难然而始终不肯屈服的东方古国，而他本人的形象也迅速提升，成了罗斯福和国务卿赫尔的座上宾。

从“桐油借款”开始，包括后来组建飞虎队，都是胡大使辛苦努力的结果，四年时间里，他总计为中国争取到了一亿七千万美元的国际援助。

美国《纽约时报》因此发表评论：重庆政府就算是寻遍全境，也找不到比胡适博士更合适的人物了，他所到之处都能为中国赢得广泛支持。

胡适相信，只要美国参战，日本必败无疑，但“临时过渡办法”的出台，却表明汤姆大叔已经有了不顾及中国、转身想溜的念头。

这太可怕了，必须阻止。

谁是导演

那几天，蒋介石可谓是全家总动员。

宋美龄、宋子文都在美国进行穿梭游说，他自己则与胡适组成一硬一软的搭档来专攻赫尔：蒋介石前面发“绝交信”示威，胡适随后亲自登门试探国务卿的态度。

赫尔正在家里生闷气。

他认为蒋介石是“得福嫌浅”，帮你是人情，不帮是道理，怎的，日本要打的是你，又不是我。

胡适连忙上前劝解，“我们委员长对国际局势还不够了解，没有多想想美国的难处，您得体谅。”

这不过是虚晃一枪。胡适此行，绝不是光为了来说软话的。作为大学问家，有的是比普通大使多得多的法子，蒋介石“动之以情”在前，他要“晓之以理”于后。

胡适治学的门径，叫做“大胆假设，小心求证”，换句话说，就是以“科学精神”抠字眼。

胡适问：“允许日本继续留驻越南的同时，能保证他们不进攻云南吗？”

赫尔摇摇头。

胡适皱起了眉，“那样的话，这些驻军对中国形成的威胁就太大了。”

赫尔不明究竟，“不可能吧，才两万五千人，就算打起来，又有多可怕？”

“不可怕？那我就说来给你听听。”

由于并没有限定这两万五千兵的兵种，假设他们大部分是日本航空兵以及配套的机械师、工程师呢？那样的话，日本完全可以在越南建立一个庞大的航空基地。

经过胡博士大胆假设、求证下来的结果的确可怕：不独云南，就连英国人控制的缅甸，亦将受到覆盖式的空中打击。

赫尔愣住了。

他也许可以不接受蒋介石那种呼天抢地、悲天悯人的东方情怀，但不能否认胡适的西方式思维。

正如胡适所言，重要的是还得听听英国人怎么说。

英国首相丘吉尔的电报适时而至，他也反对“临时过渡办法”。

表面上，丘吉尔是担心中国垮台会对盟国造成危机，实质上他正是害怕自己的殖民地会被日本人顺手牵羊，因此特地提出，在谈判中“要价要高，还价要低”。

美国人对蒋介石的哭诉也许可以置之不理，但对这位胖小弟的话却不得不在意。

五分钟后，在罗斯福的授意下，赫尔起草了“赫尔备忘录”。

11 月 26 日，当野村和来栖接过“赫尔备忘录”时，立刻从头凉到了脚，处于“极度的苦恼”当中。

备忘录一共十款，单单拿两款出来就知道这两个家伙为什么表情如此丰富了。

第一款，日本必须从中国和越南完全撤军，一个不留。

第二款，美、日同意不得支持除重庆政府以外的任何一个中国政府。

野村和来栖设想过赫尔会讨价还价，却没料到对方会一下子变得如此强硬，几乎就是谈判桌上的魔术。

11 月 27 日，美国政府向夏威夷和菲律宾发出战事警报，表明它已做好了同日本作战的准备。

尽管如此，不到最后一刻，罗斯福仍心存侥幸，寄希望于能用"硬压"的办法使日本在谈判中就范，他却不知道东条早就蓄势待发，太平洋战争就要开始了。

一个星期后，随着轰隆一声，日本海军航空队成功轰炸珍珠港，裕仁天皇随后下达了对英、美宣战的诏书。

日本对珍珠港的轰炸改变了二战战局

美国一步失算，失算在那个叫做山本五十六的日本人手中。不过这个已不重要了，重要的是中国得救了。

事已至此，汤姆大叔别无选择，它必须应战。

1941 年 12 月 8 日这一天，在得到美国太平洋舰队几乎全军覆没的消息后，罗斯福气急败坏，赫尔呆若木鸡。可是大洋彼岸的蒋介石却恨不得长跪不起，大叫数声："苍天啊，大地啊，是哪位神仙大姐、耶稣大哥救了我们啊!”

当天，他在日记上第一次用轻松的笔调写下了一句话：“抗战政略之成就，本日达于极点。”

在我们的生活当中，究竟谁才是真正的导演，只有天知道。

第五章
以胜利者的名义

在太平洋战争的初期，美国领头，英、荷、中等二十多个国家先后对日宣战，但几乎没有谁能阻止日军的疯狂势头。

1941 年 12 月 9 日，日军向菲律宾发动侵略，仅仅五个月后，菲律宾即全境失陷。叼着烟斗的麦克阿瑟急到要拿手枪自杀，然亦无法挽回局面。

美国的坏运气似乎也传染给了盟国。12 月 25 日，驻香港的英军宣布无条件投降，次年 2 月，驻印尼的荷兰总督向日军举出了白旗。

转眼之间，日军似乎成了太平洋上的一只无敌怪兽，到了人挡杀人、佛挡杀佛的地步。

天炉战法

在日本发动太平洋战争后，中国统帅部有意识地将精锐部队陆续部署到西南，以便在那里牵制进攻香港的日军，其中原属第九战区的第四军和第七十四军都被调到了两广地区。

你牵制我，我当然也得牵制你。在“中国派遣军”的所有部队中，武汉第十一军地位非常特殊，它属于跟中国的第七十四军一样的位置，即战略军，可经常性保持九个师团的兵力。

屯集这么多人，还让对手抽兵南援，当然是不能容忍的事情。1941 年 12 月 24 日，武汉第十一军向长沙发动侵略，从而拉开了第三次长沙会战的帷幕。

这次侵略几乎就是第二次长沙会战的重复，除了侵略部队缩小为三个师团外，其他从路线到战术，都没有什么明显变化。

因为在阿南看来，两个月前的那次战役，他打得非常成功，没有必要再改来改去。你想想，一连击溃对方包括第七十四军在内的四个军，要再说指挥有什么问题，那就纯粹是鸡蛋里挑骨头了。

至于撤退时受到了一点损失，纯属意外。

阿南的成功，无疑就是他的对手的失败。可是有时候失败并不一定是坏事，相反，它还会让人变得更加理智和成熟。

薛岳是个情绪起伏很大的人。仗打得好时，他往往眉飞色舞，且有求必应，有人找他办事，刷刷两笔就给批复了。但要是吃了败仗，那你最好离他远一点，对面站着的就是一凶神，发起火来，连桌上的电话机都会摔得粉碎。

等摔掉电话机，就连隔着电话骂人都不可能了，老虎仔无人可咬，这时候才会蹲在地上，一边呼哧呼哧喘气，一边龇着牙想上次为什么会弄个一嘴毛。

通过薛岳待人接物的表情，可以知道他究竟是胜是败

第二次长沙会战，报上都在宣传“长沙大捷”，薛岳本人却在南岳会

议上被蒋介石批得抬不起头来，这让他本来极强的自尊心很受挫伤，回去后就一个人抱着脑袋想问题。

第一次，光撤，到追击时才讨得了点便宜，第二次倒是想狠一些，但是却把决战地点给弄错了，结果前面防线一崩溃就无法收拾。

假如有第三次，你该怎么打？

我会把前面两次的经验教训合为一体，前面诱它，并且逐次消耗其实力，等到它精疲力竭的时候，再选定地点进行决战。

薛岳将之称为“天炉战法”。

要做太上老君，任你是孙猴子也好，牛魔王也罢，一旦进了八卦炉，就只有被熔被炼的份，最后乖乖变成炉内长生不老的仙丹。

刚刚划出道，阿南就来了，看来不炼他都不成了。

提前庆祝

让阿南气喘心跳的是，他的这次进攻过程远比上次顺利，连在正面挡路的部队都很少，顶多不过是从旁边放放冷枪，搞搞侧击而已。

强渡新墙河时，最大的困难不是来自对面的子弹，而是当天晚上下了大雨，看不清楚，有的官兵被周围不时袭来的冷弹弄混了方向，不知不觉间就走迷了路。

没费什么周折，连炮弹都没用多少，三个师团就全部渡过了新墙河。

阿南得出的结论是，第二次长沙会战确实是把第九战区的主力给打惨了，所以没人敢挡道。而真实情况却是，新墙河只是薛岳“天炉战法”的第一诱击地点，很快就要进入第二诱击地点——汨罗江了。

果然，到了汨罗江，情形就大为不同。河对岸的火力开始猛烈起来，熊本第六师团的骑兵联队要打马通过，当即被击倒一大片。

这时外面传来消息，香港已被侵占，用不着第十一军再策应了，而且当初从武汉出发时，就确定停止线为汨罗江，于是幕僚纷纷进入帐中，请示是否撤军。

然而，阿南微笑着摇了摇头：“不，继续前进，直捣长沙。”

他分析道：“支那军队机动能力很差，抽出去的主力来不及回师，因此长沙目前的守备力量必然极其薄弱。在汨罗江遇到的困难，正好说明支那军队很着急，怕我们攻进他的长沙。我们要抓住这次天赐机遇，像占领香港那样，一举占领长沙！”

大小参谋们你望望我，我望望你，没人吱声。

“汝辈这样胆小，如何能成就大事。”阿南收敛了笑容，“好吧，先发份电报给‘中国派遣军’司令部，请示一下再说。”

没等南京的畑俊六回复，阿南就收到一份情报：据空中侦察机观察，汨罗江南岸的中国守军正在向长沙退却。

阿南一拍大腿，“我说怎么着，他们顶不住了吧，不用等回复，赶快追！”

1942 年 1 月 1 日，名古屋师团一马当先，从长沙东南的浏阳河徒涉而过，并向长沙外围的守军阵地发起攻击。

此时此刻，没有人认为长沙会攻不下来，只是你想不想要的问题。

名古屋师团一心惦记的也不是想什么办法将对手击垮，而是晚上怎样在长沙城内庆祝元旦。联队长们已穿上崭新的军服，在军营帐内频频举杯，预先开始庆祝了。

飞流直下三千尺，疑是长沙落手中。前线欢腾，后方也不甘寂寞，那些原本迟疑的参谋们都在一个劲地拍阿南的马屁，说些“主帅够神够勇，原谅小的们当初见识短浅”之类的话。

阿南春风满面，连连摆手，说：“没关系，没关系，我这人心里特宽绰，决不会计较的。”

第十一军参谋长木下勇觉得自己身为幕僚长，光嘴上拍拍已经不行了，当下他就组织起一批随军记者，坐着飞机到长沙上空去兜了一圈。

当然不能白兜风，回来得写新闻报道，木下勇自己也弄了两份电报，一份发给南京的“中国派遣军”司令部，一份发给东京的日本统帅部，内容都是提前报捷：我们一只脚已经踏进长沙了，哈哈。

能战之军

日军的实际情形却并不如阿南想象的那么美妙，即使一线看似顺利，也遮不住二三线的苦恼。

仅在新墙河以南，杨森的川军就夜袭了日军一个辎重兵联队，后者伤亡惨重，联队长当即毙命。

从新墙河到长沙，已经打了一个星期，而在这一个星期里面，类似于杨森这样的进攻方式层出不穷，大量的侧击、伏击和袭击，使得日军的运输补给线率先出现危机，并由此埋下了失败的隐患。

按照薛岳的天炉战法，他要用长沙来吸引住日军，然后调集外围的决战兵团对其实施反包围。

关键还是要先守住长沙，不能破了底，当然，这很难。

薛岳在战场上身先士卒

侵占长沙的三个师团，除了第四十师团为新编师团，可能稍逊一筹外，熊本第六师团、名古屋第三师团均为日本超一流或一流部队，当初第七十四军和第四军在的时候都败得狼狈不堪，如今不在了，到底谁削谁就更难说了。

勇气很重要。薛岳以身作则，在名古屋师团兵临城下时，他没有照例南撤，而是将战区长官部搬到了长沙市内的岳麓山上。

最高指挥官离前线战场如此之近，万一有个闪失可如何了得？

薛岳说不妨，假如遇到这种情况，我的职务可由副司令长官罗卓英直接代理，以此类推，从集团军总司令一直到下面的连长，谁要是阵亡，无须手续，副职或稍有一些资历的可以马上顶替。

除此之外，还得找一支能战之军固守长沙。

第七十四军不在，第四军也不在，长沙城里能够依靠的是第十军，但这却是一支没有军长的奇怪部队。

第十军的原军长是李玉堂，他和李延年、李仙洲因均为山东人，且都是毕业于黄埔第一期的高级将官，故而被人称为“山东三李”。

第十军属于战略预备军，由军委会直接指挥，到第二次长沙会战，才临时划拨给第九战区。

第十军当时风尘仆仆赶到长沙，打的却是一个窝囊仗，成为被日军先后击垮的三个军之一。

在随后的南岳会议上，蒋介石站在台上一个个追查责任，查到第十军的时候，给了评语：指挥无能，作战不力。

李玉堂其时就坐在下面，听到之后脸都白了，其他第十军的师长也紧张万分。

幸运的是，杨森在追击的过程中缴获了一张日军作战地图。蒋介石一看，在第十军阵地前沿，竟然标示着三个半师团的番号。

按照通常经验，中国的一个军对付一个师团都很吃力，何况三个半。于是在第二天的会议上，蒋介石缓和了口气，“看来就算你们是铜墙铁壁，也难以阻挡敌人的前进，能这样还算不错。”

说是“还算不错”，但李玉堂还是受到了撤职处分。处分令下，第十军官兵都为李玉堂鸣冤叫屈，而新任命的军长与李玉堂有同窗之谊，在听说之后，便以部队调防、走不开为由，迟迟未来上任。

部队再能战，若无良将统领，亦难以发挥效力，薛岳只得再找李玉堂，可是后者因深感委屈，整天闷在家里哪儿也不想去。

难事还要由高个来办。蒋介石亲自打电话，只是寥寥数语。

第一句问：“你是第十军军长李玉堂吗?”

第二句问：“你是黄埔一期学生吗?”

在李玉堂给予肯定回答后，蒋介石撂下一句“长沙交给你”便挂断了电话。

据说，蒋介石的头脑里几乎保存着手下每一个将领的容貌、个性和对他的服从程度，这个固然“不科学”，然而十分有用。

李玉堂随即以撤职留任的名义回到第十军，并担负了守备长沙的重任。

地堡战术

第二次长沙会战后，第十军虽经整补，也仅有两万人，人数上只相当于日军的一个师团，要想守住长沙并无确定把握。

然而，李玉堂没有选择。自古道“不是冤家不聚头”，一样的对手，他必须用不一样的方式把属于自己的东西再夺回来。

第十军的使命就是在长沙拖住日军，李玉堂很清楚这一点，因此他在长沙保卫战中贯彻的是一种以空间换时间的防守原则，即从远至近，从外到内，对日军进行逐次削弱和磨钝，直至迟滞其前进。

在李玉堂不分昼夜的督建下，长沙城外遍布许多小地堡。别看小，只有一人高，但起码对于步兵来说，每一座都不是那么好攻的。

步兵无法，便推上炮兵。

日军火炮轰击时，李玉堂正在吃饭，一颗炮弹落进指挥所，把墙上的玻璃击得粉碎，碗碟和筷子也被炸断，但他倒是吉人天相，一点事没有。

定了定神，继续吃，没有筷子，就用手抓。

幕僚赶紧问："是不是换个位置?"

李玉堂回答："不动。"

幕僚又建议道："那我们快点吃。"

李玉堂依旧静定自若，"不用。"

身边又不是围着摄影记者，所以李玉堂用不着作秀，他如此镇定，乃是因为成竹在胸。

由于从新墙河到长沙的道路早就遭到彻底破坏，因此日军的特种部队很难大批开进长沙，随步兵师团作战的，只是用马匹驮来的山炮和平射炮，而且数量有限。

第十军炮兵和战区直属炮兵加一块儿，却有四五十门之多，而且其中有很多榴弹重炮，李玉堂让它们在岳麓山上一字排开，等的就是日军炮兵露头。

找准位置后，重炮一阵猛轰，完全把对方的炮兵阵地给压制住了。

在地堡群的交叉射击下，名古屋师团的直属加强大队一晚上便被扫得精光，整个大队最后只活了一个日本兵。

长沙没有城墙，名古屋师团能进入长沙城内，完全是靠死尸铺路，硬挤进去的，然而进了城以后，另一场噩梦又开始了。

城里不可能筑起密密麻麻的地堡，李玉堂采取类似于赤壁大战中的锁船办法，将房屋的墙壁全部凿通，使作战部队可以在每座房子间穿梭来去，同时又在屋顶设置了观察哨和火力点，"铁链锁船"对日军的威胁并不比地堡来得小。

炮兵不敢露面，步兵又爬不上房，名古屋师团便出动工兵，后者不仅修桥铺路行，登高也是一大擅长，双方很快在房顶展开了争夺。

你有工兵，我又不是没有，李玉堂也把第十军的工兵集中起来，让他们登上房顶，别的不干，就是放火。

在《三国演义》中，火曾经是破"锁船"的法宝，如今则是对付进攻者的利器。日军工兵们被火烧得受不了，只能重回地面，李玉堂接着用步兵一冲，很快就把这些家伙给冲散了。

连着两天，名古屋师团都不能侵占长沙，这让阿南开始感到了一丝不对劲。

和以往一样，薛岳发给决战兵团的电报被第十一军司令部截获并破译。看完电报内容后，阿南如梦方醒，这才知道游戏中的那个猎物原来竟是他自己！

然而，此时退已成为不可能，不光对上上下下难交代，而且必然会像第二次长沙会战时那样，在撤退时遭到极大损失。

既然赌注已经放了上去，唯一的办法，也只有赌到底。

阿南知道，他只有在薛岳反包围完全就绪之前侵占长沙，才有转败为胜的机会。

名古屋师团不够，那就再把熊本师团派上去，两个老牌师团一道拱，不相信拱不开一条路。

熊本师团上去后，同样在城外的地堡群前遭不少罪，损失了不少人。

这地堡真是太可恶了，可是在缺乏火炮支持的情况下，一时又打不掉它。好在两个师团加一块，已具备了足够的人数优势，于是他们组织小股部队乘隙钻进地堡与地堡之间的建筑物中，用火力来封锁地堡，其他人则以此为掩护，越堡进入长沙城内。

如此一来，城里的日军越来越多，攻势也越来越猛，长沙城由此失陷大半，第十军也伤亡了三分之一，形势十分危急。

薛岳在岳麓山上把这一情况看得清清楚楚，他电告李玉堂："决战兵团已全面反攻，连第四军也从广东奉调回师，望你们再坚持一晚。"

电令遍示全军后，第十军将士提出了一个口号："苦战一夜，打退敌人，守住长沙，要回军长！"

不待李玉堂动员和组织，第十军连炊事兵和司号兵都拿起刺刀到前线参加了白刃肉搏。

熊本师团和名古屋师团本来是日军中最坚挺的部队，但由于连年消耗，其战斗力已大不如前，最明显的就是新兵比例不断增加，这些人原先的行当五花八门，有老师、学生、律师，甚至还有牙科医生，平时放放枪还没事，等到对方打疯了，要上来拼命的时候便原形毕露。

第十军是第三次长沙会战的主力军

第十军的一个辎重兵喝了点老酒，黑夜中操了根扁担，便随着冲锋部队杀入敌阵，靠一根扁担挥来舞去，这兄弟竟然毫发无伤。

天亮之后，长沙城内外遍布日军遗弃的尸体和伤兵，阿南翻盘的希望破灭了。

第十军战后即被中国统帅部授以“泰山军”称号，他们在用热血和生命挽回部队荣誉的同时，也要回了自己的军长：李玉堂官复原职，并升任第二十七集团军副总司令。

吃我三拳

第十一军前敌指挥所内已完全陷入愁云惨雾之中。

两个主力师团无论如何都不能在短时间内侵占长沙，最糟糕的是由于后方不断遭到攻击，补给难以运达，导致前线部队弹药匮乏，再打下去，只能是勉强硬撑而已。

幕僚们预感到大事不好，个个束手无策，惶恐不安，倒是他们的司令官还表现得更男人一些，阿南只淡淡地说了一句："胜败乃兵家常事。"

可是问世间情为何物，直叫一物降一物，你阿南既然败给了薛岳，就只能愿赌服输。

由于事先破译了薛岳的电报，阿南知道1月4日是中国决战兵团形成包围的最后截止日期，如果他不能在这一时限前撤出战场，迎接他的必将是灭顶之灾。

眼下，不能管面子不面子了，三十六计走为上。

1月4日晚，第十一军奉命总撤退。

阿南算是反应快，但随着薛岳的各路决战兵团全部到位，此时的他已经成了《水浒传》中被鲁提辖一脚踢倒在街上的郑屠户，在剔骨尖刀被打落之后，不管怎么闪，都只有挨人家痛扁的份了。

不用多，一共才三拳，不过全是"醋钵儿大小"的拳头。

名古屋师团因为有一个大队长的尸体没有找到，本来还梗着脖子，要求阿南允许在长沙再停留一晚，未料在撤退中却第一个被打得找不着北。

当初，他们是从浏阳河徒涉过来的，现在以为还能徒涉回去，没想到对岸已经被薛岳所控制，这顿打怎能免得！

名古屋师团光在河中间就死伤了五百多人，鼻子歪了半边不算，眼前还似开了个油酱铺，咸的、酸的、辣的一发都滚了出来。

此时已是深夜，四周全是枪声，众人慌乱不堪，不知道该往哪里逃才好。辎重部队和伤病员由于没有作战能力，只能一个劲地往师团指挥部缩，弄得风声鹤唳，气氛更加紧张可怖。

就在上天无路、入地无门的时候，幸亏熊本师团还控制着一条要道，这才保得众人撤往浏阳河北岸。

好，那第二拳就留给这个"日本第一师团"。

替名古屋师团殿后的熊本师团算是脑子活络，他们根据破译的电码，判断出薛岳的堵击路径，因此改变了原先的北撤路线。

这种样子就是很不乖了，分明还是"敢应口"的表现，薛岳追过去，提起拳头又是一下。刹那间，油酱铺变成了彩帛铺，红的、黑的、紫的全都绽了出来——熊本师团主力遭到包围，并被分割成数段。

其时，日军已经粮弹两空，许多日本兵的枪里都没了子弹，拿着那杆擀面杖也不过是做个样子，有的人则饿到连道都走不动。

能够帮他们维持体面的，是急匆匆赶来的大批日军轰炸机，空中特种部队使熊本师团尚能支撑片刻，但指挥机关已做最坏打算，开始焚烧全部文件。

阿南刚把名古屋师团拖出来，熊本师团又半个身子入了土，急得他眼冒金星，连忙调集部队南下接应。

最后一拳免费奉送。

前来接应的第四十师团被多次堵击，从大队长开始，死了一大堆人，比这个更惨的则是独立混成第九旅团。

独混第九旅团原驻北方，是新近才调到武汉来的。他们在半路上遭到杨森的堵击，成建制地跑出去四个，还有一个被杨森紧紧围困在了一处名叫“影珠山”的地方。

开战之后，杨森大多采取“老鹰抓鸡”的土战术，经常从侧面或背后跑出来打一下，其特点是专拣辎重部队打，而且打完撒腿就跑。这种打法很讨巧，但多少遮掩了川军骨子里的那种凶猛气质。

杨森、杨汉域、夏马刀这样的高层猛人不提也罢，川军里面，还有端着刺刀跟鬼子肉搏而牺牲的营长，有一个人挑掉六个鬼子的超级勇士，后者受重伤被抬回后方时，胸前仍抱着三挺缴获的轻机枪死不肯放。

陷入重围中的日军大队左冲右突，然而，始终没有办法突出去。

最后一拳正是赏给你的，太阳穴。做道场，磬儿、钹儿、铙儿一齐响。

终于，有一个军曹跑了出去，根据他的报告，日机随后飞去影珠山侦察，但是战场已一片死寂，横躺竖卧的，到处都是日军尸体。

从大队长以下，这个大队从建制上被完全抹掉，无论出的气，还是人的气，什么气都没了。

独混第九旅团曾经历过八路军发动的百团大战，算是见过世面，可是南方之险，也确实不是它所能承受的。

要怪，也只能怪自个，谁让你碰到了四川人里面最猛的呢。

1 月 11 日，在付出重大伤亡代价后，阿南才得以将熊本师团拯救出来。四天后，退回原出发地点。

在第三次长沙会战中，日方统计死伤人数为六千余人，这是一次中日双方都认可的大胜仗，胜利者为中方（“实为七七以来最确实而得意之作”）。

会战刚刚结束，国民党统帅部即向前线发出电令：“战场不动，等待参观。”

参观者不是统帅部高层，而是蓝眼睛高鼻子的洋老外，即各盟国的驻华使节。他们在长沙看到遍地都是枪弹残片和日军尸体，顿时惊叹不已。

盟国使节在参观战场时发出惊叹

三个师团，还有两个号称是日军中最强的，如今都在长沙吃了败仗，中国战场上，光武汉就常年牵制了日军九个主力师团，如果全部加起来，日本陆陆续续用于中国关内的军队已接近百万，如果它们移师其他战场，那将出现怎样可怕的局面？

要知道，太平洋战争爆发以来，日本仅仅靠区区十个师团就打遍南洋无敌手，别说一般中小盟国，就连英、美都避之唯恐不及。

这样的国家，这样的军队，谁敢低估？

美、英两国政府专门发来祝捷电，中国战场由此成为二战中不可替代的重要战场。

第六章

大号飞虎队

在第三次长沙会战中，如果没有飞机的集团式掩护，熊本师团几不能脱，而与当时地面战场的狼狈不同，日军航空队在空中战场上已逐渐成为绝对主宰。

胜负的根本性转折，来自于日本海军航空队推出的一种最新机型，这就是著名的零式战斗机。它在速度、灵活性、火力乃至空中的持航能力上，都远远超越了96式战斗机，更为苏联飞机所不及。

1940年9月，中国空军经历了抗战以来最惨痛的一战，即重庆空战（也称璧山空战）。当“零式”出现时，“黄莺”和“燕子”立刻被打得像落叶一样纷纷坠落，最后的战果为二十四比一，即中方飞机损失二十四架，零式仅在回航之后毁损一架。

意识到问题首先出在机型上后，苏联应中国之请，紧急提供了“黄莺”的升级产品，然而在性能上仍不是“零式”的对手，中、苏联合空军渐落下风。那位幕后总教头在哪里，我们需要你。

日本零式战机在问世之初，几乎在空中找不到对手

二流和一流

自“国际飞行中队”无果而终后，陈纳德又在昆明训练了一批中国飞行员，但这批飞行员连起码的作战经验都没积累起来，就在重庆空战中非死即伤，令过往的努力皆付之东流。

陈纳德很恼火，恼火极了，但他能做的，也只有一个人站在山坡上用望远镜进行观察，然后把零式战斗机的特点、编队战术逐一记录下来，或者与消防人员一道，用水摇抽水机给遭到空袭后燃烧的城市灭火。

对于美国人来说，这个世界上似乎没有什么难题能真正考倒他，但是面对眼前这种局面，他也再次陷入了一种巨大的沮丧和无可奈何之中。

1940 年 10 月，蒋介石紧急召见陈纳德。

“不是机型不行吗？去美国买。不是没有飞行员吗？去美国雇。从而组建一个‘美国战斗机联队’。”

陈纳德听完后，却比当初让他拼凑“国际飞行中队”还要来得悲观。

飞行员能不能雇到暂且放一边，单说买飞机。

据我所知，美国制造的一流飞机，除了自用外，早就被欧洲国家抢购一空，剩下来的全是中不溜的二流飞机。

为了解释何谓“二流飞机”，陈纳德不得不给对方补一则小贴士。

“淞沪会战前后，中国从美国进口的战斗机主要是鹰式飞机，型号为 P－36，我所说的二流飞机乃 P－36 的升级产品，即 P－40，绰号‘战斧’。‘战斧’的特点是价格低、交货快、数量多，别的机型才生产五架，它就已经生产了五百架，所以我们美国多的是这种飞机。”

蒋介石若有所思，插了句嘴：“战斧足以当零式乎？”

陈纳德坦率直言：“固不如也。零式轻，战斧重。零式灵活，战斧……”

陈纳德以他专家的角度，滔滔不绝地说了一大通。蒋介石其实没几句听进去，他真正听懂的是前面那句“价格低、交货快、数量多”。

一流飞机虽好，但我也得花得起那个钱，倒不如买这种战斧式。至于买来之后能不能打得过零式，只能试了再说，所谓车到山前必有路，有路必有战斧式，就它了。

蒋介石不由分说地结束了谈话，并且拍下板来，“订个计划，告诉我一共需要多少钱，然后你就赶快回美国去把事情给办妥”。

陈纳德“奉旨”返回美国，但他起初想竭力争取的仍然是一流飞机。

东西方的思维是如此不同，我们常常一方面说要唯物，另一方面却又强调精神能够变成物质，或者精神可以战胜物质。

西方人则是反过来，他们平时也许会执拗地相信上帝的存在，但上阵之后，却绝不会迷信到以为上帝他老人家真的在身边含情脉脉地照应着自己。

按照陈纳德的设想，要么不做，要做就得配备到最好：买第一流飞机，雇第一流飞行员，这样的话，才可以击败零式。

陈纳德连数据都已经测算出来了，双方只要以一流对一流，交火之初，即能达到五比一，也就是“美国一流”损失五，日本零式损失一，在日本航空队由此失去信心后，比例还可以升到更高。

先前美国的一流飞机确实被欧洲人订完了，不过，不还有后续生产吗？可以把它们给买下来。

但陈纳德很快就失望了。

敦刻尔克大撤退后，隔着一座英吉利海峡，德、英两国主要进行的就是空战。英国人对美国一流飞机的需求也达到了饥渴的程度，人家就在车间外面等着，生产线上下来一架，立刻拖走一架。

中国战场那时还远没有引起美国的足够重视，其分量哪里能与欧洲战场相提并论，伦敦大轰炸也远比重庆大轰炸更能触动美国政府和民众的神经。

在这种背景下，你跟英国人抢飞机，岂非天方夜谭？

既然争抢“一流飞机”失败，那就只能争抢“一流飞行员”了。

陈纳德是个独来独往、颇有个性的人，素不喜与军政部门的官僚打交道。但为了获得飞行员，他也不得不硬着头皮展开“穿梭外交”，一个部门一个部门地去卖嘴皮子。

美国有海陆两大航空队，但没有哪个航空队缺得了一流飞行员，任陈纳德讲到口干舌燥，军方给予的答复仍然斩钉截铁："哪怕抽走一名军官都不行。"

想挖我的人，没门！

如果美国没有宋氏兄妹、胡适这些神人在不停运动，善于打仗却不善于应酬的陈纳德几乎就要崩溃了。

中国在美的"游说集团"最后通了天，使用了总统个人直接干预的办法，而罗斯福当时能够接受的一个观点就是，犹如苏联志愿空军那样，美国将从中国这个对日空战的竞技场上得到宝贵的作战经验。

1941 年 4 月 15 日，历史性的一天，罗斯福亲自签署了一项未公开发表的命令，允许航空队中的优秀飞行员退役，以平民身份加入美国志愿援华航空队，一支日后声名大噪的国际空军终于诞生了。

"要你命三板斧"

志愿航空队还没筹备完成，中国的空中防御却已陷入了前所未有的困境。

随着苏、日签订"中立条约"和苏联志愿空军退出，中国空军因此失去了最后一点还手之力，重庆也成为一座实质上的不设防城市，一月之内，竟遭到日本航空队的十四次大轰炸。

1941 年 6 月，在持续不断的大轰炸中，重庆发生了较场口隧道惨案，死伤民众千余。

8 月，日本航空队实施"斩首行动"，蒋介石的黄山官邸遭到突袭，他本人虽幸免于难，随身卫士却被炸死炸伤多人。

蒋介石惊怒之余，再次在重庆紧急召见陈纳德，说："这里的所有情况，你都看到了，不用我多说什么了吧？"

陈纳德要做的，就是尽快赶到位于缅甸东瓜的训练基地，在短时间内打造一支空中防御力量。

陈纳德刚到东瓜，迎头浇过来的却是一盆冷水。

日机对重庆的长时间疯狂轰炸给中国造成了巨大损失

五名飞行员一人交给陈纳德一张纸，陈纳德定睛一看，却是辞职报告："这是什么鬼地方，是人待的吗?"

陈纳德四顾，他看到飞行基地周围，不是泥沼，就是丛林，空气中弥漫着的是一股令人作呕的酸腐味。

飞行员们抱怨的还不只这些，"给我们烧饭的是一个缅甸厨子，这厮弄的伙食那叫一个难吃……"

陈纳德笑了笑，说："我是一个老朽不堪的老军头，相信我，如果我这样的老头都能在这种环境中生活下去，你们这些小伙子也一定没有问题，所以我不能同意你们辞职撂挑子。"

飞行员们觉得不舒服的那些事，个个都能克服，陈纳德担心的不是这个。

基地蚊虫很多，起先也没准备蚊帐，美国大兵皮糙肉厚，被叮两下不要紧，最怕的就是因此染上疾病。

志愿航空队对外属于商业机构，陈纳德也不再是宋美龄的私人航空顾问，他现在是宋子文雇佣下的"美国农民"。

陈纳德向宋子文请援，后者立即想尽办法准备了足够药品，并派出由美国医生组成的医疗小组专驻航空队。

在宋老板的鼎力相助下，陈纳德迈过了第一道坎。这是基本保证，以后无论训练还是战斗，志愿航空队都没有一人因病退出。

要开始训练了，然而陈纳德的一句话，却差点让所有飞行员都从板凳上摔下去："我即将讲授的第一课，是如何驾驶飞机。"

航空队的小伙子，除个别从航校走出不久外，其他大多是美国空军飞行员中的佼佼者，年纪最大的一个，飞行时间几乎和陈纳德一样长。

有没搞错，我们不会开飞机？老头是不是在雨林中把脑袋给弄迷糊了。

陈纳德很清醒，也知道队员们的实际水平。

在美国时，一名即将加入航空队的飞行员曾当着陈纳德的面做过飞行表演。在短短五分钟的表演过程中，他能多次从翻过来倒过去的机身中探出身体，这令陈纳德本人都为之惊叹不已，因为他以前从来没有见过谁能在高难飞行中频繁地完成这一动作。

拥有一流飞行员，正是陈纳德自信能击败对手的最重要条件，可是，他仍然要这么说："我知道你们很棒，但是大家想到过没有，给我们的飞机只是二流，一流飞行员驾驶二流飞机，要想战胜一流飞行员驾驶的一流飞机，岂是易事？所以我要教给你们的，并不是简单的驾驶飞机，而是如何在驾驶过程中，让二流的飞机变成一流。"

对眼前这个"老朽不堪的老军头"的话，飞行员们起初似信非信。

然而，随着训练的开始，小伙子们却从盲目的乐观滑向了极度的悲观，特别是在见到同在缅甸待命的英国皇家空军以后。

英国空军驾驶的，正是传说中的"一流飞机"——公牛式战斗机。

陈纳德问队员有什么感受，答："地狱已经在向驾驶二流飞机的美国人招手了！"

"我们不明白，您究竟有什么办法让我们的飞机变成一流？"

陈纳德从容不迫，说道："当然有。不管一流还是二流，任何一种机型都有自己的优缺点，关键就是如何用自己的优点去进攻别人的弱点，如果能够那样，你手中的二流飞机就将成为战无不胜的一流飞机。公牛的弱点是灵活性不够，战斧的优点则是速度很快，那你为什么不能扇着翅膀快速地围着这只肥牛转呢?”

没人信。

你就扯吧，照这么说，人家一流的岂不等于废物?

“不信，那就试试看。”正好英国飞行员自己也沾沾自喜，三番五次地来显摆。于是，双方决定公开比试一场。

按照陈纳德的指点，志愿队飞行员绕着公牛转起了圈，而后者也果真被转得晕头转向。

对于空战来说，最怕的就是昏了头，这时候只需一炮便能轻松搞定。

把公牛直比下去的经历，让战斧在飞行员们的心目中顿时身价倍增，可是战斧的未来对手，不是公牛，而是零式，这是必须弄清楚的。

从零式出现的第一天起，陈纳德就像对付96式那样，做了无数次的观察和记录，在当时，他大概算是对零式研究最深的非日籍空战专家了。

零式的最大优点是什么?异常灵活，能以很小的半径转弯，如果你被它逼入转圈作战，那你必死无疑!

听课的飞行员们坐不住了。

那可怎么办，我们转圈转得过公牛，却转不过零式啊。

陈老师哑然失笑，“为什么一定要比转圈?战斧的优点是速度快、火力强，因此我们将要采取的是‘要你命三板斧’——全速接近，迅速开火，然后全速摆脱。记住，你瞄准零式的时间，绝不能超过在零式面前停留的时间。”

喜爱颠覆理论的陈纳德无意中再次颠覆了一个理论。

在传统的空战理论中，这种一打就跑的运动战术不光是旁门左道，它还会被视为是动摇军心的胆小鬼行为，就连英国皇家空军的飞行员这么做，事后也会被送上军事法庭受审。

陈纳德不管这一套，实用就是真理，当敌机被击落，你们就会知道，有的所谓固定不变的“公理”或者规则，纯属狗屁。

快乐赢天下

中国空军名存实亡，日本航空队肆无忌惮，到了张狂的程度。

在成都机场，日本飞行员可以堂而皇之地把飞机降落下来，然后走出机舱，平静地点上一把火，把机场上来不及撤出的教练机焚之一炬。

等到机场上空空荡荡，没有什么东西可烧的时候，这些家伙就拔根旗带回机舱——你对他们毫无办法，因为上空还有其他日机在对着地面扫射，这时候冲上去，唯死路一条。

在这种情形下，中国人对在缅甸集训的志愿航空队寄予了无限期望。重庆政府在资金相当困窘的情况下，仍开出赏额，规定飞行员每击落一架日机，就奖励队员五百美元。

然而，从那里传来的消息似乎并不美妙，有人说志愿航空队的纪律十分糟糕，哪里是什么训练有素的航空队，分明是一群“无组织无纪律的暴民”。

耐人寻味的是，带出这一消息的并非别人，正是前去缅甸视察的美国军事代表团。

说志愿航空队是“暴民组织”，来源于代表团的切身感受。

当他们走近飞行基地时，没有看到立正姿势摆得有模有样的欢迎队伍，却看到地上到处错落的空啤酒瓶。

只要不在训练时段，这些美国牛仔完全没有纪律可言，打打闹闹的恶作剧充斥着每一个角落，甚至有位飞行员被大家选为“东瓜国王”，在庆祝“加冕”时，脑袋上还挨了啤酒瓶，不得不让医生给缝针。

美国军事代表团的主要成员也都是正规军人，平时接受的无外乎是纪律严明这一套，于是回去后他们就向上写了份报告，说志愿航空队就算是参战，也坚持不了两个星期。

事实上，陈纳德实施的管理方式，就和现在的微软等企业一样，是一种快乐管理。

陈纳德明白，他所制订的战术，对飞行员个人的应变能力和心理素质都要求极高。只有让小伙子们在生活中做到随意和开心，到时他们才不会紧张，也才能充分发挥出他们的冒险潜能和机灵劲。

陈纳德和洋小伙们要以快乐赢天下

天才的作为，从来不是一般俗人所能理解的，面对外界的争议与不解，成绩才是反击的最好武器。

1941 年 12 月 20 日，志愿航空队与来袭的日本轰炸机群在昆明上空不期而遇。

太平洋战争爆发后，日本对重庆的集中轰炸行动已经结束，其主要目标也转向昆明，因为那里是分发援华物资的集散地。

此时，日本海军航空队已移师东南亚，在中国大陆上空耀武扬威的变成了陆军航空队，值得注意的是，远袭昆明的这支陆航轰炸机群却并无战斗机用于护航。

人一自大，脑子里往往就不存在“规则”二字。淞沪空战时，海军航空队以惨重的代价总结出一条规则，即轰炸机必须由战斗机护航。这条规则曾经被两家航空队视为金科玉律，如今则早就被抛到了爪哇国，原因很简单，都可以到对方机场去拔旗了，还不是想炸哪里就炸哪里，要战斗机作甚？

然而，单纯的轰炸机群也并不容易对付。

经过四年在华作战经验的积累，日本轰炸机飞行员大多是精于空中格斗的高手，尤其战术纪律非常严格，轰炸机编队的每一架飞机都可以做到高度协同。

陈纳德破解轰炸机群的法子，同样是击其弱点。

日本的榆木脑袋们已经被训僵化掉了，只知道摆一种阵形，只要你想办法把阵形打乱，他们就会像一群被拔掉电源的机器人那样停止运作，这时候你想怎么点名就怎么点名。

志愿航空队冲过去后，当头便是“要你命三板斧”：高速俯冲，瞬间猛射，高速脱离。

日本人从来没有见识过如此诧异的战术，一时间惊得目瞪口呆。

和陈纳德预计的一模一样，被搅乱之后的轰炸机根本不知如何应变，个个像丢了魂似的停留在原先的位置，几乎是任人宰割。

这一顿噘哩喀喳的大嚼，对于喜欢在地面嬉笑打闹的“暴民”而言，与其说是在激烈战斗，倒不如说是在享受一场盛宴。

有一个队员连着击落两架轰炸机，刚想继续，一扣扳机，机枪却卡了壳，气得他大骂飞机制造商是一伙奸商，竟然在这要命的关头误人好事。

然而着陆检查后才发现，不是机枪出了毛病，而是他过于兴奋，按着扳机的手一刻不停，结果几分钟就把子弹给打了个精光。

当天的战绩是，日本十架轰炸机，共被击落九架，志愿航空队只有一架因长距离追赶，油料耗尽才在实施迫降的过程中受了点轻伤。

随后，陈纳德将志愿航空队整师移往昆明，专负保卫昆明之责。在他们的威慑下，日本航空队很长时间内都不敢再远袭昆明。

然而，使志愿航空队真正成名的，却并不是昆明首秀，而是仰光空战。

仰光神话

与昆明空战不同，仰光空战是战斗机飞行员们刺刀见红的直接肉搏。

仰光当时已成为中国进口军需物资的唯一入口，作用无可替代，日本人很清楚，只要能控制仰光的制空权，就可以扼住中国的咽喉。

依靠在泰国南部建立的飞机场，日本陆军航空队几乎把大半个家当都搬到了那里，每次出动的飞机都能接近百架的规模，而且轰炸机旁边均有战斗机进行护航。

日本两家航空队虽同处一国，却属于两条道上跑的火车，谁也不答理谁。照理，无论战斗机，还是轰炸机，海军航空队都要比陆军航空队更为出色，后者私下也承认这一点，然而承认归承认，到现实之中，凡是海军使用过的机型，他们仍然是连碰都不会碰。

海军航空队被派往太平洋战场与美军作战，零式也跟着去了，但陆军航空队还拥有自己的王牌飞机—— 97 式战斗机，这种机型不仅在外形上与零式很相似，而且同样非常灵活，可称“准零式”。在优秀飞行员的驾驶下，“准零式”的威力大体能够接近正宗零式。

盟国用于保护仰光的空中力量，则主要是英国皇家空军。英国空军的主力集中于欧洲战场，用于缅甸的作战飞机数量不足，所以显得很是被动。

原先，英国人还瞧不起陈纳德，等到志愿航空队在昆明空战中初显峥嵘，才赶紧伸手请求帮忙。

1941 年 12 月 25 日，仰光上空展开了一场大厮杀。

日机编队浩浩荡荡，共有六十架轰炸机和三十架 97 式战斗机，看上去煞是威风，不过那是在“利斧”还没有出现的时候。

志愿航空队的十二架战机一头闯进日机编队。十二比九十，看上去犹如小船划进了大舰队，地面观战的人们睁大眼睛，都找不到美国飞机在哪里。

满天都是飞机——日本飞机，随后它们却开始一个接一个地掉下来，不一会儿，就在地上落了满满一堆。

不算多，总共十五架轰炸机、九架战斗机，它们刚刚还张牙舞爪，转眼之间全成了废铁。

“砍”它们下来的，自然是“利斧”。

陈纳德在东瓜重点练的就是如何打“零式”，现在“零式”变成了“准零式”，还有什么觉得特别费劲的?

还是“要你命三板斧”，“砍”完之后，洋小伙们以一语概括：简直像打野鸭子一样轻松。

志愿航空队也损失了两架飞机，但人员无一伤亡，代价是把整整一支日机编队都给打得掉了魂。

陈纳德在仰光出战三十一次，每次能动用的飞机最多超不过二十架，最少时只有五架，但是他却成功地把“昆明奇迹”发展成了“仰光神话”：在六个月的时间里，先后击毁日机两百一十七架，志愿航空队自身只损失飞机十四架，战死飞行员四人。

一比十五的胜率，让所有人都瞠目结舌。

同样参加仰光空战的英国空军算是超水平发挥，但也只能勉强达到一比三的胜率，应该指出的是，英国皇家飞行员全都经过严格训练，并非俗辈，他们在欧洲空战中甚至盖过德国空军。

作为仰光神话的创造者，美国志愿航空队不光是出名了，而且出大名了。

飞虎队的标志其实是“鲨鱼头”

休息之余，队员们爱给飞机“文身”，他们曾在画报上看到英国飞机涂有鲨鱼牙齿的图样，觉得挺带劲，便画在了机头上，结果这就成了航空队的一大标志，反而没人记得首创者是谁了。

更让陈纳德本人都摸不着头脑的是，不知怎么传来传去，“鲨鱼头”又演变成了“飞虎”，到处都在评说飞虎，评说飞虎队。

美国迪斯尼公司后来专门为飞虎队制作了队徽，上面是一只插翅猛虎，正从象征胜利的大写字母“V”上一跃而过。

第七章

残阳如血

1942 年元旦，中、苏、美、英等二十六个国家在华盛顿签订《联合国家共同宣言》，表达了联合对日、德、意这三个轴心国发起军事行动的决心。

鉴于当时中国战场牵制了三分之二的日军主力，已实质上成为抗击日本陆军的主战场，各盟国特别是西方大国开始对中国刮目相看，道理很明白：不服气，你跟那“三分之二”扳扳手劲试试看。

1 月 4 日，盟军总部正式划出中国战区，范围除中国之外，还包括越南和泰国，蒋介石以上将衔担任战区统帅。

这在近代中国是从来没有过的事情。

曾经，“东亚病夫”“华人与狗不得入内”，都是鸦片战争后一直挂在我们身上的标签，想甩都甩不掉。

纵使江山秀丽，纵使家世显赫，也不过是个一睡百年的瞌睡虫，如今终于让别人知道中国其实是一头狮子，醒过来之后同样可以独当一面。

消息传出，不独中国国内，乃至东南亚华侨亦为之欢欣鼓舞。接到任命后，蒋介石在日记中这样写道：“国家之声誉及地位，实为有史以来空前未有之提高。”

战区统帅有了，还得配个幕僚长，这是个洋人，美国人。

1 月 14 日，由美国政府提名，史迪威中将出任中国战区参谋长。

开心一刻

蒋介石事前曾委托宋子文进行调查，调查结果让蒋介石很满意。大舅子告诉他："你的新任参谋长，是美国陆军中最优秀的人物。"

宋子文的评价不免夸张，换一种说法也许更为稳妥——在能够派往中国的将领之中，史迪威应该是当时美国所认定的唯一合适人选。

史迪威，毕业于西点军校步兵科，曾担任驻华武官。除通晓汉语，享有"中国通"之名外，他也显示出了一定的军事才能。

太平洋战争爆发前，美国举行全军大演习，以少将师长身份参加演习的史迪威一鸣惊人，他指挥的步兵师表现突出，其本人也因此被誉为美国陆军四十七名少将中最出色的一个。

但是，美国陆军部起初在酝酿人选时，中意的却并不是史迪威，原因就是史迪威的级别太低，不过是个少将，而且从未指挥过任何实战，要一下子放到战区参谋长任上，怕被中国人看轻。

最好是集团军司令这样的角色，还要是中将以上的，可问题是一圈问下来，没人肯去。

去干什么？你又不给派美国大兵，要是我指挥中国兵打输了可怎么办，岂非"尔曹身与名俱灭"……

史迪威说："我去！"

少将升中将，即刻起程。

3 月 4 日，史迪威抵达重庆，并受到了热情欢迎。

史迪威的"卖相"不错，人很瘦，但是不管走到哪里，都能给人一种坚忍不拔的印象，让你知道，这就是一位老牌职业军人。

如果说蒋介石有一见面就喜欢的人物类型，那史迪威无疑可列入其中。

再加上刚刚佩戴的三星中将标志，一口地道的中国话，没有理由不让蒋介石夫妇喜不自胜。

史迪威来华时，陈纳德也同时应邀相陪。宋美龄的脸上都笑开了花，这位第一夫人一手挽住史迪威，一手挽住陈纳德，对两人说：“中国终于有了你们两位美国军官的帮助，我为此感到由衷高兴。”

史迪威“卖相”不错

想一想，确实让人开心，陈纳德踏上中国国土时，才不过是个上尉，但在他的幕后指点下，中国空军曾爆发出惊人的潜力，现在有了史迪威这样的中将直接指挥，中国陆军将会发生怎样的变化？

这是个其乐融融的场面。在我们的生活当中，会有很多这样的镜头，它们会让我们高兴、激动乃至感动，可惜的是，时光总在不停地流逝，再漂亮再动人的相片也会逐渐泛黄。

不过在那一刻，还没有人能想到以后，他们只知道，这是一个好的开端，史迪威应该有足够的能力帮助中国军队取胜。

当时，中国军队的主要任务之一就是保卫缅甸，虽然后者不属中国战区，但作为援华物资的主要入口，无疑是抗战的一条生命线，不能不以全力确保。

早在中国战区未成立之前，国民党统帅部就已根据情报判断出日军侵略缅甸的意图，因此专门从国内抽出了杜聿明第五军等三个军，以十万精锐的兵力，准备帮助英国保卫缅甸。

然而，都到这个地步了，英国人却还怕中国到其殖民地上来分一杯羹，因此坚决拒绝让远征军进入缅境。

中国人来不了，人家日本人可要来了。1942 年 1 月，日本第十五军侵入缅甸，两个多月后，已攻至仰光附近。

这时候，他们才主动请求中国增援，可是战机早已错过。

大兵团出战，最忌仓促草率，如果没有足够的时间让你熟悉地形和构筑工事，打起仗来那真是连一点把握都没有。

在三次长沙会战中，薛岳之所以能够取得一胜两平的战绩，若无对地形的了然于胸，那是根本难以做到的。

缅甸不是湖南，不是长沙，前路漫漫，委实难卜。

尽管如此，总不能眼睁睁地看着缅甸失陷，能挽回还是要尽量想办法挽回。

3 月 12 日，中国远征军正式成立，蒋介石派史迪威前去指挥。

王师重来

缅甸战场上，英缅军仍在继续败逃。

英国驻缅部队除高层军官以外，低层官兵大多由缅甸人和印度人组成，这些当地人平时被英国殖民者当成奴隶一般，饱受欺凌，到了紧要关头，哪里肯卖命抵抗，因此几乎是一触即溃。

3 月 8 日，日军轻取仰光，局势不谓生死存亡，也已是危在旦夕。

当天，戴安澜率中国远征军先头部队赶到了仰光以北的东瓜，也就是陈纳德训练飞虎队的那个地方。

戴安澜，号海鸥，安徽无为人，与他过去的老长官徐庭瑶是同乡。

这位毕业于黄埔第三期的青年将领，早在长城抗战时就崭露头角，那时他是杜聿明手下的团长，到杜聿明创建第五军，又特地委任其为第二〇〇师师长。

进入缅甸后，戴安澜发现，缅甸土人普遍敌视英国人，以至有充当日军探子的。但也有很多人，包括华侨，并不相信日本的欺骗式宣传，对来自中国的军队十分欢迎和拥护。

翻一翻史书就会知道，古代缅甸也曾经在我们的西南疆域之内。

据说，三国武侯南征到此，极受缅人崇拜，视之如神，当诸葛亮要北返时，百姓成群结队地来进行挽留。

诸葛亮安慰他们说："我还会回来。"

可是您什么时候会再回来呢？

诸葛亮指了指田间的一种草，"此草开花，余重来矣"。

那是一种不会开花的草，所以一年又一年，引颈北望的缅人迎来的只有失望。

当地人告诉戴安澜，草在不久前竟然奇迹般地开花了，他们认为这是一种吉祥的预兆，预示着“王师应到达矣”。

戴安澜为之感慨不已，于马上赋诗：“扬鞭遥指花如载，诸葛前身今又来。”

被誉为“海鸥将军”的戴安澜

戴安澜的任务是守住东瓜。

从作战地形来看，东瓜实非易守之地，城外以平原为主，三面都有开阔地带可供对方发起进攻。

这种地形下要想守城，能依赖的只有坚固工事。

提起工事，缅甸倒有一个好处，那就是森林多，树木多。东瓜城有很多现成的枕木，本来是要拿去铺铁路的，如今正好就地取材。

在戴安澜的指挥下，第二〇〇师官兵在地上挖出坑道，然后上盖枕木，修筑出一座座封闭式堡垒。

3 月 20 日，东瓜保卫战打响。

侵略东瓜的是第五十五师团，这个新编师团自成立后一直驻于日本国内，从来没有打过仗，但是进入缅甸后，英缅军的无力和无能，却使它在提高自信心的同时，还积累了作战经验。

不过在东瓜，他们的日子并不好过，戴安澜精心构建的堡垒群使其大吃苦头。

这些堡垒堪比第三次长沙会战时的地堡，轻重武器配置得当，一道道交叉火力网让冲上来的日军无可躲避，以至伴随着每一次被击退的进攻，堡垒前都会留下日本兵的累累尸首。

3 月 28 日，见第五十五师团毫无建树，第十五军司令部急调第五十六师团加入进攻阵营。

两个师团合攻东瓜，最后连放毒气这种损招都使了出来，却仍无法从正面实现突破。

4 月 1 日，第二〇〇师终于决定放弃东瓜。

不是正面守不住，而是侧翼暴露，不得不奉杜聿明之命撤离。撤离时，尽管已受到包夹，但这支老牌劲旅仍然秩序井然，边打边走，未让追兵找到一点可乘之机。

日本第十五军从进入缅甸起，可以说一路都在快速行军，就比谁跑得更快，东瓜保卫战是他们第一次受挫，连日本人自己也承认这是“缅甸战役中最艰苦的一战”。

第五十五师团几乎被完全击垮，一名被击毙的日军大佐在日记中惊呼：“南进以来，从未遭遇若是之劲敌。劲敌为谁？即支那军队。”

第十五军司令部自此才知道对面的“支那军队”，就是昆仑关战役中声名赫赫的第五军。

对第二〇〇师能那么从容地撤出东瓜，已经狼突豕奔的英国人感到十分惊异，但戴安澜本人却不无担心，尤其在得到蒋介石要予以召见的通知以后。

他以为自己至少要挨骂，因为毕竟东瓜没有能守住，没想到蒋介石已经听过汇报，他对东瓜保卫战的战果非常满意，“东瓜失守不是你的责任，这一战打得好，很漂亮。”

为了表示嘉勉，蒋介石特地留戴安澜共进晚餐，晚上还安排他住进自己的隔壁房间。

蒋介石的部下那么多，这是从未有过的礼遇。

生杀予夺

东瓜失守确实跟戴安澜没有关系，先掉链子的是英国人。

在东瓜的西线侧翼，英缅军就算占有武器和数量优势，都挡不住一个第三十三师团。后者在上高会战中曾是罗卓英和第七十四军的手下败将，未料换了对手之后却威风十足，连连击破英缅军防线。

侧翼一破，东瓜后方即受到严重威胁。偏偏这时候由于英国人不肯提供足够车辆——他们撤自己的溃退部队还来不及呢，远征军的其他部队和机械化装备迟迟不能到达。

这时，经十二日苦战，第二〇〇师粮弹开始出现匮乏，如果后援再不济，在被日军四面包围的情况下，必然会面临全军覆没的危险。

第五军军长杜聿明感到不撤不行了，遂向史迪威提出撤退建议。

他的建议算是相当委婉，“撤下来，可以在‘另一时间、另一地点’再与敌决战。”

“什么，你们要撤?”史迪威一听就火了，眼睛一翻，“决不能撤，要进攻，进攻，进攻!”

两人说着说着，声音越来越大，没多大一会儿，竟然闹翻了。

杜聿明那是多温和老实的人，说话分寸从来是掂量了又掂量，跟他都能闹翻，可想而知史迪威又是一个什么样的人。

没错，史迪威的性格比“关猛”还要火暴急躁，乃至让你很难相信他那么多年大使馆武官都是怎么混过来的。

史迪威最后不由分说，一拍桌子，“我是你的上级，你必须服从我。”

为了怕对方阳奉阴违，回军营后又不执行他的进攻命令，史迪威还真的派一名美国参谋跟在了杜聿明屁股后面。

第二〇〇师如今是第五军的基本部队，杜聿明就算是再老实，也不可能眼睁睁地看着自己的命根子落入虎口而无动于衷，所以，他断然向戴安澜发出了撤退命令，当着美国人的面。

杜聿明的决策是正确的。事实上，远征军的后续部队直到半个月后才集结起来，半个月，第二〇〇师可能早就灰飞烟灭，尸骨无存了。

本来是史迪威的错，可是这位老兄却恶人先告状，跑到重庆去找蒋介石，先是大骂了一通杜聿明，接着就威胁说要辞职，眼瞅着没法干了嘛，部下都不听号令了。

辞职当然不行，蒋介石找到杜聿明谈心，后者仍然满腹怨气，“如果按照史迪威的命令，第二〇〇师早已断送了，他不但不了解中国军队的情况，似乎还……”

还不懂战术。

若单论东瓜失守这件事，可以说蒋介石跟杜聿明想的完全一致，要不然他也不会对戴安澜奖掖有加。然而俗话说得好，“疑人不用，用人不疑”，再说打仗是一个很复杂的活，不能以一盘输赢论好汉。

东瓜失守说明不了什么，美国中将应该是有两把刷子的，绝不可能真的不懂战术，问题可能还是出在沟通上面。

蒋介石打断了杜聿明的话，“我知道了，以后有罗长官在，情况会改善的。”

这个“罗长官”，是指罗卓英，蒋介石任命他为远征军司令长官。罗卓英的使命很简单，他得一切服从史迪威，史迪威说什么，他就必须向远征军传达什么，其实就是利用他对中国军队的熟悉和了解，起一个传声筒的作用。

来华之前，史迪威在实战方面纯属白丁，人家罗卓英却打过无数的仗，一个上高会战更成为公认经典。可世上的事就是如此让人哭笑不得，你明明是高手，碰到自认的“老外专家”，还不得不在他面前俯首帖耳，乃至充当服务生的卑微角色。

自此以后，史迪威就正式拿到了指挥中国远征军的上方宝剑，有生杀予夺之权，在缅部队没有谁敢不听从号令。

蒋介石把所有希望都寄托在了眼前这位洋参谋长身上，他郑重告诉史迪威，“我给你的全部是中国最精锐的部队，缅甸战役至关重要，你一定要打好啊!”

孙式训练

史迪威能压住中国人的不服，却无法阻止英国人的颓势。

4 月 16 日，英缅军一个师因破坏仁安羌油田而撤退迟缓，结果被第三十三师团包围住了。收到求援电报后，史迪威命令孙立人新三十八师前去援救。

说新三十八师，当然不能不提它的创建者、师长孙立人。

在淞沪会战后期，孙立人受了伤，随后被宋子文送到香港去治疗。两个月后，当他能下床时，第一句问的就是部队：“我的税警总团哪去了?”

哪去了？被并掉了，番号变成“第四十师”，成了胡宗南的部队。

孙立人捶胸顿足，“天哪，趁我受伤，就这么玩黑吃黑。”

在对政治一向不开窍的孙立人看来，这根本就是黑社会才能干成的勾当，自己好不容易打造出来的部队，却被人家一口就咽到肚子里去了，这叫什么事啊。

他怨恨的不是别人，正是胡宗南。

没了部队，我还能干什么？孙立人惶惶不可终日。

幸好他打听到，税警总团还留下五千伤兵，都跟他一样快要出院了，可以靠这批人重起炉灶。

没等伤口完全愈合，孙立人就急匆匆地赶回武汉，要的就是编制，因为税警总团的名义不存在了。

本来第一个要找的自然是老板宋子文，后者是孙立人到老到死都感念不已的上司兼贵人，可是宋老板的位置不稳定，不知怎么触怒蒋介石又给靠边站了。

帮过孙立人的，还有黄杰。

当时受伤下场时，身为税警总团长的黄杰曾送来五百元钱，并且安慰孙立人，“别担心，以后有我一口饭吃，就有你一口饭吃。”

孙立人便缠上了黄杰，我的力量有限，你看怎么办吧?

黄杰送钱又“给饭”，已经算是很厚道的长官了，而且那也只是针对孙立人个人，如今却要他凭空给弄一个编制出来，谁有这么大的能耐?

可要是说不行，孙立人又不让走，黄杰只好推说我明天再给你想办法。

第二天，孙立人再去找，黄杰已到徐州前线去了。

这个骗子，孙立人愤恨不已。

一个军事天才，要搞人事工作却比登天还难，弄得他整天像没头苍蝇一样到处乱转，到头来仍是什么门路都没能找到。

直到武汉会战结束，经人指点，孙立人才想起找行政院长兼财政部长孔祥熙想办法。

孔祥熙跟蒋介石一说，后者不仅一口答应，还决定亲自在重庆召见这位淞沪战役的有功之臣。

瞧，多简单的事，费劲巴拉地绕那么一大圈。

1938 年 11 月，孙立人在湖南长沙正式重建税警总团，后又转驻贵州都匀进行训练。

孙立人从美国取经，练兵时采用独具特色的“孙式训练法”。

一般国内部队全是黄埔式的，场下强调纪律、服从，场上号召流血、拼命。孙立人则是场下提倡健身、活泼，场上要求灵活、机智。

美国人认为，没副好体格，士兵是没法打好仗的，更别说流血拼命了。孙立人就专门在部队里设置体育处，层层配备体育教官，展开全军健身。

这么一来，官兵们几乎没有歇着的时候，训练的时候全力以赴，训练完了，还要打球、跑步、游泳、做体操，那真是身上有再多的荷尔蒙都不够用。

其他部队里抓军纪，就怕官兵偷偷地赌博、酗酒或者瞎胡闹，孙立人完全不用担心，不是他的兵觉悟有多高，而是人家根本就没有工夫去想那个，一天折腾下来，个个倒在床上呼呼大睡。

别人说打仗靠勇敢，孙立人则以为还得靠脑子，所以他在部队里办有各种训练班。士兵有士兵训练班，军官有军官训练班，连通信兵、司号兵、炊事兵都得办班。所谓三百六十行，行行有门道，不学哪行？

在税警总团，哪怕你是黄埔军校分进来的，也得重新学、重新练，否则就得不到升迁和重用，这可是孙兰峰在弗吉尼亚上学时体会到的经验——来我这里，你就得听我的，按我的模子塑造。

三年磨一剑，到1941年底，一支崭新的部队出炉了，税警总团的三个步兵团和直属队被合并改编为新三十八师。

在全国部队大校阅中，新三十八师的名次遥遥领先，一下子从差不多垫底的丙种师上升到甲等加强师，作为新兴的精锐部队进入中国远征军的遴选视野，并编入了第六十六军序列。

远征军出国前，蒋介石的统帅部决定对所有远征军部队再进行一次质量点校。孙立人接到通知后，既激动又紧张，生怕哪里出点差池，被一棒重新打入凡尘。

要让人看，就出最好的，孙立人拉出了教导队，里面全是军官，他每天亲自示范各式枪械怎样摆弄，如何前进、如何停止，全都手把手地教。

这效果当然没啥好说的，点校小组几十个人，坐在主席台上就没有不大声叫好的。

孙立人松了口气，心里还颇有些自得，可是讲评时的一句话却犹如浇来一盆冷水，使他从头凉到了脚。

“演习是不错，只怕不能打仗……”

谁这么不着四六，不是别人，正是孙立人的新上司——第六十六军军长张轸。

张轸曾是汤恩伯的得意爱将，保定和陆士的双料生，从台儿庄大捷开始，就以“翼字军”（张轸号翼三）展露声名，也是一个人物，而且从汤恩伯那里出来的，一贯都以中央军精锐自居，走路都是两只鼻孔朝着头，哪里会把孙立人放在眼里。

评点完了，张轸把孙立人喊了过去。

“听说你在美国读过书？”

没等对方回话，紧跟着又甩过来一句没头没脑的话，“哎呀，你怎么当军人呢，太可惜了，你是学生呀。”

孙立人不知如何回答，“我是国民，国民都有参军的义务……”

可是，张轸还没打算饶过他的可怜部下。

“我看，第六十六军的三个师，数你这个师最差劲！”

孙立人的脸顿时涨得通红，要不是他在弗吉尼亚吃过老生的亏，这时候就得跳起来了。

好半天，他才憋出一句，“军长怎么说那就怎么办好了，将来还可以看表现嘛。”

张轸一走，孙立人立刻把部队召集起来训话。

“我今天真的气死了，不蒸馒头争口气，上了战场，谁都不许给我当孬种。”

光荣之战

新三十八师就这么憋着一口气到了缅甸，大家都眼巴巴地盼着能打一场胜仗让人看看。

在缅甸战场上，孙兰峰的主要任务是卫戍曼德勒，要援救英缅军，他仅能抽出一个团。

4 月 17 日，英缅军的那个师受到里外两重包围，怎么冲都冲不出去，在粮弹两乏的情况下，已濒于绝境，指挥官电告英缅军总司令亚历山大上将，如果再得不到援救，他们只好选择投降了。

亚历山大名气很大，他是敦刻尔克大撤退的指挥者，曾将几十万英法联军救出苦海，可眼瞧着英缅军这种实力，你就算是让古代的亚历山大皇帝附体都没用。

但是这位上将总司令忽然听到一个好消息，中国援军已应召到达仁安羌附近，他喜出望外，立刻派英缅军第一军团长史莱姆前去接洽，同时答应出动特种部队进攻掩护。

4 月 18 日，在两门重炮和十八辆英国坦克的配合下，新三十八师神兵天降，突然向外围的日军警戒部队发起进攻。

孙立人掌握的时机非常好，当时日军正在吃饭，没怎么反应过来就被打得嘎一声，晕了过去。

战后光热乎乎的饭盒，就捡到了五百多盒。

这时，史莱姆请求孙立人赶快渡过河去，向里层日军发动进攻，但孙立人摇了摇头。

现在还不到时候，南岸日军主力已有防备，如果蒙着头打，不仅救不出你的部队，就连自己的部队也得陷进去。

这时，那位被困的英缅军师长又发电报过来："我们已经三天没有水喝了，再不来救，部队真要垮了。"

史莱姆把电文拿给孙立人看，孙立人笑了笑，"你让他放心，中国军队，连我在内，就算打到最后一个人，也一定把他们给救出来。请给我一天时间，明天保证出击。"

孙立人传令下去，对日军进行小部袭扰，以迷惑日军，趁这个时候，他对日军阵地进行了仔细观察。

看清楚了，对岸有两座高地，可以俯瞰整个仁安羌，只有把高地拿下，方能一举定乾坤。

但是孙立人看到的东西，人家也很清楚。

第三十三师团在仁安羌有一个主力联队，他们早就提前控制了高地，并且正是利用高地，通过"地障包围"的战术将英缅军围困起来的。

新三十八师不过一个团，一个团要破一个联队，任何情况下都很困难，国内如此，国外也一样，要不然一个师的英缅军就不会坐井观天，等着别人来拯救他们了。

必须打破常规，出奇兵！

4 月 19 日，孙立人发起强渡。

战场之上，如果你的实力不及对方，取胜的法宝通常只有一个，那就是疑兵为上。

一个团被一分为二，一为诱击部队，这部分人很少，但是孙立人有办法让日军以为很多。

第三十三师团先前经常跟中国军队交手，他们对中国军队数量的估计是算轻机枪的多寡，轻机枪多，说明主力全在这里。

孙立人熟知日军的心理，他"投其所好"，把轻机枪都尽量放到诱击部队的最前沿，如此就把日军的火力都吸引了过去。

这时候，他就可以用上杀手锏：主攻部队。

主攻一侧。远了，用山炮和轻重迫击炮，乃至借助英国人的重炮猛轰；近了，用重机枪集中射击；再近一点，则在局部人数占优的情况下，进行反复的白刃冲杀。

第三十三师团在面对英缅军时蹦得很欢，可当中国军队端着刺刀上来时，也个个心惊胆战，恍如又进入了上高会战时的悲惨境地，这个就叫“卤水点豆腐，一物降一物”。

孙立人挥军连冲三次，终得高地，当天便将日军驱出了仁安羌。

仁安羌大捷是中国远征军打响国际声誉的一仗，此役共解救英缅军七千余人，另外还有一大群被俘虏的英国官兵、记者以及传教士。死里逃生的英国人在见到他们的恩主时，含着眼泪大声高呼中国万岁！

中国远征军在仁安羌大捷中解救了英国官兵

媒体报道之后，轰动英伦三岛，英国人对孙立人感恩戴德，称他为“不可多得的中国虎将”，并于次年在印度特授其英国皇家勋章。

那口气，好歹是争回来了。

迷魂汤

仁安羌大捷后，英缅军想到的却不是坚守或者反攻，而是继续撤退。实际上，从仰光失守开始，他们就想放弃缅甸，退守印度了，即所谓“弃缅保印”。

其实，这个问题讲开了也没什么，既然觉得守不住缅甸，那就各回各家好了，英军去印度，中国军队回云南，但英国人肚子里却还打着小九九，始终不肯把这个意图说出来。

因为印度不是想撤就能撤过去的，日军紧紧咬住尾巴，英缅军总司令亚历山大害怕自己的部队再次遭到仁安羌被围那样的命运。

最好是有人能殿后做掩护，比如中国军队。

如果是中方将领，没人会傻到这种程度。哦，你英国人是人，我们中国人就不是人，全都只能拿来给你牺牲？

让亚历山大暗自庆幸的是，跟他打交道的不是中国人，而是美国人，还是一个让周围所有中国人都得对之服服帖帖的美国人。

这个美国人没打过什么仗，而且一心就想着要出风头、立大功，看上去着实傻得要命。

不忽悠他忽悠谁？

4 月 19 日，亚历山大和史莱姆找到史迪威，一见面当然是将对方一通好夸，迷魂汤拿来就灌。

偏偏美国佬就爱这个，马上云里雾里，不知西东了。

见火候已到，亚历山大和史莱姆开始一搭一档。亚历山大强调，西线枢纽十分重要，应该尽力确保。史莱姆则说，赶快让中国军队在西线采取攻势，那里的第三十三师团很分散，个个击破，易如反掌。

真的“易如反掌”，你们英缅军怎么肯放过这等好事？

其实，这时亚历山大早就接到了英国政府的命令，即日撤退印度，他需要用中国军队来挡住日军。

当时，中国远征军正准备在中线组织平蛮纳会战，各部队也准备就绪，而日本第十五军由于第五十五师团在东瓜保卫战中伤亡惨重，已不得不遣上第十八师团代替。

如果远征军能够集中力量，在平蛮纳予第十八师团以猛力一击，战局无疑也将为之一新。

这个时候，如何还能再抽人？

可史迪威不管这个，抽，将第五军等远征军主力全部抽出来，平蛮纳会战也不搞了，到西线去好好干一下。

他看不到的，别人却能看到，那些久经沙场的中方战将大多看到了。

罗卓英不敢声响，老实人杜聿明打心眼里看不惯这个自作聪明的美国上司。他当时已发现随着东瓜的失陷，日军可以沿公路直取远征军的总后方腊戍，因此竭力主张，主力移动是需要的，但不是移到西线，而是应移到东线。

那里是大家的退路，假如不保，连家都回不去了。

史迪威轻蔑地否定了杜聿明的提议，以远征军绝对主宰的身份。

有谁会比我更聪明？

事实上，那个最笨的人恰恰是他自己。

派到西线的第五军无事可做，因为那里根本就没什么日军，只有大批英军在新三十八师的掩护下狼狈溃逃，宝贵的部署时间就这么被全部浪费掉了。

致命缺陷

在缅甸战场上，几乎所有的人都比史迪威聪明，英国人、中国人，当然还包括日本人。

日本第十五军司令官饭田祥二郎以前不过管管宪兵，在一班日军将佐中既无名气，能力也算不上很强，与冈村宁次等所谓“名将”更是无法相比，可连他都看出了史迪威布局上的漏洞，这真是太悲剧了。

饭田在明白自己的对手是什么角色后，顿时按捺不住兴奋，立刻以第五十六师团主力组成机动快速纵队，并以一天推进一百二十公里的速度往腊戍猛插。

杜聿明的担心不幸变成了现实。

4 月 20 日，日军急攻东枝，后者是腊戌的门户。

史迪威这才稍微醒了醒，下达命令，让第五军再从西线赶到东线救急。

西线到东线，这得多么远的路啊，幸亏是王牌部队，三天之内，走五百公里行程，愣是赶到东枝，并于 4 月 24 日晚，一举收复东枝城。

没有第五军，差点就要掉深沟里去了，可是史迪威似乎并没有意识到局势已有多么不利，竟然还在想着要立大功。

4 月 24 日，他向所有驻守东枝的中国部队发出命令：除第二〇〇师外，其余全部转向曼德勒，以组织“曼德勒大会战”。

在东枝保卫战前，摆在史迪威面前的，曾经有上、中、下三策，分别为“巩固东线”“决战中线”和“取胜西线”。在英军直顾跑犊子的情况下，“取胜西线”实乃下策，史迪威偏偏选的是下策。

到东枝保卫战打响，“决战中线”也成了下策，“巩固东线”是唯一可以救命的上策，可他视而不见。

4 月 25 日，在防守的中国军队移往曼德勒后，第五十六师团连东枝城都不用碰，直接绕过城池奔腊戌去了，东枝城里的第二〇〇师被远远抛在身后，已回天无力。

4 月 28 日，腊戌失陷，中国远征军回国的主要通道被切断，他们无可避免地走上了失败的命运。

4 月下旬，中国远征军在曼德勒被日军团团围住，而这时“曼德勒大会战”的策划者史迪威却丢下大军，独自逃往印度，使得远征军更加无所适从，只能自行分数路进行突围。

这是一幅幅让人目不忍睹的画面：先是“海鸥将军”戴安澜半路遭伏击殉职，临死仍在地图上为官兵标示回国的路径；再是主力翻越野人山，谁也没有想到那是个吃人的魔坑，无数人倒在原始森林里再也没能站起来。

在缅甸山路中疾行穿插的日军战车部队

十万精锐，仅余四万，其损失之惨重，可谓空前绝后。

蒋介石得知消息，震惊莫名。

中国国内的兵力本身就捉襟见肘，能够抽出这十万精锐，讲穿了就是在拆东墙补西墙，如果把那损失的六万放到国内战场，拼光它几个日军师团总还是可能的吧。

这次输不是输在别的地方，恰恰是输在战略指挥上，所谓一将无能，累死三军。

最让蒋介石感到寒心的，还是失败时史迪威的表现，他怎么能一个人丢下部属擅自跑路呢?

假如史迪威是蒋介石手下的一名黄埔将官，也许现在等待他的就是死刑命令。过去，由于这个原因而被枪毙的不止一个两个。

蒋介石就此完全推翻了对史迪威的原有印象，从军事指挥到个人品质，同时被否定掉的还有对这位美国老外的信任。

那是一道看不见的伤口，而且几乎再也没有可以愈合的希望。

与中国人的评价相反，美国人却觉得史迪威很是勇敢，因为老头没有上飞机，而是徒步去了印度，在印度又说了一句故作轻松的拉风语言："我们刚刚挨了一顿好打。"

史迪威其时已年届六十，能够生龙活虎地走二十多天到印度，并且还能再俏皮一下，的确很了不起，可问题是他并不是驴友或单纯的士兵，而是一个任何时候都不能放弃自身责任的前线指挥官！

事实是他如果坐飞机的话，三个小时可到印度，六个小时能到昆明，在确保自身安全的情况下，仍然可以通过无线电指挥远征军发起反击，哪怕是指定撤退路线。

二十多天，那么多失去依靠的中国士兵在挣扎，然后绝望地死去。

做个假设，要是中国远征军里面有美国大兵，史迪威能这么轻松自若地自顾自离开军队吗？

别说他，如果得不到上级命令，恐怕麦克阿瑟都不敢有如此做法。

对于史氏的“勇敢”，有人一语道破关节：他必须演出徒步走出缅甸的旅行，否则就只有回国等着下课的份。

史迪威与陈纳德，都是美国人，怎么差距如此之大呢？

陈纳德曾经说出对这位同胞的个人印象：“史迪威瞧不起中国人，他以为自己是救世主。”

要说差别，大概这就是最大的差别。

陈纳德当初以落魄之身来到中国，从幕后顾问干起，既有辉煌的胜利，也曾备尝失败的苦涩，中国朝野给予了他超出原先想象的待遇、尊重和荣耀，而他也做出了巨大回报，双方一点点积累感情，直至牢不可破。

陈纳德多次说过，他在情感上完全是一个中国人。

史迪威却是直接空降，来了以后便个人膨胀，乃至想当然地认为自己很了不得，绝对有资格领导这个“次等民族”，却不知道在战场之上，一个普通中国将军的实战经验都要比他多得多。

假如他能谦虚一点，认真听听罗卓英、杜聿明等人的建议，未必不能把中国远征军捏合成一支地面上的飞虎队，亦未必会在缅甸败得如此之惨。

这个世上，没有谁能真正毁你，能毁你的，往往正是你自己，所以任何时候都不要把自己当名人给宠着——所谓“名人”，其实倒过来念，也不过就是一个“人名”而已。

第八章

该来的总是会来

1942年4月18日，日本本土包括东京在内遭到了历史上的第二次空袭。

与几年前的“人道远征”不同，这次空袭的主角不是中国空军，而是美国空军，撒下去的也不再是传单，而是实实在在的炸弹和燃烧弹。

当心理威慑变成死亡威慑，日本人的脸上已经有了灰白色——他们从何处而来，又往何处而去?

追查的结果，美国空军采取了一种穿梭战术，即先从太平洋上的航母起飞，到达日本上空后进行轰炸，接着在中国浙江衢州机场着陆，这样就把飞行距离缩到了最短。

由于临时变更了空袭时间，美军飞机最后并没有能在衢州机场降落，可是这个飞行基地仍然成了对方的眼中钉，必欲除之而后快。

衢州属于第三战区。4月下旬，中国统帅部得到情报，日本第十三军即将对三战区发起一次大规模进攻，于是急令战区司令长官顾祝同准备应战。

军中圣人

顾祝同，字墨三，江苏涟水人，毕业于保定军校第六期。

北伐初期，黄埔学生就是再有能耐，也只有当小兵的份，指挥官主要由保定出身的老师们充任，而一众教官中，又以顾祝同和刘峙表现最为突出，堪称总教官何应钦身边的“哼哈二将”。

在何应钦的心目中，顾祝同的位置本来是排在刘峙前面的，因为觉得顾祝同的性格沉稳一些，有大将风度，但他后来又改变了这一看法。

要成为一个优秀的军事指挥官，并不是那么容易的事情，所谓过犹不及，太躁会被对手抓住漏洞，太稳亦容易错过战机。

生活中的刘峙看上去窝窝囊囊，到了战场之上却有着惊人的果敢和冷静，即使在弱势情况下，也敢于全力一击，因此屡屡创造反败为胜或以弱胜强的战例。虽然他后来被人绑着打仗，但“常胜将军”的确非浪得虚名。

与刘峙相比，顾祝同有时就显得过于犹豫，乃至当断不断，反受其乱，指挥大兵团作战总是差那么一点炉火纯青的味道。

不过，顾祝同还有另一样超越他人的本事。

南京失守后，国内有两个战区杂牌云集，一个是李宗仁的第五战区，另一个就是顾祝同的第三战区。

第三战区的部队，包括川军、湘军、东北军，几乎清一色的杂牌，原先只有上官云相的部队能沾到一点嫡系军的边。至于部属同僚，除了韩德勤算江苏同乡，上官云相是保定同学，其他人全是五湖四海凑一块，过去跟顾祝同没有多少关系或往来。

顾祝同是一个足以比肩李宗仁的“杂牌控”

李宗仁在抗战中最为自得的事，除了取得台儿庄大捷外，就是拢得住杂牌。顾祝同比他还要强，顾祝同是“全控”，谁都拉得住，见面时，无论是谁，都要客客气气地称他一声“墨公”。

能够如此，缘于顾祝同颇得士卒之心。

在那个武将纵横的时代，会练兵的不乏其人，其中尤以冯玉祥为典型。老冯平时都跟当兵的穿一样的灰布军装，就差跟大伙滚一个坑头上了，但是士兵一旦遭到裁撤或受伤被迫离队，则又弃之如敝屣，连衣服上都要用红印打上一个斗大的“废”字。不唯走的人伤心不已，留下的亦有兔死狐悲之感。

在顾祝同的部队里，如果你因为这个原因退伍，甚至哪怕是年纪大后，厌倦了当兵打仗，他都会主动把你安置到他所办的农场里去，到那里养老送终。

当然，你可以选择不去，不过即使这样也不会空着手走，顾祝同会给些钱，让你回家做点小买卖、小生意什么的。

顾祝同不光办农场，还办学校，而这些都是为了他的退伍士卒，前者收容伤兵和老兵，后者帮助退伍官兵的子女入学。

对于战死或受伤的官兵，顾祝同会给予比规定多得多的安家抚恤费，有短时间离开他的部下，回来后仍然既往不咎，能重用的照样重用。

这已经不是一般的宽厚，是超常的宽厚，因为这不是以功利为出发点的。

吴起是战国时的名将。《史记》上记载，士兵长了痈疮，这位三军主帅竟然能俯下身子帮他吸去疮脓（“卒有病疽者，起为吮之”）。

伟大吧，可是人家士兵的母亲知道后，却大哭了起来。

这位母亲很聪明，她明白，将军给儿子吮脓不是白吮的，你得拿性命去回报啊。

对于顾祝同来说，那些退伍官兵已经不能再扛枪打仗了，似乎没有理由对他们那么好。

然而，这就叫真心。

他们帮过你，为你鞍前马后，流过血，卖过命，所以你不能抛弃他们，得时常念着他们的好。

道理是道理，然而没几个人能做到，顾祝同遂有“军中圣人”之名。

他在第三战区，也如此统驭全军。大家都看在眼里，“废”了的你都待他如此之厚，我们这些还能干的，又岂会过薄?

另一方面，则是顾祝同肯放手，大事不糊涂，小事你们自个看着办。

黄绍竑担任浙江省主席，顾祝同对浙江的行政事务就从不插手，也绝不过问。东北军的于学忠归顾祝同指挥，但在作战的细节方面，顾祝同从不胡乱干涉，双方实际只有电台联络，遇到事情，向上打个报告即可。

既待你好，又不指手画脚，这样的领导的确难得，所以三战区虽然实力不济，但一众杂牌都肯用命，这片江山也就一直撑持了下来。

总有一款适合你

5 月 15 日，总部位于上海的日本第十三军进入浙境，浙赣会战掀开了盖头。

第十三军跟武汉第十一军不同，后者是战略部队，进攻是它的本分，而第十三军的分内活主要还是就地警备。说句不客气的，驻区境内的三战区游击部队和新四军就已经够他们操心了，一般情况下腾不出更多力量用于进攻。

可是本土被炸这件事着实把日本人给刺激狠了。

不是兵不够吗？没事，从别的地方抽。

“中国派遣军”全面总动员，从“华北方面军”，到武汉第十一军，再到关外的关东军，步兵、工兵、航空兵，能调的都调了过来。

上海第十三军原来不过才六师三旅团，在得到增援后，一下子就得以在会战中投入五个师团加一个步兵团，后者的兵力比旅团都要多，那阵势真是浩浩荡荡、杀气腾腾。

顾祝同没有办法不紧张。

当然得先制订对应战术，这个不需多想，信手拈来就是，因为武汉那边类似的攻防已经快用滥了。

比如李宗仁的五战区，要诀就是先退后追，而薛岳的九战区则是从先退后追，进化到了“天炉战法”——层层消耗，继以决战。

顾祝同选了“天炉战法”，决战地则设在衢州。然而，他心里也很明白，这个时候战术其实已居其次，关键是你有没有精锐部队与之相配合。

答案是：没有。

三战区什么样的部队都有，就是缺乏精锐，地形上也基本无险可守，从上到下，找不到一点和日军主力对拼的资本。

没有第七十四军，没有第十军，就算你让薛岳来指挥，又能怎么样？

然而，顾祝同已无退路，也罢，该来的总是要来，小棒槌也得敲大鼓，只好硬着头皮上了。

说是要消耗日军，可是怎么消耗呢？既无中西部那样的高山做屏障，也无厉害一点的部队去侧击。

想点别的办法吧，比如就地取材。

顾祝同的部队里杂牌多，但是杂牌多也有杂牌多的好处，里面有的是西南少数民族的士兵，祖传绝技就是制作竹签，有毒的。

浙江的山，大多是丘陵，山虽不高，山里的毛竹却很多，生产竹签绝不缺料。

再找过去，还有一种树。树木的枝干上生有倒刺，如果你不小心惹了它，它可以像刀一样扎在你身上不放，比荆棘还厉害。

竹签、倒刺，全部收集起来埋在阵地前，鬼子不踩着便罢，踩着了一准让你吃点皮肉之苦，如果运气好的话，竹签上的毒还会使皮肤溃烂，爽到连解药都没地儿找去。

这些“五毒教主”的招虽然也很带劲，但还算不上是真正的消耗对方。

顾祝同弄来了大量地雷。

由于会战前老百姓就已疏散或逃离，缺少了误炸的顾虑，三战区便可以在日军前行的路上处处埋雷，光在浙江的金华、兰溪一带就埋了千枚之多，水里、陆上，只要日军可以碰到的地方，几乎全有雷。

这可不是民间老百姓造的土地雷，正式名称叫四号甲雷，威力很大，绝非背上挠痒痒的那种。

它的种类很多，有一踩上去就爆的，这款送给日军官兵；有给予重压才发作的，这款特别赏给车辆辎重。另外，你要手工，有绳拉的；追求时髦，还有电控的。

总之，什么味道和档次的都有，无论你喜好如何，官阶怎样，总有一款适合你。

小兵炸死炸伤的太多了，说了也没意思，我们从上往下数。

第十三军司令官泽田茂中将第一个中招，差一点。当时他本来要随军指挥所前移，正好参谋本部的高官来视察，朝中来人，岂敢怠慢，他立刻屁颠屁颠地跑过去作陪，没想到此举却救了他一条小命。

5 月 18 日，第十三军司令部人员所乘坐的汽船碰到水雷，当即被炸沉，咕嘟咕嘟地躺水底去了，同时被炸死的军官及警卫达十一人，余者也大多受伤。

日本侵略军的船只经常碰到水雷

泽田茂不在船上，逃过一劫。

民间传说，水鬼抓不住你，就得另换一个替身，这回跑陆地上去抓了。

日本侵略军第十五师团连日进攻兰溪，但是那些竹签、倒刺、地雷给他们制造了极大杀伤，为了抬运伤兵和死尸，一度连从老百姓家里抢来的席子、门板都不够用，以致迟迟没有进展。

师团长酒井直次中将心急火燎，决定亲自去前线探个究竟。他当然不会傻到去最前沿，不过凑巧的是，他所处位置附近正潜伏着一个班的中国兵。

酒井一行那鬼头鬼脑的样子，让这些兵误以为是日军的搜索哨，并且已经朝自己这个方向来了。

既然迟早都要被发现，不如先打他一家伙。

酒井身边所带卫兵不多，遭到突袭之后惊惶失措，赶紧打着马往旁边躲闪。

不躲还好，一躲却躲到地雷区去了，使得这位师团长即使不到最前沿，也有了尝鲜的机会。

5 月 28 日，只听轰的一声，酒井连人带马上了天，连同幕僚也多被炸死炸伤。

第十五师团长就这么挂了，不过如此挂法并不亏，至少他成了日本明治维新后第一个死在战场上的陆军师团长，死了还能为“大日本帝国”创造一个新纪录，也算是“死得其所”了。

日本统帅部得知后大为震动，为了不影响士气，特地采取了暂时对外封锁消息的做法，而盟军方面则倍受鼓舞。

计划没有变化快

炸死日军师团长让顾祝同在国内军界也创造了新纪录，可这其实并没有使他真正轻松多少。

层层消耗，这话说说容易，做起来却十分困难。第十三军人太多，攻势也太猛太快，往往一个迂回包围，就能迫使那个地方的守军后撤。

所谓今日陷一城，明日失一地。舆论媒体可不会扳着指头帮你数困难、论战术，只知道你一个劲后退，快要退到连家都不认识了。有人直截了当地向政府呼吁，要求惩办“作战不力者”，矛头直指顾祝同。

第三战区司令长官的压力与日俱增，每天晚上连觉都睡不好，整晚整晚地打电话到衢州询问备战情况，言下之沉重不安，令守军指挥官听了都于心不忍。

下面不是玩玩地雷的问题了，只有取得歼灭性战果，才能给外界一个交代。

蒋介石的统帅部先后调来四个军的嫡系军队，它们和王铁汉的东北军一道，以五个军的阵容摆在衢州。其中，一个军在衢州正面，这是阻击兵团，另外包括第七十四军在内的四个军是决战兵团，后者分列两厢，随时待机合围。

这是一个类似于第三次长沙会战那样的部署，要的就是决战衢州。

可计划总是没有变化快，忽然间，风云突变。

5 月 31 日，武汉第十一军竟然也攻向三战区，与第十三军形成东西呼应，二者仅仅相距三百公里。

“中国派遣军”最初在制订进攻计划时，的确曾考虑过让第十一军担任策应，但策应不是进攻，无非是在旁边做做假动作，干扰对方的注意力而已。

畑俊六是在截获一份情报后，迅速改变主意的。

第十三军的侦察部队在衢州附近蹿来蹿去时，无意中发现并打死了一名坐着汽车送信的中国军官，从死者身上，他们搜到重要文件，得知如雷贯耳的第七十四军就潜伏在衢州以南，而且已经好些天了。

“虎部队”都来了，这是要干什么，畑俊六一个激灵，莫非这是要像长沙会战那样对第十三军进行包围?

好哇，第二次长沙会战没有能彻底击垮你，之后又怎么都找不到你，这次你主动现身，无论如何不能放过机会。

赶快，让第十一军加入进攻，目的就是捉住第七十四军。

畑俊六反应神速，但他太激动了，一激动就露出了狐狸尾巴。

当天在察觉武汉第十一军的新动向后，中国统帅部便意识到来者不善，日军侵略规模大大超出预计，于是马上做出变更，放弃了决战衢州的计划。

顾祝同训令衢州正面的阻击兵团，继续依城牵制日军，以掩护决战兵团撤入附近山区。

这样一来，所有重压都落在了阻击兵团身上。

担任阻击兵团的是莫与硕第八十六军，这支中央军部队最早来到三战区，在衢州已经驻守了半年时间，正是基于这一点，顾祝同才会将其确定为阻击兵团的最佳人选。

可惜，军长莫与硕颇有点对不起顾祝同。

半年时间的备战，他既没像李玉堂那样整出交叉式地堡，也没能如戴安澜一般造出封闭式堡垒，仅仅重机枪掩体和部分指挥所使用了钢筋混凝土，外面再树一些等同于摆着看的木栅，这就算是把防御工事给弄完了。

顾祝同战前对衢州防务进行过视察，但那时形势已经相当紧迫，即使想改进也来不及了，他只好把一名师长提升为副军长，用以勉励士心，不过，当时他并没想到此举后来会挽救整支部队。

衢州外围阵地一天之内便被攻破，随后军长找了个借口，说是要去收容溃散部队，一出门就没影了。

日本侵略军在用步兵炮对中国军队的阵地进行轰击

仅仅一天，衢州城内已是群龙无首，一片慌乱，官兵个个面无人色，惊恐不已，甚至没人再愿意守城了。

什么叫了不起

危急关头，顾祝同提拔的副军长起到了主心骨作用。

这位副军长名叫陈颐鼎，毕业于黄埔第三期，南京保卫战时，他是王敬久第八十七师的一名团长。

南京失守，对于很多亲历者来说都是一个刻骨铭心的记忆。陈颐鼎也是如此，在那里，他目睹了部队失去秩序后惊惶失措的惨状，连他自己也是靠一块木板才得救的。

慌乱，就等于放弃了战斗的意志和求生的希望。

陈颐鼎本来在衢州城外指挥，得知城内陷入混乱，立即返身入城，以副军长的身份稳住了军心。

在接下来的两天里，陈颐鼎一直通过无线电台与顾祝同以及顶头上司王敬久保持着联系，后者告诉他，必须拖住日军。

好，那我就拖下去。

在陈颐鼎的指挥下，守城官兵保持了高昂的士气，始终不退一步，直到两天后，衢州被四面包围。

6月3日，日军发动全面侵略，飞机把搭建的那点简陋工事都快给炸完了，连陈颐鼎的收发报机也没能幸免。

眼前的景象，几乎就是当年南京保卫战的重现。

日军冲进城三次，守军又把他们打出去三次，每个中国官兵都鼓起了置之死地而后生的勇气，在不到一千米范围的战场之上，双方已是血流成渠，尸横遍野。

五昼夜之后，第八十六军伤亡累计超过两千，这时随着决战兵团的转移，畑俊六想围歼第七十四军等中国军队主力的企图已彻底落空。

现在的问题，变成了城里的第八十六军该怎么办?

陈颐鼎没了收发报机，他能做的，只有继续按照指令执行——拖住日军。

6月4日，通过衢州的江面上突然漂过一叶扁舟，舟上端坐一人，一个年轻的中国人，那人神态自若，似乎完全不知道自己是置身于战火和危险之中。

这个宛如现代武侠小说般的镜头，把所有人都给惊住了。

更离奇的是，此人上岸后，指名要见陈颐鼎。

当着陈颐鼎的面，他像变戏法一样地从裤带中掏出了一个用蜡纸写的小纸条，当看到纸条上的字迹时，陈颐鼎的心立刻怦怦直跳起来。

“速设法前来，平。”

换做他人，没有谁能看懂这张纸条，所以就算是它被日本人搜去，也看不出任何问题。

陈颐鼎知道，“平”是王敬久的别号，他跟自己的老长官平时私函往来时，对方都用这个称呼。

毫无疑问，这是王敬久派人送来的信，内容就是暗示陈颐鼎撤出衢州。

决战兵团脱离险境后，第八十六军的牵制任务已经完成，但在衢州四面被围，又不能通过无线电联系的情况下，如何进行通知就成了大难题。

最后，还是王敬久的脑子灵光。淞沪会战前，他经常跑上海去侦察，与杜月笙等人打过交道，知道这些人神通广大，因此决定花钱请青洪帮办成此事。

轻舟上的那个活神仙就是青洪帮人，他的能耐是在任何时候都能水里来浪里去，没有他不能到达的地方。

难题转移到了陈颐鼎身上。

有了撤离的命令，可是怎么撤呢？四周如铁桶一般，已经被围得水泄不通了。

靠天。

6月6日深夜，衢州暴雨如注，陈颐鼎分数路突围。

每一路都配备了通讯小组，任务只有一个，那就是剪断日军的电话线。

前面碰到日军岗哨，会日语的特务兵即大声告知：“我们是路过的皇协军，奉命调动。”

然后胡乱报个番号过去。

江浙地区伪军很多，衢州战场也有，加上雨夜一团漆黑，伸手不见五指，哨兵分不清楚穿着雨衣的对面部队究竟是谁，想打电话查一下吧，线路又不通，于是挥挥手便让他们过去了。

第二天黎明，陈颐鼎率第八十六军一枪未放，奇迹般地突出重围，与第七十四军会合，进入了安全地带，日军面对的不过是空城一座。

第八十六军的原军长莫与硕后来遭到撤职处分并受军法审判。据说他一度喜欢人前夸口，说自己如何不怕死，然而怕不怕不是靠嘴说说的，“了不起”这三个字，也只有在最危险、最困难的情况下才有资格得到。

陈颐鼎名气不大，但在衢州保卫战中他是一个挺身而出的英雄。

日军侵占衢州后，破坏了衢州机场，此后发生的事情，可以说没有任何悬念，撤是肯定要撤，无论上海第十三军还是武汉第十一军，谁都没有足够的兵力用于长久布防，而撤的时候中国军队仍旧要追，这也是过去各个战区的习惯性做法。

唯一不同的是，由于日军在武汉战场吃够了被穷追猛打的亏，所以浙赣会战后期，各师团实行了集中撤退，队伍靠得很近，追击部队也因此没有能够得到太好的战机。

打仗就是这样，你必须对战术不断进行翻新，否则很快就会被对手熟悉和超越，它绝没有我们想象得那么容易和简单。

第九章

每一天都是崭新的

1942年上半年，曾经是日本历史上最嚣张和最利令智昏的一年。通过在太平洋上发动德国式闪击，半年以内，想得到的几乎都得到了。

在东南亚作战告一段落后，日本统帅部甚至开始筹划“五号作战计划”，按照这个计划，拟在国内动员二十三万新兵入伍，动用举国之力，直接侵占重庆和成都，毕其功于一役。

然而，世间万物，往往得到得快，失去得也快。

仅仅进入下半年，战局就急转直下。美军以中途岛海战为转折点，在南太平洋上展开了攻势凌厉的反攻，日本海陆军都遭遇了严重损失，已经进入演习阶段的“五号作战计划”也不得不中途叫停。

到1943年初，随着日军撤出瓜岛，其太平洋防御圈被打开缺口，日本以为会“长久”的国运也从此翻着跟斗往下跌了。

这一切，都来自于每一天的变化，每一个人的不懈努力。

鄂中大怪物

“五号作战计划”既然作废，就只能是武汉第十一军单独行动了。

在此之前，第十一军司令官这把原本金光闪闪的交椅似乎被人施了诅咒，坐在上面的没一个不倒霉的。

因为第三次长沙会战，阿南惟几饱受质疑，还好他有通天背景，皇帝和皇后关照着他，所以尽管吃了败仗，但仍能强哼着“得意泰然，失意冷然”的小调，继续换个地方去当官。

您老人家自然福星高照，万事无忧，剩下来的兄弟们可没这么好的运气。眼瞅着名古屋师团、熊本师团这两个曾经的大佬都被揍到鼻青脸肿，那种久久难以摆脱的惊惧和不安，已经把这个关内唯一的战略军差不多给弄蔫了。

阿南走后，塚田攻中将走马上任。

塚田攻做过参谋次长、南方军总参谋长，在日本军界有很高地位，可所有第十一军的历任司令官加起来，没有比他更晦气的了，才在武汉待了几个月，他的座机就被大别山里的桂军给打了下来，于是呜呼哀哉。

大家本来指望塚田攻帮着第十一军振作一下，没想到这哥们自己还如此短命，加上太平洋战争爆发后，熊本师团又被调往南洋，更是给众人的心里蒙上了一层阴影。

第五任司令官到了，他叫横山勇。

横山勇中将毕业于陆大第二十七期军刀组，他和冈村宁次一样，都是从关东军系统调过来的，然而和冈村赴任时人喊马嘶不同，迎接横山勇的却是一片死气沉沉。

第十一军的各部队无精打采，真个是做一天和尚撞一天钟。说到要打仗，全都一个调调：古语说得好，哀兵必败，还是谨慎为妙。

横山勇又怎么了，他勇他的，孙行者七十二变，怎么变还是猴，这家伙未必会比他的前任强到哪里去，跟着他出去没准也是死路一条。

横山勇在东北是关东军第四军司令官，不仅下面管着好几个师团，其假想敌还是苏联老毛子，眼光大得很，哪见过这种一衰到底的场景。

连上了几天火之后，横山勇终于想通了。你现在就是拿枪顶着他们的后脑勺，这帮人该熊还是熊，那胆子无论如何都壮不起来。

必须先练胆，可找谁练呢？

薛岳第九战区暂时是绝不能碰的，李宗仁第五战区因为有汤恩伯也不好惹，陈诚第六战区虽是新战区，可看上去似乎比其他任何一个战区都猛，不但敢于主动进攻，还曾打得第十三师团长都差点抹脖子自杀。

武汉周围这一圈看下来，竟然没一个下得了手。

大的不敢啃，只能先找小的，第十一军司令官最后终于找到了一个地方——洪湖。

驻守洪湖的第一·二八师是一支带有强烈个人烙印的部队，上面烙着的正是师长王劲哉的名字。

王劲哉原来是杨虎城的部属，后来叛杨投蒋，归入了汤恩伯集团军。

汤恩伯掌握杂牌的“秘诀”，就是杯酒释兵权，他对王劲哉采取的也是这一套路，准备提升对方为副军长。未料王劲哉绝非省油之灯，他不仅未上当，还干掉了汤恩伯派给他的副师长，然后把部队往洪湖一拉，自立为王了。

在没有任何人可以制约的情况下，王劲哉彻底蜕变成了一个混世魔王，称得上是洪湖那一块地方的土皇帝。

王劲哉在人性上不是一点点变态，是非常非常变态。鄂中老百姓，只要他看谁不顺眼，一个“汉奸罪”套头上，士兵会当场用刺刀把你给捅掉，这叫“戳豆腐”。

即便是对亲属、部属乃至过去的老上级，他也一个都不信任，且一个也不放过，稍有一点反对意见，即会冠以“反王师长罪”而予以处决。

当地民间由此“谈王色变”，称他是“鄂中大怪物”。

王劲哉眼中无所谓敌军友军，国民政府的军队，他能并就并，不限区域，弄得陈诚都一度激怒到要与之刀兵相见的程度。而对于附近的新四军，他也同样毫不客气，想进攻照样进攻，以便夺地盘，扩军队。

王劲哉身上值得称道的也许就只有一点，那就是有民族气节，对日军始终只打不降，决不屈服。

据说王劲哉在指挥所里会悬挂两个人的头像，一是蒋介石，另一个就是王劲哉本人。他在画像旁手书一联，上联：你蒋委员长若抗战到底。下联：我王劲哉誓死不做汉奸。

武汉第十一军曾专门派第五十八师团对洪湖发起进攻，但是连着两天都未能奏效，这使日本人对王劲哉另眼相看，视同大敌，而洪湖也在实质上变成了第六战区的一面屏障。

眼睛里向来容不进沙子的陈诚能对王劲哉忍而又忍，不能不说这是其中最重要的原因。

牛刀杀鸡

横山勇决定拿王劲哉开练。不过，当他部署作战行动时，连身边的一众幕僚都觉得不可思议，横山勇这次太当回事了。

按照计划，准备动用的兵力竟然达到五师一旅团，如果仅就部队数量而言，甚至超过了两次长沙会战。

要这么多人干什么，去赶集?

不错，王劲哉在洪湖建有自己的兵工厂，武器弹药方面能够实现自给自足，这是连一些大战区都望尘莫及的，兵员数量上，第一·二八师虽名义上是师，但总计有六个旅，已相当于军的规模，远超普通的地方杂牌师。

可这并不等于说第一·二八师真的有多强，无论是自制的武器装备还是部队的兵员素质，他们都没有办法与国民政府的正规军队，特别是蒋介石嫡系军主力相提并论。

就算那是一个地方军，值得用五个师团去对付?

幕僚们在下面免不了窃窃私语：“老是说我们胆小，看来司令官阁下也并不像他的名字那样‘勇’。”

看出部下们的心思，“勇哥”得拿出点说法。

我问你们：“为什么上次第五十八师团拿不下洪湖?按照道理，一个师团打一个地方军，应该没有任何问题呀。”

有知晓内情的回答：“当时主要是浙赣会战开始了，必须转移兵力，所以到第三天把第五十八师团又给调走了。”

言下之意，“非战之罪”。

横山勇紧跟着又提出一个问题：“如果不调走，第三天或者第四天，一个师团能不能完全击溃王劲哉，从而占领洪湖?”

这下全闭住了嘴。

事实上，每个人都明白，王劲哉能守住洪湖，不是他的部队特别能打，而是借助了当地特殊而复杂的地形。

洪湖水，浪打浪。这里到处是大大小小的各种湖泊，能供人行走的只是崎岖不平的湖堤小路，过去洪湖赤卫队之所以神出鬼没，谁都逮不着他们，就依赖于此。

日军主力部队非地方保安团可比，所以王劲哉的防御之法更进一步。他在湖堤上到处挖有深达两米的壕沟，每隔十米筑一个土堆，每隔三里修一座堡垒，构成了陷阱密布，而且可以彼此呼应的防御网。

第五十八师团就是掉入了这样一个迷魂阵中，不仅大部队无法展开，而且连正常指挥和联络也非常困难，参加浙赣会战算是找到了一个解脱的借口，不然别说三四天，五六天都不一定转得出去。

复杂而多变的地形往往令日军在攻击中吃力不已

在横山勇看来，这虽是一场小仗，但第十一军已经输不起了，再输的话，本已委靡的士气将更加一蹶不振。

必须倾全军之力，一战而得胜，为此，哪怕是牛刀杀鸡，狮子搏兔。

横山勇这次是真拼老命了，他把只有大兵团作战才用得上的技术和手段全都使了出来。

第五十八师团那次侵占洪湖，几乎可以说是一路迷迷瞪瞪，眼前除了水还是水，再翻地图，也就是标记了几个大湖而已，与实际地形对不上号，自然也不能帮着寻找合适路径。

空中侦察使这一问题迎刃而解，航空兵提供的新地图绘制出来后，王劲哉的防御网再无秘密可言。

1943 年 2 月 13 日，武汉第十三军突袭洪湖。

说突袭，是因为横山勇还采取了声东击西的疑兵之计。出发前，他故意对外散布要侵占长沙和常德的假情报，使得第六、第九两大战区都处于戒备自守状态，而王劲哉自己却疏于防备。

横山勇的顾虑果然有道理。虽然随身携带了那么精准的航空地图，但进入洪湖后，仍有部队搞不清方向，迷路后不得不来来回回地瞎跑。

直到 2 月 21 日，日军才得以按照地图对第一・二八师的中心区域进行合围，接下来的作战过程则让横山勇惊心不已。

第十一军预先准备了多种攀登堡垒的器械。除常见的竹梯外，还制作了通常只有武侠片中才能见到的锚钩绳，其中最引人注目的是一种长绳锚钩。这种锚钩得用发射器投掷，是攀登高层堡垒的专用器械。

可真正实战与演习毕竟不能画等号。

水上堡垒的特点是，两侧都是布满芦苇的湖荡，只有中间一条狭窄曲折的小路可走，堡垒里轻重机枪一摆，你那一路步兵纵队别想轻易靠近。

连碰都碰不着，那费了半天工夫做成的竹梯、绳索就只能摆在旁边看看了。

横山勇没有别的办法，等吧，等山野炮推上来，直接瞄准射击，以打通道路。

四天四夜后，日军费尽九牛二虎之力，终于进入了第一・二八师的中心区域。

王劲哉在弄清日军的作战企图后，立即指挥部队利用芦苇的遮蔽向外突围。大部分人都突出重围了，除了王劲哉，而这说来说去还得怪他自己。

六亲不认，对部下过于严苛，就免不了出问题。王敬哉的一个旅长因此暗中投敌，并向日军提供了王劲哉的所有资料。

横山勇如获至宝，他将王劲哉的照片和各种特征复印成册，遍发基层各部队，要求就是：合围时，你们谁都可以放过，但绝不能放过照片上的这个人。

2 月 25 日，日军搜索分队依据一根刻有姓名的手杖和一件斗篷，最终发现并抓住了王劲哉，洪湖也就此完全失守。

想到了一块儿

横山勇押上全部身家，一把赌赢，不仅成功地提高了自己在第十一军内部的威信，而且帮助上上下下找回了久违的信心和胆量。

侵占洪湖只是第一级阶梯，在接下来的一个月里，武汉第十一军如法炮制，继续通过“牛刀战术”侵占了石首和华容。

作为长期研究对苏作战的战术专家，横山勇这两个月可真不是白忙活的，他的“牛刀战术”除了练胆，还隐藏着更深的图谋。

横山勇之前，历任第十一军司令官，包括冈村宁次在内，万变不离其宗，都是在武汉附近打转转，最长的距离也只是到宜昌。

老在自己家门口转有什么劲?

从洪湖，到石首，再到华容，这些地方都有一个共同特点，那就是扼守着长江两岸。

集中兵力打通长江要道，然后沿江西上，消灭拱卫重庆的中国精锐部队，以撞开陪都大门，这就是横山勇的最新方略，也是他从“牛刀战术”中得出的启示。

应该说，前任并不全是笨蛋，在翻阅历任司令官的作战构想时，横山勇发现同出于关东军的冈村宁次跟他颇有共鸣。

可是冈村的谋略却得不到“中国派遣军”司令部的赏识，后者老是牵着一根绳，一头抓在自己手里，另一头套在第十一军的脖子上，你稍微往前面抬一抬步，他那边马上把绳子一紧，勒得你直翻白眼，只好再乖乖地回来。

耍猴呢，你们！

在横山勇看来，这叫做不思进取，照这种样子打，何年何月才能彻底解决“中国事件”。

可是上司就是上司，横山勇即便对畑俊六再不屑，他毕竟还是一只“猴”，不能想怎么样就怎么样，乃至脱开绳子乱跑。

怎么办呢?

幕僚给出了个主意：从船上做文章。

太平洋战争爆发后，日本船舶严重不足，宜昌倒有一批轮船，可是因为从宜昌到武汉不能通航，所以船泊一直运不出来。

横山勇心领神会，“对，咱们就说这次打仗，是为了到宜昌把船运出来的，这样就没人敢说第十一军走得太远了”。

横山勇的这个理由果然点中了畑俊六的死穴，后者正为长江中下游的运力不足而抓耳挠腮，一听可以帮他把船拖过来，二话不说，马上就批准了西进计划。

有脑子的大将通常都能想到一块儿去，哪怕他们处于敌对的营垒。横山勇整天思考着沿江西进，他的对手、第六战区司令长官陈诚也曾反复琢磨过这个问题。

由于第六战区成了重庆的看门虎，因此部队相对集中，第五战区的冯治安、王缵绪都划了过来，已囊括五个集团军多达十四个军的兵力。

可是人再多，防守时都会显少，而且说来说去，真正能打的精锐也就那几个，究竟怎么摆，涉及攻防关键。

陈诚召集幕僚和各部将佐商讨，起初的主流意见是重点看住两翼，要么在鄂北的襄樊设防，要么在湘西的常德扎营。

沿江当然也要设兵，不过无须太多，理由是长江夹岸山路十分崎岖，大部分是羊肠小道，单个人马赶路都很困难，更别说大部队行军了，没准走着走着就掉到江里面去了。

派几个人放放哨，足矣。

陈诚却不以为然。

两翼就算是像宜昌那样丢城失地，毕竟不会动摇根本，还有充裕的补救时间，可是江防如果空虚了，日军就会长驱直入，那样重庆必危，后果不堪设想。

说到关系陪都安全，谁敢轻视？

于是，包括第十八军在内的三个精锐军便依言配置到了江防一线，并以石牌要塞为中心构筑了系统的防御阵地，其中有相当一部分是钢筋混凝土工事。

最重要的一步棋子就这么落了下去，未来之战，陈诚至少可以做到战略不出错了。

大将之别

5 月 5 日，横山勇发动鄂西会战，然而陈诚这时却不在任上。

救火队长嘛，当然是哪里需要往哪里去。第一次远征缅甸失败后，中国蒋介石的统帅部就计划在云南重组远征军，陈诚干这个活去了，代替他的是孙连仲。

孙连仲善于打中小范围的苦仗恶仗，唯一的缺陷是此前未独立指挥过战区级别的大兵团作战，在狡猾异常的横山勇面前，还是显得嫩了那么一点。

自横山勇出兵洪湖后，他要达到什么样的作战企图、侵略重点在哪里，一直困惑着这位西北军出身的大将。

横山勇的招数确实吊诡，一般人很难猜得透。鄂西会战前，他似乎是沿袭过去第十一军“短切突击”战术，仅仅是沿江窜扰一下就会缩回大本营，但在鄂西会战开始后，忽然又做出了要大举侵占常德的架势。

日军会从两翼，包括常德突进，本来就是可以预料到的，孙连仲决定亲赴常德坐镇指挥，可他刚刚到达常德，横山勇又忽然转锋西向，走起了沿江西进的路子。

第十一军虽是专门负责进攻的战略军，但也不敢不对防区进行警备，所以不可能一次性把大部分兵力都抽调出来，横山勇为此采取了“逐次递进”的新战术，即到一个阶段就向最前沿添一个师团。

移师西向之后，驻宜昌的第十三师团便添了进来，使得日军的突击规模看上去越来越大，侵占之矛也越来越锐利，光在心理上就会使对手徒增压力。

四任司令官都没想到的，横山勇想到了，关东军方面军司令官岂是白当的。

至此，孙连仲的指挥完全陷入混乱，一度对部队失去掌握。

主将不知道在哪里，日军却已大兵压境，第六战区司令长官部所在地恩施因此变得人心惶惶，草木皆兵。

蒋介石的统帅部非常着急，蒋介石情急之下，甚至决定亲赴恩施进行指挥。

陈诚其时人虽在云南，但头上仍有第六战区司令长官的名义，他给蒋介石打去电话："你是领袖，不太适合亲自去指挥，万一弄得不好，那可是事关威信的大事，要去只有我去。"

这话怎么听，似乎都有那么一点让人不舒服的味道，可是话得看谁说，从"老忠臣"嘴里说出来就不一样了。

5 月 15 日，经蒋介石的统帅部批准，陈诚接过了第六战区指挥权。

因为恩施下雨，飞机不能降落，陈诚到重庆后，只好先耽搁一天。到了第二天，雨转多云，恩施上空云雾迷蒙，还是不宜出行的日子。

军情紧急，再不能等了。

5 月 17 日，陈诚乘飞机赶到恩施。听到这一消息后，恩施人心大定。

大将之别，不光在勇，还在眼光、在经验、在思路。

陈诚坐镇恩施，马上掂出了横山勇的真实算盘：进军路线是沿江而上，目标是攻取石牌，威胁重庆。

看上去，孙连仲留下的似乎已是一片烂摊子，从上到下都是一种已经输掉的气象，但高手就是不一样，陈诚以为，这并没有影响大局。

三个精锐军仍然在石牌，既定防守战略未受大的影响，战略对了，这一仗就有了三分之一胜的可能。

接下来的三分之一是战术：诱敌深入。

陈诚回到恩施后，迅速传令各部队往西后撤。

陈诚（背立者）到达恩施，官兵们振臂高呼：血战到底！

在匀称的平地上，我是整不过你的，只有到崎岖的夹江山地，才能给你好看。横山勇你果真是“勇”，别人不敢走的路，你敢走，那就得为此承担后果。

从表面上看，横山勇的西进之路确实轻松了许多。

5 月 19 日，他向“中国派遣军”及日本统帅部发去一份电报，告诉他们：第十一军用死伤不超过四百人的代价，便杀得中国军队大败而逃。

你们问我眼下，眼下我就要去宜昌拖船了。

最后的三分之一

按照“逐次递进”战术，横山勇在侵占过程中又加入了一个师团，使得他的最前沿部队即达三个师团之多。

即算如此，他也并没有敢麻痹大意。

第二任司令官园部和一郎是怎么跌跟头的？上高会战，他把两师一旅团分开来，你干你的，他干他的，结果被罗卓英各个击破。

长江夹岸尽为连绵山地，比江西的地形还要复杂，预计中国军队的抵抗也要激烈得多，因此绝不能重蹈覆辙。

横山勇要求三个师团肩并肩地走，齐头并进，你帮我，我助你，以此把危险系数降到最低。

可是在鄂西会战中，首先把横山勇绊得趔趔趄趄的，还不是山地，而是陈诚使用的另一个全新战术。

这个战术，别说横山勇想不到，就连陈诚本人以前也从来不会去想，不是想不到，而是不敢想，因为它太“奢侈”了。

战术名称：陆空协同。

早在陈纳德组建飞虎队时，罗斯福已同意将中国列为租界法案受援国，其中的援助项目之一，就是培训中国飞行员以及提供作战飞机。

太平洋战争爆发前，这一协议都没怎么动，飞机也大多被送往苏联或者英国，在此之后，美国人晓得日军的厉害，才开始急急忙忙地补做了一些。

甭管多么不尽如人意，中国自己的空军总算又能凑起来了。

在陈纳德指挥的飞虎队（此时已由志愿航空队正式改编为第十四航空队）的主导下，中、美空军开始联合从空中发起反击。

年轻的中国空军姑且不论，飞虎队有多厉害，“要你命三板斧”砍过去，日本航空队根本不是对手，仅在鄂西会战中，被击落和炸毁的飞机就达三十七架之多。

到这个样子还能继续掌握制空权，那就真成笑话了。

把日本航空队逼到舞台一角后，陈诚便有了使用陆空协同战术的可能，他在恩施与空军指挥官直接面商，共同敲定陆空军配合的各个细节。

既然双方位置调了个个儿，横山勇就不得不委屈一下自个了。以前都是中国军队因害怕轰炸而特地避开危险时段，现在轮到了日军，三个师团大白天的都不敢动，只能利用晚上，或者是黄昏和拂晓才能偷偷进兵。

这个样子往前推进当然很慢，山路加夜路，前面还有挡道的。如果中国守军能够自行退却，让开道让我们走就好了。

要做到这一点，最有效的就是实施迂回绕击，将守军的后路，确切一点说，是将石牌守军的后路提前切断，到时石牌一定不攻自破。

可是横山勇很快就发现他根本做不到，因为难以越过那三个精锐军组成的防线，后者的战斗力超出了他的预计。

陈诚性格好强，但他并不是一个刚愎自用的人。两年前的宜昌反击战，蒋介石都为之赞许，认为打得不错，陈诚本人却还保持着清醒头脑，那就是六战区的部队新兵多，缺乏训练，用这样的兵，就算你是韩信再生都没用。

做个假设，在宜昌反击战中，即使整个反击战略是错误的，分割战术总没有错，又或者分割战术也错了，可要是你手上指挥的仍然是淞沪时代的那支第十八军，一个“血肉磨坊”，可以把老牌日军都磨成豆腐渣，对付第十三师团还有什么难的，宜昌又怎么会拿不下来？

陈诚由此得出结论，挽救战略的是战术，而挽救战术的又是战斗，也就是说，基层部队的战斗力有时能决定一切，它是打胜仗的最后一个三分之一。

陈诚深知抗战以来部队出现的弊端，他曾站在讲台上对大家说：“你们可以管我的家庭收支情况，如果查出有贪污可以立即向上告发。而你们自己若是被检举了，那对不起，一经查实，决不轻饶。”

好听的话谁都会说，但陈诚还会去做，而且毫不含糊。

他在六战区第一个建立了军需独立制度，把经济处分权从部队长手上分离出来，以此遏制喝兵血、吃空额的现象。

最能够说明问题的，就是一般国内部队不管打了败仗还是胜仗，最后大多会虚报伤亡数字，一来可以争得补充，二来还能吃空额，可谓一举两得。

唯有陈诚不同，他是能少报就少报，绝不会往多报，每次打完仗都强调他的部队损失不多，粮食弹药也不缺。

当然谁都不是神人，到部队真的揭不开锅，陈诚有时也不能不采取一点变通办法，但他始终坚持所谓“营私不舞弊主义”，即想办法挪来的钱不准放个人腰包，一定得补贴军费缺额。

宜昌反击战后，陈诚开办了战时干部训练团，亲自主讲，给抽上来的军官讲授战略战术和各兵种专业技能，同时结合第六战区所处地形特点，不间断地组织各部队进行以山地战为主的作战训练。

你卧薪尝胆了，战斗力不提高都难。

横山勇想出奇兵迂回绕击，结果不仅没绕成，“奇兵”还遭到伏击，连大队长都被打死了。

再看那三个师团，没有哪一路能突破守军防线，无奈之下，横山勇只能把关注点聚焦到石牌之上。

中国的伏尔加格勒

石牌要塞下距宜昌仅三十里，其炮台可以封锁江面，使日军无法溯流而上，过去驻宜昌的第十三师团也曾多次组织进攻，但因陈诚部署得当，最后全都无功而返。

占领石牌要塞，已成了武汉第十一军此次西行的最大突破口。

横山勇本人在宜昌亲自坐镇指挥，第十三师团担任最外侧掩护，名古屋第三师团和第三十九师团合力涌向石牌，使这个要塞前一下子集中了多达四五万日军主力，场面十分吓人。

石牌守卫战成了胜负关键，石牌一破，重庆即暴露在外，除弃守别无他途。此时统帅部虽已应陈诚请求发出调令，分别从第五、第九战区抽调援兵，但到达需要时间。

蒋介石亲自给陈诚打来电话：“石牌要塞必须独立固守十天，使之成为中国的伏尔加格勒，若无命令擅自撤退，即实行连坐法。”

自从回到恩施后，陈诚的表现一直都很镇定，但这时也紧张起来。

问题就是派谁守要塞。

石牌一线的防守部队各有其责，且有一半以上都很疲乏，就怕调到要塞后作用没起上，反而被横山勇趁机找到防守漏洞。

不能呼啦啦都去，只能派最出色的。

在陈诚心目中，这个角色非他的第十八军第十一师莫属，那是他起家的根本，荣誉的象征。

平时你说陈诚怎样怎样不行都可以，唯独不能当着面说第十一师的坏话，有那不识时务的，陈诚听后铁定会一蹦三尺高：你才不行呢，你的部队不行，你全家都不行！

显然，在这样的部队里，陈诚会配什么样的人就可想而知了。

第十一师师长胡琏，陕西华县人，毕业于黄埔第四期。

胡琏与张灵甫相当有缘，他们是老乡，是同窗好友，又是黄埔同期同学。据说年轻时连媒婆都是做的同一家，两个小伙子条件都那么优秀，让女方一时也觉得无法取舍，弃谁都觉得可惜，最后，还是姑娘本人通过相片选中了张灵甫。

胡琏其实也一表人才，可要拼帅比靓的话，他确实不是军中第一帅哥的对手。

脸蛋是爹妈给的，天生什么样就什么样，这个没办法，有办法的是后天努力所能获得的成就。在人生的跑道上，胡琏一直紧逼张灵甫，淞沪会战时，同居团长的哥俩均搏命罗店，胡琏还组织敢死队，用集束手榴弹炸过日军坦克。

胡琏与张灵甫是同乡兼同学

有那么一段时间，胡琏的风头似乎被张灵甫完全盖过了。就在后者扬名万家岭、立下殊勋时，胡琏还在敌后打游击，不是炸铁路，就是埋地雷，每天忙忙碌碌，刀口舔血，但总觉得有那么一点不得劲。

胡琏本来就是第十一师的老人，陈诚又以喜欢提携后进著称，在华中逐渐成为正面主战场后，他便把这位新生代将才调回了第十一师。

石牌守卫战前，胡琏刚刚升任第十一师师长不久，用将之力，没有比这更好的时候了。

可是要说到死守石牌，并且一守就得守十天，谁都没这个把握，陈诚没有，胡琏也没有。

长江上的要塞，以马当规模最巨，号称“水上马其诺”，但也就几天就失守了，此后的大大小小要塞，都从来没有能守住的纪录。

石牌守不守得住还是个未知数，要死在这里却是肯定的了，胡琏把指挥所移到石牌前沿后，刷刷写下了五份遗书，老爸老婆，亲亲眷眷，一人一份，连“死后记得多烧纸钱、子女长大后要参军为父报仇”这些话都说了。

省钱之法

胡琏有拼命的决心，不过他并不是一个鲁莽汉子。

能从黄埔二期以后脱颖而出，光有悍勇是不够的，必要的智慧一点都少不了。

一个师你就算是再强，也没有办法硬扛两个师团，何况其中的名古屋师团还是老牌师团，如果敞开来打，别说十天，没准一天就会消耗一空。

当游击队长那会，因为本钱少，胡琏天天琢磨的就是虚虚实实的一套，曾经一面假装攻击日军据点，一面掩护海军陆战队在江上布雷，为此炸沉过不少日军舰船。

正规军当然不同于游击队，但道理都是一样的，钱不多，你就得省着点花。一个师，胡琏只抽师机关和一部分兵力守阵地，主力都被他藏到了后面。

兵力少靠什么，靠山地之险。

5 月 25 日，横山勇下达了对石牌一线的侵占令。三天后，第三师团和第三十九师团都已接近石牌正面，并与第十一师交上了火。

此后不管战斗多么激烈，胡琏始终坚持着他的“省钱之法”，把每个山头都利用起来，而每个山头上不过一个连。

除了连，他还用排甚至班。这些班排化整为零，组成一个个战斗小组，每个组不过两三个人，带上一挺机枪以及吃的喝的，就蹲在山洞里，洞口一封，留个小口，就是天然的机枪掩体。

从班到连，人很少，但火力不弱。

山洞也成为天然掩体

5 月 29 日，离横山勇发起攻击刚刚四天，其攻势已达高潮。石牌要塞前，日军一波接着一波，以密集队形作锥形深入。

石牌一线的防守总指挥、江防军总司令吴奇伟怕胡琏守不住，便请求陈诚变换阵地，往后移动。

陈诚反复考虑，以为不可。

诱敌深入不能把横山勇给诱到重庆去，石牌就是最后的袋底，只有在这里顶住第十一军，才能把袋子罩到横山勇的头上。

但是袋底可能会漏的危险，陈诚也不能视而不见，在要求继续守住石牌的同时，他命令各处已增援到位的兵团提前投入反攻，以减轻石牌的压力，而尚在路上的部队则需快马加鞭赶来。

石牌的情况究竟怎么样，陈诚心里也不由得唱起了那首叫做《忐忑》的神曲。

他直接跟胡琏通话，把蒋介石的话又重复了一遍，问对方有没有把握守住要塞。

胡琏回答："成功没有把握，成仁却有决心。"

陈诚放心了。

将有死战之心，士必无贪生之念，石牌一时半会还丢不了。

5 月 30 日，石牌守卫战的激烈程度达到顶点。

胡琏第十一师的官兵端起刺刀，围绕山头与日军展开白刃肉搏。三个小时之内，听不到一声枪响，双方就是刺刀上见输赢。

三个小时后，已经冲上山头的日本兵被尽数刺倒。

这绝对是见功夫的一仗。抗战时期，能刺刀对刺刀地跟日军主力较量的中国军队很少，所以当年冈村宁次只要看看自己士兵身上的刺刀伤，马上就能推断出对手是否为蒋介石军队主力。

此时，胡琏仍然没有动用大部队，照这个样子下去，他守上十天毫无问题。

横山勇的信心开始动摇。

随着陈诚下达反攻令，担任外侧掩护的第十三师团压力不断增加，若是再硬撑下去，别说无法攻破石牌，甚至还可能连累宜昌的防守。

撤吧，甭管多么不情愿。

当天，日军接到撤退命令，中国的"伏尔加格勒"守住了。

鄂西会战结束后，蒋介石在恩施召集军师长会议，问胡琏在防守时用了多少兵力，得知他从头至尾才用了两个营后，不由得又惊又喜，一再要求其他部队向胡琏学习，争取也能以少击多。

胡琏因石牌守卫战而一战成名，后出任第十八军军长，到达了他个人军事生涯的顶峰。

虎部队

5 月 30 日，空军向陈诚提供情报，认为日军有退却迹象，陈诚遂于当晚发布追击令。

前面四任第十一军司令官，除了塚田攻没怎么正常打过之外，其余打仗的到后来就没一个不被追。不过这也没什么可叫屈的，归根结底，世上好事总不能你一人独吞，刚出家门的时候，不是个个比比划划，挺得意挺来劲的么？

关键是“勇哥”的心理素质不好。从他进攻洪湖起，一路顺风顺水，都是他打人家，很少人家打他的，这人已经吃不得半点亏了。

不行不行，这样不行，太丢面子，也太窝囊了。

我得独辟蹊径，回头咬上一口。

在日军后面追得最凶的是王甲本第七十九军，横山勇发现它位置突出，两翼空虚，立刻邪从心头起，恶向胆边生。

他下令担任掩护的第十三师团停止撤退，就地反击，与此同时，独混第十七旅团也奉命转身，准备从旁边进行迂回，双管齐下，以吃掉第七十九军。

如果横山勇此举能够成功，他就足以自傲于前面任何一任司令官——你们看看，都是撤退，就我一个撤得最帅。

可惜独混第十七旅团还没到达迂回地点，半路就被人截住了，抬头一看，那脸吓得煞白。

真是怕什么来什么，眼前正是日军上上下下都怕的“虎部队”。

日本人在情报判断上有鉴貌辨色的特点，比如他们推测中国的军事重点，就是以被称为“蒋介石第二”的陈诚所在地区而定——“七七”之后，陈诚去了上海，淞沪成重点；陈诚到武汉，武汉成重点；陈诚到恩施，六战区成了重点。

万家岭大捷，特别是上高会战后，日军预卜战役输赢，又以“虎部队”是否出现为标准，基本上第七十四军现身在哪里，这场战役就有了一点凶多吉少的味道，即算勉强打赢，付出的代价也小不了。

从日本统帅部，到“中国派遣军”司令部，再到武汉第十一军司令部，没有一个不睁大眼睛在盯着第七十四军，这话绝不夸张。

但是盯不住。

“虎部队”既有老虎般的勇猛，却也有类似于江北汤恩伯那样的机警，日军侦察机天天在上面绕圈子，都很难发现第七十四军的踪迹。唯一的一次，还是第二次武汉会战期间，托了薛岳的指挥失误。

那一仗，第七十四军损失过半，可是老底子尚在，所以很快就恢复了元气，并且从此变得更加神秘莫测。

现在好，不用你盯，老虎自己出来了，不过，它一出来就要寻找猎物。

发现第七十四军正虎视眈眈地瞪着自己的时候，独混第十七旅团吓得差点没从地球蹦火星上去。

心里落了毛病，那仗哪里还能打好。这个本来还想去立点功的倒霉旅团一击即溃，成为会战中损失最大的一支日军部队，一共五个步兵大队，倒有三个中佐大队长当场战死。

老虎出击，是要寻找猎物

见到这一情景，第十三师团也慌了，一招一式便差了那么一点意思，被对面的王甲本觑个正着，咔嚓一刀斩一大队长于马下。

虎部队如此可怕，让此前并未与第七十四军真正打过照面的横山勇长了见识。

还看什么看，有条腿的，都赶快跑吧。

除了借助第七十四军这只猛虎外，陈诚还派空军协同追击。

6 月 11 日，鄂西会战结束。

按日方统计，日军在会战中共死伤三千五百多人，与以往不同的是，此次还出现了被中美空军扫射和轰炸而死伤的人员，并且比例已占到日军总伤亡人数的百分之十以上，第十三师团的一个联队长就是在撤退时被空军机枪打成重伤的。

第十章

虎贲万岁

指挥完鄂西会战，陈诚又走了，去云南，经受过一次大战洗礼的孙连仲正式接任第六战区司令长官。

日本统帅部经过情报分析认为，中国的军事重点将再次发生变化，各战区精锐部队会陆续调往云南和缅甸边境，以组织第二次跨国远征。

这当然不是什么好消息。

“中国派遣军”司令官畑俊六依此向第十一军下达指令，要求该部于秋季开始进攻第六战区，以牵制中国的兵力调动。

接令后的横山勇很高兴。

鄂西会战后期，除了从宜昌拖回些船外，整个过程都整得特别砢碜，尤其是撤退时遇到“虎部队”那一段，更令横山勇窝了一肚子火，心里像猫爪子挠过一样，十分难受。

这回好，难得上面这么主动，又可以出去扳扳手腕了。

“婆媳”之间

有句话叫做快乐要与人分享，其实这是个病句。

世上快乐能有多少，从呱呱痛哭着坠地，到苦着脸皱着眉离开，自己都没多少开心的日子，如何还能跟人分一半?

“中国派遣军”司令官畑俊六肯定是这么想的，因为他如今就很不开心，而这种不开心正是“快乐的横山勇”赐给他的。

包括第十一军在内，几乎每个前线司令官都会埋怨畑俊六和他的“中国派遣军”司令部低能，任何时候都只知道手里拽一根绳子，让你打都打不痛快，以致关内战事长期处于僵持状势。

可这就叫不当家不知柴米贵。武汉会战后，日军的能量其实已经到临界点了，就像撑竿跳选手一样，别看他呼地一下蹿那么高，要想再把最好成绩往上挪哪怕一厘一毫都不是简单的事。

畑俊六不是没有争取过，当年之所以极力反对“南下战略”，就是想集中在华日军，以达成和冈村、横山勇等人一样的“西进战略”。

然而，提议不是被东条否决了吗？这以后的日子就越来越难，等到太平洋战争爆发，“中国派遣军”司令官几乎没有哪一天不在为无米下锅而发愁。

这次侵占常德，完全是日本统帅部压下来的活，不能不办，但这样一来，就必然涉及兵力调配的问题。

由于兵员严重不足，日军大部分师团早已由四联队制改为三联队制，新编师团都来不及组建，由一个独混旅团为框架，就匆匆成形了。

以前都说第一〇六和第一〇一师团是日本最弱师团，如今这一概念早就过时，没有最弱，只有更弱，“独混式”的新师团真的只能混混，别提进攻了，连坐着守备都很吃力。

鄂西一战，足足削掉三千多人，单看数字似乎并不高，可那都是实实在在的进攻部队，非新编师团可比。

现在你再让横山勇自己从第十一军凑人，他根本就凑不足，非得“低能”的婆婆给他想办法不行。

畑俊六又能有什么办法，他只能从别的仓里搬米，比如上海第十三军。

上海第十三军司令官下村定中将听说他的第一一六师团要被调去武汉作战，急得一下子跳了起来。

到了这个时候，谁都是一副人穷志短、马瘦毛长的苦哈哈样，第十三军本来就没几支像样儿的部队，更何况第一一六师团还是顶梁柱，要把它给抽出去，那真是比掏心挖肝还难受。

畑俊六见上海方面没动静，便派人上门做工作，可下村定仍然不肯，而且当着面倒了一肚子苦水。

你就算让我装梦游，那也是体力活，这样七七八八地把人都调光了，我该怎么办？要知道，我旁边就是顾祝同第三战区，只要我这里兵力一空虚，他就有可能攻过来。

来人被下村定说得坐立不安，口气也缓和下来，“要不这样，不抽整个师团，只从第一一六师团中抽一个旅团，你看怎么样?”

不怎么样!

实在要抽也可以，一个大队，还得看人情。

接下来，下村定似乎完全变成了受委屈的怨妇，“‘中国派遣军’做事太不公道，为什么不从‘华北方面军’抽，他们那里人很多啊，不要就知道抽第十三军，我们这些马也得吃草不是?”

南京的畑俊六听到下村定的这番话后，那份闹心就别提了。

他告诉下村定，“手心手背都是肉，我这一碗水是端得很平的，所谓帮理不帮亲，没有说对谁好、对谁不好的道理。‘华北方面军’已调一个师团到南洋，短期内不可能再抽它的兵。”

拿一个旅团出来，这事没商量!

几天后，下村定正式答复：“好吧，依你。”

“依你”的意思是表面依你，实质上还是他自己说了算——旅团被偷梁换柱，大队改中队，出兵数量减少一半，成了半个旅团。

这一切当然瞒不过畑俊六的眼睛，人家也是老狐狸了，曾经跟寺内寿一坐一块吃过饭，喝过酒。

跟我玩猫腻，小子，你还嫩点。既然好说歹说不听，那就只有硬来了。

9 月 25 日，畑俊六以“中国派遣军”司令部的名义下达命令。按照命令，第一一六师团不仅将一个不少地调往武汉，而且还搂草打兔子，搭上了第十三军的另外三个步兵大队。

下村定又摆架子又撒娇，折腾半天，却是搬起石头砸了自个的脚。

畑俊六如此用心良苦，说来说去全是为了横山勇，可是“勇哥”却并不领情。

横山勇认为畑俊六做事没魄力：你跟下村定磨磨唧唧个啥，不过才一个师团，早下命令不就得了，结果浪费那许多时间，都影响我排兵布阵了。

畑俊六心里是明白下村定的苦衷的，要不然也就不会一而再、再而三地派人私下去唠了，硬性下令实属情非得已。

他想不到的是横山勇会如此不通人情，不由得气愤至极，当着别人的面就大骂横山勇是浑蛋，人品太次。

你不过就是在关东军里做过方面军司令官，有什么了不得的，鄂西会战那算指挥得好吗?

畑俊六认为鄂西会战打得一团糟，没什么技术含量，因此在第一一六师团临去武汉之前，特地暗示师团长，让对方帮着横山勇运谋筹划，以免再在原地摔跤。

兵者诡道

人这种东西，理智往往支配了感情。比如，畑俊六说横山勇打仗不讲技术，那就完全是不过脑子的话。

第一一六师团长到武汉后，拿到了横山勇制订的作战方案，看过之后，他马上就有了一种“吾不及也”的羞愧和不安——这么漂亮的攻略，起码我想不出来。

横山勇是战术专家，他对“兵者诡道”的理解已经达到了一定程度。

11月2日，武汉第十一军出兵六战区。

横山勇的第一个动作，看上去就是鄂西会战的延续：五个师团并力向北，把孙连仲往石牌方向压。

孙连仲的反应同样是萧规曹随，将兵力尽量往北收缩，意在复制陈诚在鄂西会战中曾经使用过的那个“诱敌深入”的打法。

可是当横山勇亮出他的第二个动作时，你就会知道，世界上真正精妙的战术从来不能复制，而只能不断创新和变化。

第十一军突然回师南进，矛头直指真正的目标——常德，常德会战由此揭幕。

孙连仲顿时手脚冰凉。

有道是"湖广足，天下熟"，湖南自古就有"天下粮仓"之称，而一座洞庭湖，又将这座大粮仓分隔两处，东面长沙为湘北粮仓，西面常德为湘西粮仓。

常德在地理区域上属湖南，但战区划分又归第六战区，实际上就是六战区的粮仓，湘西军民对之依赖甚大，可以说牵一发而动全身。鄂西会战前期，孙连仲要急急忙忙赶到常德督战，这是其中的一个重要原因。

常德丢不得，可是在横山勇"诡道"的欺骗下，常德外围的主力此前已被孙连仲撤除一空，仅有的几支防御部队很快便被日军逐一击破。

11 月 22 日，横山勇完成了对常德的半包围，并安排从上海调来的第一一六师团从正面对常德发起进攻。

第一一六师团与第一〇六师团一样，是日本第二批组建的新编师团。那时候组建的条件还不错，没有像后来这样马虎，拿"独混式"就敢出来混事，所以第一一六师团虽新，却属于甲种编制，武汉会战时就曾代替熊本第六师团驻守过田家镇，有一定的作战经验。

如今不比从前，像第一一六师团这样的，就可以说是很强了，不过在横山勇看来，常德却并不是攻得下攻不下的问题，而是这功劳该给谁。

你下村定左不肯放人，右不肯放人，说来说去，还不是怕我把你的人用没了。好，我现在不光会完璧归赵，还会让第一一六师团得意之余，回去好好宣扬一下，告诉大家我横山勇是如何破敌制胜，克成大功的。

这边横山勇跷个二郎腿，以为稳操胜券，那边孙连仲如梦初醒后，却如坠阿鼻地狱，尽管急调援兵，但已是远水难救近火。

代号虎贲

如果这是一个平庸的剧本，到此已没有任何悬念。

但生活永远是最高明的剧作者，它总是会在我们认为没有悬念的时候再次提供新鲜作料，并制造出完全出乎人们意料的效果。

横山勇在常德碰到了他想碰，但不是这个时候碰到的人——"虎部队"。

几个月前刚刚在鄂西会战中吃过亏，几个月后又山水相逢，败人好事，这真是冤家路窄。

唯一能够让横山勇觉得庆幸的，就是常德城里并不是第七十四军的全部，而只是它三师中的一支——第五十七师，代号“虎贲”。

第七十四军从军到师，都有代号，军代号为“辉煌”，另外两个师，五十一师代号“文昌”，五十八师代号“榆林”，其中，文昌、榆林都是地名，最带劲的就是“虎贲”。

虎贲者，古之勇士也，可斩将搴旗，立不世之功，据说蒋介石也最喜欢这个代号。

虎贲师的师长余程万，广东台山人，毕业于黄埔第一期和中山大学政治系，堪称文武双全，因此他二十五岁便晋升少将，是继中山舰事件的主角李之龙后，第二个晋升将官的黄埔学生。

可是有时候文凭太多也不是好事。政治系大学生，不干点跟政治沾边的活，总让人觉得有些屈才，结果余程万没有像俞济时等人那样一直驰骋沙场，而是去当了海军局政治部主任，如此一蹉跎便是十几年，什么都耽误了。

等到余程万到第七十四军当师长，第一任军长俞济时已经升任集团军副总司令，第二任军长王耀武是黄埔三期生，私下里见到他都要恭恭敬敬地喊上一声“老学长”。

三期的跑一期前面去了，这混得差劲。

但余程万绝不是一个差劲的人，他甚至把自己十几年做政治工作的经验用到了治军方面。

秋收季节，余程万都要派兵到常德郊区帮农民收割稻谷，所有干活的人自带干粮炊具，不允许收取任何报酬。野外行军遇雨，虎贲师官兵宁可在老百姓家门口躲雨，你喊他进去他也不敢进，因为万一民家有女眷的话，查到后是要受处分的。

业余时间，军师一级的高级军官各有各的消遣方式，有的是聊天，有的是打牌，比较好的是读书看书，研究兵书战策，余程万格外有心，他利用这个时间去体察民情。

一般驻军能做到不扰民，那就谢天谢地了，余程万驻军常德，不仅能做到秋毫无犯，还经常主动询问当地官吏和百姓，比如在构筑工事，破坏公路方面有无困难，要不要部队帮着运木搬石。

有位当地官员患了疟疾，买不到奎宁，余程万亲自前去探望，他也没办法搞到奎宁，但却弄来了一个中药秘方，病人痊愈后对这位少将师长感激涕零。

余程万重视体察民情

发现战火迫近，余程万首先想到的是动员和强制城内外百姓大疏散，尤其城里不准留下一个平民，同时派兵帮助老弱者搬运行李，维持秩序。

在日军合围常德前，全城寂静得可怕，因为居民全部都疏散掉了，而虎贲师则各就各位上了前线，没有一个士兵胆敢乘机盗窃财物。

常德上了年纪的老人说，余程万个人在常德吃了大亏，但他并没有亏待过常德人。

凄绝之战

常德的地形并不利于守，城前无险可恃，城后就是沅江，一旦失利，连退都没办法退，但余程万的治军特点和虎贲师的大名，都决定了这将是非同寻常的一战。

11 月 23 日，中日双方在常德城北交火。

第七十四军为战略军，经过特种装备，每师均有迫击炮营，第五十七师因负守城之责，更配置了军直属的炮兵团，有二十四门苏造山炮，已提前测定好了射击数据。

在当天的炮战中，炮兵团首先将对手的炮兵阵地打成了哑巴，随后向第一一六师团的侵占部队发射空炸榴霰弹。

这是一种专炸步兵的特种炮弹，它的弹头上装有定时引信，想它什么时候炸就什么炸，炸开后犹如天女散花，那杀伤力，准保让你觉得这辈子都没这么爽过。

第一一六师团主力联队的大佐联队长在炮火中丧生，只得由大队长代替进行指挥。

仅仅一个照面，联队长就送了命，下面的伤亡可想而知，得到战报后，横山勇对“虎部队”的感受又加深了一层。

看来仅仅由一个第一一六师团来负责进攻常德是不够的，师团即刻上升为军，半包围也变成四面合围。

东西南北四个城门，最重要的是关住南门，那样就等于断掉了守军的退路。在横山勇看来，那样的话，“虎部队”一定会丧失斗志，不战而溃。

攻袭南门的是名古屋师团的主力，带队指挥官为联队长中畑护一大佐。

别看中畑只是一个联队长，但他带兵打仗很有经验，太平洋战争爆发后，东南亚各个师团都指名要他去担任警备驻防，那就是一种信得过他的表示。

对付“虎部队”，不下血本不行，所以得用最好的部队中最能打的良将。

名古屋师团是从南面迂回过来的，必须北渡沅江才能到达南门。在横渡之前，中畑决定演一出“渡江侦察记”，侦察一下对岸守军的防御部署。

大佐联队长没有敢游过江去，他就是站在江边举着望远镜望了望，可是他太低估虎贲师官兵的素质了。

整个第七十四军，包括虎贲师，基层军官大多是黄埔军校一毕业就派过来的，即使普通士兵，很多也具有一定的文化水准，并学过地空协同等新战术。

从鄂西会战开始，中美空军在中国战场上已完全从防御转入进攻，不仅能熟练地击退日本航空队，而且可以经常性与地面部队形成配合。

中畑一行人鬼鬼祟祟的身影，被城墙上的观测哨尽收眼底，后者通过无线电联络的方式通知了空军总部。

常德上空当时正好有中国飞行员驾着战斧在游弋，收到指令后，立即低空俯冲并进行扫射。

中畑躲闪不及，成了第二个死在常德的联队长。

自第三次长沙会战后，日军便没有战死过联队长以上的军官，可是在常德短短两天，就一连死了两个人，犹如被下了诅咒一般。要说那几天大队长、中队长也没少死，只不过级别上去，就没人再提他们了。

“联队长诅咒”预示着常德会战将不断走向残酷，对作战双方都是如此。

11 月 25 日，在名古屋师团从南面渡过沅江后，横山勇终于对常德实现了四面合围，并迫使炮弹罄尽的余程万撤入城内。

此时侵略常德城的日军从编制上已达到四个师团，四面八方几乎全是拥上来的日本兵，虎贲师是在以一个师敌对方半个军，可那半个军却并不能轻易攻破他们的防线。

在第七十四军内部，有五十一师善攻、五十七师善守的说法。第五十七师早在上高会战时就是防守主力，官兵长于构筑野战工事和防御作战，能够做到步步设防，“有一壕守一壕，有一坑守一坑”。

城防一线守不住，就退二线，二线支持不了，再守三线，直至近距离巷战。

随着包围圈越缩越小，虎贲师打通了每条街道上的民房，垒上沙包进行巷战，房间里所有能找到的东西，甚至日军尸首都被搬来做成了掩体，当战斗紧急时，连送饭上来的炊事兵也自动加入战团，帮着狂扔手榴弹。

横山勇知道“虎部队”以顽强著称，但是也想不到对方一个师就如此难搞，别说切断后路，就算四面围困，都不能使其丧失斗志。

怎么办，放毒！

毒气弹被掷入城内，虎贲师缺乏防毒面具，一个个被呛得眼泪鼻涕直流，呼吸感到十分困难。

余程万指挥官兵以湿毛巾捂住口鼻，这是大家通常都会采取的土办法，但有知识没知识就是不一样，除此之外，他还有对付毒气的办法。

虎贲师据城死战

毒气比空气重，只能停留在低洼地带，余程万派人将全城木炭都收集起来，在地势高的地方点火，以烟攻毒，从而将毒气驱散开来。

很快，毒气战又演变成了白刃战。

在人数相等或处于弱势的情况下，中国军队在拼刺技术方面一般不及日军，即使第七十四军也是如此，而这又是需要长时间训练的，短期内没有办法，为弥补这一缺陷，虎贲师特别强化训练过十步以内超近距离射击。

眼看挡不住对方刺刀，一颗子弹过去，便解决了所有问题。

三天之后，常德城内已成尸山血海，这里成了所有参战日军的噩梦，日本战史称为“凄绝之战”。

末路突围

常德会战再次验证了陈诚的观点，即优秀的战斗力，有时能够挽救战略和战术。

横山勇用兵之诡谲，不仅令孙连仲晕头转向，连被日本人称为“中国最有才能的战区司令官”的薛岳都差点翻船。

常德会战初期，孙连仲以为横山勇是要续攻石牌，薛岳则从以往经验出发，判断对方可能是声东击西，就像第一次长沙会战那样，让第一〇六师团明着从赣西北发动，主力却偷偷摸摸地直奔湘北。

直到日军南下常德，他才和孙连仲一样猛醒过来，也才匆匆组织兵力援救。

没有虎贲师，常德一天都坚持不了，两位早就输得一干二净了，正是虎贲师的浴血坚持，使薛岳和孙连仲有了反败为胜的可能。

除孙连仲自己调兵遣将外，薛岳连抽四个军驰援，其中突前的是第十军。

第十军是第三次长沙会战的功臣，也是最有可能率先解常德之围的劲旅，从薛岳、孙连仲直到余程万本人，都对其寄望甚大，他们自己也自信心很足，在路上争分夺秒地进行强行军。

可惜独木难以成林，其他那三个军太慢，一直都跟不上来，导致第十军孤军深入，反而落入危险境地。

横山勇通过空中侦察，发现有援军直奔常德以南而来，赶快命令名古屋第三师团和第六十八师团前去堵击。

由于急着救援，第十军没有办法做到隐蔽行军，其前进方向和路线都被日机侦知，导致经过丛林时被日军伏击，师长孙明瑾阵亡，其他各师也有较大伤亡。

此时李玉堂已晋升，第十军新任军长是方先觉。在遇到这种极端困难的意外情况时，他仍保持了清醒头脑，不肯与堵击日军过多纠缠，而是不顾一切地撕破防线，向常德以南强行推进。

只是在受到重创的情况下，这支足以继第七十四军于后的部队再无能力进入常德，小股先头部队就算到了沅江岸边，也只能在山中鸣枪为号，聊以声援而已。

尽管挡住了第十军，但横山勇的苦恼有多无少。

由于遇到虎贲师，他苦心孤诣设计的战略战术已然大为贬值，整支大部队都被牵制和吸引在常德，使得中国军队得以从外围进行包抄，战局变得相当被动。

常德城里的第五十七师其实已经基本打光，原有八千之众，到此时，师部人员、伤兵加上炮兵团余部，仅有几百人，且被围得水泄不通，但这几百人仍然十分顽强，连炮兵都在掩埋山炮后，做好了肉搏拼刺的准备。

横山勇多次派飞机往城里扔劝降书，但均被撕得粉碎，而侵入城内的日军却死伤累累，连第一一六师团的代理联队长都负了重伤。

真是骑虎难下。

几百人，即算钢铁所铸，也有熔化的时候，可问题是已没有多少时间了，而且舍命相拼的这几百人，你必然还要拿接近数字去相抵。

原先横山勇对常德来个四面合围，也有想完全消灭第五十七师的念头——能成建制抹掉“虎部队”的主力，功劳不见得就比侵占常德差，可他如今已“勇”不到这种程度了。

11 月 28 日，横山勇命令让出南门一侧，那样子已经十分可怜——把常德城让我使使好不好，不然我没法对上面交代啊。

常德城内早成废墟，横山勇急头赖脸地要侵占这座空城，还就是要有所“交代”。

退路奇迹般地自己跳了出来，可余程万并不能想走就走，因为他没有接到撤退命令。

12 月 2 日，常德城内的守军越打越少，且粮弹两缺，完全依赖空投维持，而包围圈却越缩越小，其所能控制的空间只剩百余平方米。

这时，余程万才想到了突围。

12 月 3 日凌晨，第五十七师召开临时紧急会议。

不能大家都走，得有人留下，于是不多的几个指挥官展开了争执，不是争谁走，而是争谁留下。

余程万让团长柴意新突围求援，但柴团长提出，到达援军至少应由师长以上将官统领，一个团长无法指挥和联络，所以还是他留下为好。

突围求援只是一方面的理由，最主要的是为第五十七师留下火种。自淞沪创建以来，虎贲师几乎百战百胜，而对于把荣誉看得比一切都重要的部队来说，“覆没”是绝对不能接受的。

只要师长能够突围，就说明这个师还存在，以后仍能再建。

柴意新那时已经知道留下必死，然而这位才三十出头、刚刚新婚不久的年轻军官仍然选择了把生的机会留给别人，留给他的长官和其他兄弟。

当天上午，柴意新身中四弹而亡，一身军服被鲜血浸透，留在城内的官兵大多战死。

常德保卫战有着空前的惨烈。战后城里城外，遍布双方战死者的尸体，而且很多死于近距离肉搏，有的中国士兵在临死前的一刹那，仍竭尽全力将刺刀捅向对方的腹部。

余程万及残部的撤出为该师重建留下了火种

日方统计，在常德会战中死伤三千多人，其中大部分是在常德被虎贲师打掉的。这个数字里面，包括联队长、大队长在内的军官就有三百多人，也就是平均十个人里面要死一个当官的。当时日军所组建的新编师，都得靠有作战经验的军官或老兵撑着，此举真可谓伤筋动骨。

仅以身免的余程万因无令撤退，“遗弃部属”，被拘押至重庆，并遭军法审判，幸得上级同僚进言，加上常德民众六万人签名求情，得免死罪，被改判为坐监两年，后提前出狱。

几年后，作家张恨水受托创作了《虎贲万岁》，这是一部“真人、真事、真时间、真地点”的文学著作，此作流传坊间后，更使虎贲师的形象深入人心。

小虎和大虎

12 月 3 日，横山勇完全侵占了常德。

这时，各路援军已陆续齐集周边，形成了很大的攻击声势，但声势也只是声势。鄂西会战后，总计有七个军被抽去云南和缅甸，军事重点的转移，让各个战区在用兵上都倍感困窘。

数量上倒还有优势，可光有数量有什么用，真能打的没有几个，等到第十军乏力，下面就没有哪一路再敢发起雷霆万钧式的攻击，即便是后来赶到的第七十四军，由于失去了一个主力师，亦无能力与敌主动决战。

战斗力制胜太重要了，这种时候，若没有攻击力超强的部队，你怎么可能想象会取得上高会战或者第三次长沙会战那样的大捷？

薛岳没了利爪，威风大减，急得到处找趁手的家伙。

本土“虎部队”跳不起来，他看上了洋老虎——飞虎队，也就是第十四航空队，从鄂西会战到常德会战，让薛岳发现了空中特种部队的厉害之处，一时如获至宝。

薛岳与飞虎队的灵魂陈纳德由此惺惺相惜，成了铁哥们。薛岳把湖南蘑菇和缴获的日军军刀作为礼物送给陈纳德，后者也回赠威士忌和雪茄烟，哥俩一个块头小、一个块头大，在电码中互称为“小虎”和“大虎”。

美国大虎非常清楚中国小虎的难处，尽管那是一个比史迪威还要强的军事天才，但他所指挥军队的物质条件实在太差了，除了像第七十四军、第十军这样的极少数部队外，大部分人马都没什么强劲火力，使用的步枪连枪管滑槽都磨得光溜溜，不仅瞄不准，有时还打不响，至于机枪、迫击炮、山炮之类，由于弹药有限，则只能放在仓库里看看，没人舍得用。

不需对方多说，陈纳德已指挥中美空军再次飞向常德。

进入1943年秋天，飞虎队装备了一批P－51野马式战斗机，这是二战中最先进的机型之一，别说日本陆军航空队的97式没法比，就是刚刚配备的2式屠龙战斗机都只能靠边站。

野马袭来，包括屠龙在内的日机“脸色”大变，很快就从常德上空消失了，因为知道再不跑，被屠的就是它们自己。

常德城里没了中国人，不用怕误伤自己，陈纳德一连派去四个战斗机中队和两个轰炸机中队，任务就是往下面扔炸弹，反正左一刀，右一刀，刀刀不离后脑勺。

12月3日，日军的屁股在常德还没坐热，就赶紧撤到城外，为的是不白白挨炸弹。

在用飞机将横山勇赶出常德后，各路中国军队加快向城外的日军聚拢过来，虽然不可能施以“猛击”之类，但给横山勇的压力可不小，毕竟打了这么多天仗，他的部队也很疲惫。

薛岳再施故技，拿出了历次长沙会战中频繁动用的那个招数，即对日军的后勤补给线进行不停顿袭扰。

眼看着粮弹运不上来，就算横山勇强装镇定，畑俊六也耐不住了。

常德不是已经占领了吗？那就快回来吧。

12月6日，“中国派遣军”司令部向第十一军发出了撤退令，使横山勇如蒙大赦。

什么战术用多了就不新鲜，以往中国军队都是在尾追中占便宜，但自浙赣会战后，日本指挥官都汲取了失败的经验，撤退时无一不是各师团靠拢着并列后退，让你在后面想偷偷扎它一刀都难。

12月12日，横山勇退至澧水。

可让他万万想不到的是，好不容易离开了常德，畑俊六竟然又在这要命的时候来了一份意思完全相反的电报："请再次进攻常德。"

有病啊!

畑俊六不是有病，他是奉命。

日本统帅部给南京发来一份电报，说是为了将来打通大陆交通线的需要，还是守住常德为好。

敢情上面这些人还不知道武汉第十一军已撤离常德的事，畑俊六没奈何，只能照方抓药，让横山勇再打回去。

"勇哥"一向不把领导当领导，随即回电一封："我看，还是明年再攻常德吧。"

畑俊六收到这封明显带有挑衅意味的电报，气得差点没吐血。

我花多少代价，不惜硬把第一一六师团要过来给你，竟然对我这种态度!

横山勇是个不知进退的人，他才不管畑俊六吐不吐血，只知道外面太黑太危险，他得回家。

很快，他给"中国派遣军"和日本统帅部各发了一份电报，还是坚持不能再去常德。这下子，纸包不住火，横山勇和畑俊六的"婆媳之争"，上上下下全知道了。

在日本统帅部的压力下，畑俊六又派人去现场看了一下，去的人得出结论，横山勇确实不容易，如果要照原计划的话，不增加三个师团绝对没戏。

12 月 18 日，武汉第十一军全部撤回原防地，最终也没能真正影响中国部队的调动，当然，也无法阻止已经开始的第二次大远征。

第十一章
谁伴我闯荡

第一次远征失败后，孙立人率新三十八师为史迪威及英军殿后。英国佬自己过了江，怕日军追来，竟然没等中国军队过完就要炸桥。

孙立人见状非常气愤，当即找到英军指挥官，“在仁安羌，是我们新三十八师把你们从生死线上救出来的，如今怎么能弃我们的安危于不顾?”

英军哑口无言，只得答应无论情况多危险，都会等新三十八师全部过江再炸桥。

进入印度境内，英国驻印军又要求新三十八师解除武装，以难民身份驻扎当地，理所当然遭到孙立人的拒绝，他随即下令部队构筑工事，做好自卫准备——我们既然能从仁安羌把你们救出来，再揍你们一下也不是什么了不得的事。

新三十八师是中国远征军中保存相对完整的一支部队，即使靠两条腿走到印度，也不像那些英缅军般失魂落魄，要打完全没有问题。

英国驻印军不是不晓事，又得知眼前的中国军队正是他们在仁安羌的救命恩人，态度才发生了一百八十度的大转变。

新三十八师的遭遇，正是远征军艰难闯荡异域的一个缩影。

傲慢和偏见

折戟缅甸，让蒋介石对史迪威相当有看法，可是他一时却拿美国人没有办法。

史迪威跟美国陆军参谋长马歇尔关系不错，尤其“徒步旅行”后，他不仅避免了下课的命运，而且几乎像麦克阿瑟那样在自己国人面前初步树立了英雄形象，倘若让“英雄”滚蛋，就要冒触怒对方的风险，你还想不想获得援助了？

中国从“租界法案”中得到的援助微不足道，不及苏、英等国的一个零头，然而抗战打了一大半后，国内经济已经一落千丈，物资更是贫乏到了让人难以想象的程度，这种时候，哪怕仰着脖子接滴露水都是好的，更何况那露水毕竟还不是一滴。

史迪威对此也心知肚明，并且他就牢牢抓住这一点，依恃自己拥有援华物资分配权，毫不客气地向蒋介石发出各种通牒式的“建议”，一门心思要做中国军队的“太上皇”。

1942年7月，经过与印方谈判，中国驻印军得以成立并就地组织训练，但这支部队组建后内部一直风波不断，始作俑者即为史迪威本人。

杜聿明在危难之时率部越过野人山，差点把性命搭在山里面，但由于他在缅甸时“得罪”过史迪威，蒋介石只能第一个把他召回国。

接下来，又轮到了罗卓英。

罗卓英原本就没有实际指挥权，可当史迪威独自“赴印旅行”后，他却把所有失败责任都一股脑儿推给罗卓英，还将对方说成是“弃军逃亡”。

这些罗卓英都忍了，不料到了印度，史迪威不但不领情，还变本加厉，列举了罗卓英的“十大罪状”，非把人家赶走不行。

反正说一千道一万，驻印军这座山头上只能由他史迪威一人掌控，“太上皇”地位也必须实至名归。

史迪威认为中国人只能“劳力”，到前线去流血卖命，军官应该全由美国人来当，所谓“劳心者治人，劳力者治于人”，因此他曾提出要全部撤换中国军官，不过他这个“雷人”建议，别说在蒋介石那里通不过，就是美国政府也觉得很过分，因为连美国陆军部都知道，中、美是盟国关系，中国军队并不是像缅军、印军那样可供任意驱使的殖民地军队。

一计不成，再施一计，史迪威向驻印军层层派驻联络官。这些联络官没有多少是美国国内的正经军官，基本都是刚刚从大学毕业的学生，仅仅是在学校里接受过预备役军官教育而已，不但没有一点实战经验，连军事知识都很有限。

问题是他们都学得跟史迪威一个德性，动辄以“监军”和恩主自居，浑不把中国人放在眼里，想怎么欺负就怎么欺负。

史迪威和“小史迪威”们的颐指气使，让同出美国名校的孙立人都看不下去，他曾和廖耀湘一起联合提出抗议，中国驻印军内部一开始就出现了严重的对立情绪。

洋人难侍候，但又必须有人侍候，否则驻印军难以成军，蒋介石的统帅部想到要重新物色一个人选。

最初，军政部长何应钦提名邱清泉担当此任，后者不仅找好了幕僚，还请人教了外交礼仪以及吃西餐的办法。

可是邱清泉的老长官徐庭瑶和杜聿明却找上门来，他们认为邱清泉不合适。

知道邱清泉的诨号是什么吗？“邱疯子”，如果只论打仗，那是没说的，可和洋人打交道不一样，遇上史迪威，这位非操起板凳腿干架不行。

何应钦听后连拍后脑勺，邱清泉确实不行，可谁行呢？

杜聿明已经是出了名的好脾气，罗卓英也不是刺头，连他们都待不下去，要找一个合适的真是太难了。

徐庭瑶和杜聿明提出了新的人选，此人不仅是百战之将，也同时具有忍辱负重，克己让人的品德，因此立即得到了何应钦的认可，蒋介石得知后也连连表示赞同。

比杜聿明脾气还要好，还要能够隐忍，他是谁？

学田横易，做大事难

1943年2月，郑洞国被从前线召回重庆。

郑洞国时任第八军军长，一般而言，最高统帅部如有什么指令，都会由战区长官部代转，但此次不同，是蒋介石单独召见，而且催促得非常急，让这位老实人的心里一路都在打鼓。

猜了很多哑谜，可当明白真相时，郑洞国仍然吃惊不小。

蒋介石的统帅部决定在中国驻印军下设新一军，囊括当时所有驻印部队，军长人选就是郑洞国，而这也意味着他即将完成连杜聿明都无法完成的任务——和史迪威打长期交道。

一个比上战场还要艰巨得多的使命！

不用细解释，郑洞国也知道此行有多难，但他没有退路，老第五军留下的那点骨血都在印度，中国远征军起死回生的希望也在那里，重任在肩，别无选择。

3 月，郑洞国抵达新一军训练基地，到职没几天，他就尝到了美国人的“杀威棒”。

郑洞国赴任时，带来了老搭档舒适存，后者任新一军参谋长，他有一次和驻印军参谋长柏德诺讨论业务，中间发生了一些争论。

按说大家共事，有争论总是难免的，没想到的是当舒适存准备回营时，发现自己所乘汽车竟然被柏德诺给下令没收了，他最后只好走着回去。

按军阶，舒适存是中将，柏德诺不过才是个准将，而且舒适存参加过昆仑关大战，是打过硬仗，立过大功的人，这位优秀的幕僚长对部下说，如果有必要，大家一定要效法田横五百壮士，决不在洋鬼子面前受辱。

郑洞国听说此事后，也感到气愤难平，遂上告中国战区司令部。史迪威自知理屈，对柏德诺进行了调职处理。

不过在大多数时间里，郑洞国还是选择了求大同，存小异。

我们必须清楚地知道自己为什么站在这里，身处异国他乡，学田横易，做大事难。

新一军装备了美械，但史迪威只培训连排以下的士兵。军部的军官和幕僚对新式武器的使用、诸兵种联合作战的特点都不了解，郑洞国为此很着急，但提出的培训申请却被史迪威以各种借口和理由予以回绝。

郑洞国不是一个善于在酒席宴前应酬的人，然而为了办成这件事，他利用节日，专门宴请包括史迪威在内的美军军官，好话说了一箩筐，终于使史迪威松了口，同意把中国高层军官分批送入美军战术训练学校进行学习。

除了这些关键方面，郑洞国能让就让。

史迪威在第一军建立后，不仅架空第一军司令部，还故意制造种种难堪，为的就是想让郑洞国步罗卓英等人的后尘，受气干不下去。

作为驻印军的中方最高指挥官，新一军专门为郑洞国配备了新式轿车，以示尊重，但被史迪威以“浪费”为由收回，只分给一辆英国老式轿车，与此同时，史迪威自己却驾着美国最新式轿车来去招摇。

既然成立了军部，按理应该配备直属部队，可史迪威连卫士班都不让配，郑洞国跟一班幕僚坐在办公室里，门口空空荡荡，无人警卫，最后还是廖耀湘看不过去，从他的新二十二师里临时拨了一个特务连过来应差。

对这些，郑洞国笑笑就过去了，他在印度一年多，却从来没跟脾气暴躁的史迪威红过一次脸，中国将领的儒雅风度和容人海量，把苛刻而自大的老美都给噎得老老实实。

另一方面，这位诚实憨厚的中国人也从来没有忘记自己的国籍和民族尊严。

郑洞国（中坐者）尽可能不跟史迪威发生正面争执

史迪威为中国驻印军定做的军服，颜色和式样跟英国驻印军几乎没有差别，郑洞国不能为此跟史迪威闹掰，他就和军司令部的军官们一起，每人缝制一套本国陆军制服，用以节日时对外展示祖国衣冠。

当漂泊异乡，“祖国”这个字眼，一时显得那么亲切。

中国驻印军每天举行升降国旗仪式，官兵们不论在军营还是在路上，只要听到号声，立即自觉肃立，举手敬礼。

彼此之间有了矛盾，大家都自己进行处理，不让老外知道，以示内部的高度团结。

无论在多远的地方，无论是否改变了模样，不能遗忘的永远是梦中的故乡。只有想起你，游子才不会在忧闷枯涩中迷航，也才能把未来的天空照亮。

中国驻印军一心一意投入训练，“打回祖国去”成了官兵一致的呼声。

丛林历险

在中国驻印军中，有美式训练传统，且编制基本完整的孙立人新三十八师率先完成整训，并已于1943年3月早早投入了野人山战役。

史迪威不是一无是处，这位美国将军也有很多值得肯定的地方，其中之一就是反攻缅北的决心，而要反攻缅北，必须兵马未动，粮草先行，即修筑一条可供运送重型装备和物资的公路。

这条公路要经过野人山，可那里已被日军所侵入，孙立人的任务是为工兵开路。

野人山埋葬过第五军，此处山高林密，仰不见日，其凶险可想而知。

那些曾击倒第五军的妖魔鬼怪一一袭来，其一是蚂蟥，这种恶心虫子在野人山到处都是，防不胜防，它咬人不痛，等到你发觉，血也被它吸饱了。更可怕的是虐蚊，一旦被叮上，疟疾发病率在百分之四十以上，这在原始森林中就等于被判了死刑。

与可怜的第五军相比，新三十八师绝对是被幸运之神摸过顶的，从前撤出缅甸时，他们用不着翻越野人山，如今要过野人山了，又有了稳定而充裕的后勤保障。

英美作战，讲究的就是“唯物”，中国驻印军的待遇和英美军还差着老大一截，但与国内相比，那不啻是一天一地。

罐头食品多得吃不完，虽然那东西没有蔬菜可口，但营养上去了，足可以让士兵变成一只只小老虎，身体棒，牙口好，疾病自然就退避三舍。

国内药品稀有，这里却应有尽有，包括治疗疟疾的奎宁，这也就把非战斗减员降到了最低——你就算是整天赤着膊喂蚊子，由着蚂蟥来咬，要想马上生病被抬回去也不是一件容易事。

包括新三十八师在内，整支驻印军最缺的其实是丛林战的经验和能力。

此前，驻印军专门在印度进行过丛林战的训练，但一打之后就发现，演练与实战确实不能画等号，丛林战的艰苦程度也远超平原战。

新一轮丛林历险，最大的对手已不是毒虫猛兽，而是人——更加富有丛林作战经验的日军小股部队。

在野人山，日军的防御阵地都设在要道两侧的密林深处，阵地成圆圈形，里面交通壕四通八达，此外他们还在大树上用沙包筑成小碉堡，或者干脆将精于射击的狙击手绑在树上，带好粮食和弹药，居高临下，专门袭击我们的带队指挥官，几乎是百发百中。

可怕的日本丛林狙击手

由于大兵团无法展开，孙立人只能以连为单位为进行轮番攻击，而这样一个规模很小的野人山战役，竟然阵亡了三十多个连长，等于全师步兵连的连长都重新换过一遍还有余。

大森林里没有老师，只有大灰狼，你要想成为一个有经验的猎人，必须学会动脑。

恰好孙立人是一个爱动脑的将领。

所有美械武器、榴弹重炮一时运不进来，步机枪的效率极低，子弹打出去全被树枝柴草挡住，一不小心还可能伤着自个，但是孙立人发现，有两样宝贝却很好使。

第一是迫击炮。早在万家岭大捷时，这一炮种就证明了它在山地战中的价值，到了丛林战，人家一样威风八面。

第二是冲锋枪。丛林里面，当鬼子尖兵突然端着刺刀从暗处扑来的时候，来不及瞄准不要紧，怕白刃拼不过也没关系，冲锋枪一梭子过去便能将他打成马蜂窝。

孙立人依靠这两样武器，开发了一种独特的丛林战战术。

先用冲锋枪警戒搜索，找到日军防御阵地后，再组织迫击炮进行覆盖式轰击。

不是轰工事，而是朝防御阵地四周的森林使劲，到最后那些参天大树被炸得如同火烧过一样，只剩下一根根焦枯的木桩，至此，防御阵地完全裸露出来。

与此同时，步兵掘壕而进，围绕防御阵地建立包围工事。

包围已成，原先复杂的丛林战变成相对简单的攻坚战，从迫击炮到机枪、手榴弹都有了用武之地。

孙立人的战术，令自高自大的美国人都为之佩服，认为是丛林战的一大创举。

至1943年10月，孙立人终于打通野人山，驻印军不仅由此建成了一条可行驶坦克辎重的公路，而且获得了宝贵的丛林战经验。

“八阵图”

1943年10月，雨季结束，适合作战的旱季到来，中国驻印军对缅北展开第一次旱季攻势。

走出位于印缅边境的野人山，便进入了胡康河谷，这里有不亚于野人山的大片原始森林，地形极其复杂。

负责指挥的驻印军参谋长波特纳准将由此认为，日军在胡康河谷也只会驻扎小股部队，用打通野人山的兵力去应付，足矣。

新三十八师投入野人山战役的是一个团，可是等这个团到了胡康河谷以后才知道，完全不是那么回事，此处集结着第十八师团的主力，一共有两个联队！

第十八师团代号“菊兵团”，属于日本首期组建的新编师团，来自于北九州，曾与熊本第六师团一道登陆金山卫，后来逐渐发展成为能征惯战的一线老师团，特别是在丛林战方面罕逢敌手，被外界称为“亚热带丛林之王”，第一次远征的失败，可以说部分就是败在第十八师团之手。

两个联队，还配有重炮，当然打不过，在团主力突出重围后，突前的搜索连被日军包围在一个叫“李家寨”的地方。

听听这名字，“李家寨”、“张家村”，一点不像东南亚那一带的称呼，倒类似于中原某地的一座村庄。没错，“李家寨”不是原地名，它取自于搜索连的带队指挥官、营长李克己的姓。

“李家寨”长约两百米，宽约一百米，地方实在很小，假使在平原之上，第十八师团即使不组织步兵冲锋，仅靠排炮也能摧垮对方防线。

抑或是时光倒退，中国军队刚刚进入野人山，你都不用怎么卖力气去攻，就那么围着，在缺乏丛林战经验的情况下，这个连准保没几天就会因生存不下去而自行崩溃。

倭国国旗也可以当围裙，中国军人同样幽默

不过，这些假设如今都不存在。林子里谁的炮都不太好使，日军也一样，重炮还不如迫击炮呢，至于丛林战经验，自从经历野人山战役后，驻印军已经完成一年级学业，你想让他们立马崩溃也是不可能了。

有时人就像做梦，一醒过来，所有噩梦烟消云散，那感觉舒不舒服？

身为二年级老生，今后的成就如何，全看个人悟性和努力，而作为孙立人的部下，李克己一点都没给自己的上司丢脸。

我们说过，森林里没有老师，那说的是进攻，防守方面的老师是现成的。

野人山的日军知道拿现成树木当天然工事，这东西又没申请专利，所以你同样可以拿来就用。

“李家寨”里有一棵大榕树，树围十多米，覆盖地面的半径则超过二十多米，仿佛丛林中的一座小山丘。

千年老树精被李克己看中，在树上构筑了机枪掩体，由于树实在太大，上面可睡可躺，机枪手们白天黑夜都不用下来，成了控制“李家寨”的最大火力点。

之后，围绕大榕树筑成八个圆圈状工事，工事之间可以相互进行火力支援，俨然三国故事中的“小八阵图”。

“八阵图”再玄妙，不过是死的东西，“李家寨”是否能守住，还是要靠活的人以及手中掌握的武器。

搜索连一共三百多人，但这三百人都是经过充分休整和训练的精兵，熟悉各种美械武器的使用，他们人人一支汤姆式冲锋枪，连里配备的轻重机枪、迫击炮、反坦克炮，要是放在中国国内，几乎就是一个主力师乃至军的装备。

李克己不远战，只近战，到对方接近“小八阵图”三十至二十米时，才一声令下，端着三八大盖的日本兵在密集的弹雨前，那真是来多少死多少，阵前触目惊心，全是日军横七竖八的尸体。

到后来，李克己甚至制订了一条规则，即冲过来的日军如果不聚到五十以上，不准轻易开枪，以免暴露“小八阵图”的位置，但官兵们端着冲锋枪打得兴起，有时不及五十也横扫过去，直至扫得眼前一个不剩。

不怕白天强攻，就怕晚上偷袭，在野人山，大家是吃过苦头的。

李克己在“李家寨”三十米外层层设置手榴弹阵。

这些手榴弹的导线与树藤绑在一起，只要日军往前一挤一踩，零星的手榴弹就会爆炸，然后越往前走越热闹，轰轰隆隆，还没等走到“李家寨”，夜袭的日军就被手榴弹炸光了。

依靠砍芭蕉树藤取水以及源源不断的空中补给，“李家寨”在防守上坚如磐石，第十八师团投入一个大队，围攻一个多月都打不开缺口，反而这个大队自身伤亡惨重，连大队长、中队长都死翘翘了。

骠骑列传

第十八师团长田中新一中将真是够郁闷。

按照以往中、日交手的“大队定律”，在发动进攻时，日军一个大队拿下中方一个师往往是不费什么力的事，但是“李家寨”的事实表明，中国军队在经过美械包装后，其战斗力已突飞猛进，别说一个师，就算一个连也照样可以防住你一个大队。

田中毕业于陆大三十五期，卢沟桥事变后，这厮也是喊打喊杀喊得最响的，不过他原先一直在军部做高官，直至最近才到前线担任师团长。

早不来晚不来，这时候来，来了就没戏。

见“李家寨”的中国守军越打越勇，田中师团长只得改攻为守，以免遭到更大损失。

可是事到如今，想不损失也很难，因为孙立人亲自来了。

搜索连刚刚在“李家寨”被围后，孙立人就想率主力援救，但是驻印军参谋长波特纳不让，理由是补给跟不上。

美国人的军事方法比较科学、理性，打仗就跟在实验室做化学实验一样，全部配料都得准备好，甚至超过预计，才肯划火柴。波特纳以为，既然胡康河谷有这么强大的日军主力存在，那就得耗费相当时间进行弹药粮草补给，否则不足一战。

孙立人受到的也是美式军事教育，对这一理论没有疑义，可是他不能苟同的是对方对战场实际情况的漠视。

第十八师团没有你想象的那么可怕，我一个连在那里还不照样打得它狼狈不堪，这个时候，时间就是战机，岂能错过？

双方争执不下，惊动了史迪威本人。

在中方将领中，史迪威对于孙立人有不一样的感情，这主要是因为在美国军校中，弗吉尼亚和西点乃“双子星座”，而且孙立人那个具有美式传统的新三十八师在撤入印度时还有“保驾之功”，所有这些加一块，自然而然地就让史迪威比较看得起孙立人。

听孙立人似乎言之有理，史迪威决定和他一道坐飞机到前线去看个究竟。

一看，那里比孙立人说得还要乐观，日军不但攻不下“李家寨”，而且后方补给还出现了大问题。

史迪威根据老的军事理论，认为陆军才是战场上的主角，空军无足轻重，可是在第二次远征中，如果没有包括“飞虎队”在内的远征军航空队帮忙，真不知要吃多少无谓的亏。

此时的日本航空队早就稀里哗啦，久经训练的老飞行员死伤殆尽，开飞机的换成了清一色“速成班学员”，他们哪里是美军飞行员的对手，远征军航空队一进入缅甸上空，这帮人就不知被赶到哪个角落去了。

由于掌握制空权，远征军航空队可以想怎么炸就怎么炸，日军的运输车队来一辆炸一辆，全部被炸完后，就只能用骡马抄林间小道进行运输补给。

骡马是什么速度，又能运多少弹药粮草，第十八师团的窘境可想而知。与此同时，中国军队却可以想要啥就有啥，甚至不用通过公路，让运输机空投就行，“李家寨”能有滋有味地过到现在，便是明证。

耳听为虚，眼见为实。史迪威明白孙立人说的是对的，而如果按照他的参谋长所说，那真是要贻误战机了。

他同意了孙立人的出征意见。

·

对孙立人全师来救，田中师团长是有准备的，围攻“李家寨”让他心里挺不得劲，早就想找个出口宣泄一下了。

在新三十八师即将通过的正面，他设置了重重障碍和密集火力网，以便“围点打援”——虽然攻不下“李家寨”，但如果能以此为饵，钓一条大鱼出来也没什么不好。

似乎波特纳的担心要成真了。

可是孙立人的战术水平，很快让所有人都目瞪口呆。

在胡康河谷的西北角有一块地方，此地名叫“于邦”，位于第十八师团侧背。

新三十八师一个营一个营地渗透进去，由于一开始兵力不是太多，所以田中并没有在意，等他发现于邦成为孙立人迂回的起始站点时，河谷正面的防线已完全失效。

赶快重新堵漏，但堵不住。

“李家寨”中的“一连效应”持续扩大，新三十八师的战斗力已经不是超出田中想象的问题，而是让他看了全身发抖。

过去，迂回是日军的看家绝活，当战斗力调换，这一战术又变成了孙立人频繁使用的利器。

田中在于邦刚刚组织好一个新防线，孙立人却又很快从其侧背冒出来，一个迂回，就将其后路截断，在军心大乱的情况下，日军不得不放弃刚刚筑好的阵地后撤。

一道、两道、三道、四道……没有一道起作用，田中只能一退再退。

12 月 26 日，孙立人见时机成熟，率已聚拢的新三十八师主力突然发起猛击。

《史记》中记载，西汉对匈奴战争，最擅长轻骑奔袭的是剽骑将军霍去病，其特点是不走正面，不循常规，天马行空，想到哪里就哪里，然而招招打中的都是匈奴的死穴。

剽骑部队非一般部队可比，“骠骑所将常选”，霍去病的士兵和所乘军马都是精心挑选出来，所谓“没有金刚钻，揽不了瓷器活”。

在驻印军中，新三十八师的装备是最好的，除有两个山炮营外，还有榴弹重炮营，仅储存的预备武器，就可以另外装备一个师，足能称得上是“现代剽骑军”。

“剽骑军”连冲三天，不仅“李家寨”之围自解，第十八师团也被完全驱出于邦，史称“于邦大捷”。

这是第十八师团南下后第一次吃败仗，在缴获的军事文件中，“菊兵团”发出了惊呼：“驻印军归家心切，锐不可当。”

九九八十一难

小朋友的滑梯已经放好，有人将推着“菊兵团”继续下滑，这个人叫廖耀湘。

廖耀湘是湖南邵阳人，和民国军事家蔡锷是同乡，他被起名“耀湘”，也有名耀三湘之意——实际上后来不仅三湘，其影响还包括全国，甚至世界，只不过在取得真经之前，你必须受难。

廖耀湘中学毕业后，便想去广州报考黄埔军校，可廖家并不富裕，为他读完中学，家里已倾尽财力，最后连去广州考试的路费都没筹集到，只好被迫放弃。

廖耀湘想尽办法，熬上一年，才筹足路费去广州，如愿考上了黄埔第六期。

第一难，过。

毕业时，有一个机会迎面而来，那就是国家要在黄埔军校中招收一批留法学生，谁都知道此番如果能够成行，回来将大有可为。

廖耀湘报了名，考试成绩让他心花怒放：前三名。

行李都打点了，最终他却被从名单上刷了下来，原因就是面试不过关，考官给出的评价竟然跟当年的胡宗南几乎一模一样，说他个子矮，出国留学恐有损中国军人的形象。

廖耀湘不算高，但也不是太矮，至少比胡宗南强，遗憾的是，留学标准比“入学标准”又高多了。

第二难来了。

廖耀湘表现得比胡宗南还有勇气，胡宗南不过是朝考官哭闹，并引起了廖仲恺的关注和干涉，廖耀湘则是直接“进宫面圣”，找蒋介石评理去了。

蒋介石其时已是位高权重，哪是你想见就能见的，看门的卫兵不让进，他就一屁股坐台阶上，等蒋介石出来。

黄埔校长听说有这件事，觉得这年轻人挺有意思，便同意召见。

廖耀湘初生牛犊不怕虎，见了面后就直接嚷嚷考试不公。

一千多号人参加，录取前四十四名，我的笔试成绩在前三名，却名落孙山，太不公平了。

说我个子矮，这又不是给法国人挑选女婿，个子高不高、好看不好看有那么重要吗?

和胡宗南一样，廖耀湘也提到了拿破仑——这个曾不可一世的法国皇帝，个子不见得有我高吧。

蒋介石得知廖耀湘是蔡锷的同乡，便拿蔡锷的兵学著作来考他，没想到廖耀湘知之甚详，子午卯酉，问什么答什么。

蒋氏平生，在用兵治军方面对曾国藩和蔡锷这两个湖南人最为服膺，于是认定眼前的黄埔学生是块材料，特批廖耀湘加入留学名单。

留学法国的经历，是廖耀湘人生中的重大关节点。回国之后，他便加入当时最精锐的教导总队，后出任旅部中校参谋。

遭遇两难后，老天似乎还是觉得他太顺，不足为才，所以又设大难，这便是南京之困。

当时已身无分文的廖耀湘，比一同陷在南京的邱清泉还要落魄，如果不是一个老乡危难之时施以援手，又有栖霞寺暂避，这位今后叱咤风云，令日军闻之色变的抗倭名将，便只能像那些被屠杀的军民一样，就此结束自己的行程了。

廖耀湘脱险后，被招入第五军。在第五军的少壮将官中，邱清泉是黄埔二期，戴安澜是黄埔三期，没有一个资格不比廖耀湘老，所以一开始他只能给邱清泉当副师长。直到昆仑关大捷后，“邱疯子”因功升任第五军副军长，廖耀湘才得以扶正，成了新二十二师的当家人。

有好事者研究，《西游记》中所谓“九九八十一难”并非实指，吴承恩老先生不惜采用把一难掰成两难、三难的办法来硬凑，如此算来，廖耀湘身上的“两难三难”已经不少。

眼看快要“天降大任于斯人”了，可是凑来凑去，八十一难似乎还少一难。

最后一难，就在通往“西天”的路上，而它的不堪回首程度，还超过

廖耀湘的军事造诣不在孙立人之下

了南京之困。

廖耀湘可以把南京栖霞寺当成他重新出发的福地，却最不愿意回忆野人山的那段往事。新二十二师七千多人，在那座吃人魔窟中损失一半以上，连身为师长的廖耀湘都是喝野芭蕉树汁撑过来的。

能够熬出野人山，其意志力非同一般，廖耀湘后来扩军时规定，在新二十二师，凡有此经历者，一律官升一级，老兵因此全都当上了排长。

饱尝过酸甜苦辣的廖耀湘，在丛林战的研究上比孙立人还要前沿，早在印度整训期间，他就结合自己在野人山的遭遇和思考，编写了《森林战术》一书，作为新二十二师的训练教材。

丛林战和平原战最大的不同点，便是要学会盲战。

在原始森林里，白天和黑夜差不多，反正都看不到阳光，经常处于一片黑咕隆咚的环境之中，这时你还要低下头去装子弹、拉枪栓，那就要命了。

廖耀湘在训练时，把官兵的眼睛蒙上，让你在什么都看不见的情况下练习装弹、击发，乃至排除武器故障。

第十八师团为了适应丛林战，专门训练了很多枪法极准的狙击手，这些单独行动的狙击手威胁非常大，他那百发百中的枪法，会让你在丛林中更加失去安全感。

作为将来的进攻方，不是光训练一、两个狙击手的问题，而是要人人成为神枪手，这样才能有效地保护自己。

美国援华的武器里面，数步枪比较陈旧，还是一战时的清仓产品，但比79式、中正式又不知要强上几多，最爽的是训练时子弹没有限制，你想打多少就打多少。

某种程度上，神枪手就是子弹喂出来的，国内战场上，训练都舍不得用真子弹，要培养神枪手当然很难。

廖耀湘说，你们要练到什么程度，枪膛里六发子弹，五分钟打完，最低消灭五个敌人。

孙立人经历野人山战役后，懂得了在树上建立机枪巢的重要性，廖耀湘却是早就知道了。

过野人山时，人家蹲在树上，下面看得清楚，机枪一梭子过来，撂倒你十个八个是轻而易举的事。

廖耀湘操练全军，要求人人都学会爬树，十五米、二十米高的大树，得一毛腰就攀上去。

丛林战，是盲战，也是树战。大家不是像在平原战中那样争夺高地，其实就是争夺树，一棵棵大树。

野人山的险恶，让廖耀湘一辈子刻骨铭心，然而也正是这最后一难，成就了足可比肩孙立人的山中之虎。

东方巴顿

廖耀湘时刻不忘一雪前耻，他说，当年鬼子把我赶上了野人山，今天我不仅要把鬼子赶下海，还要打到东京去。

要把鬼子赶下海，先要让“亚热带丛林之王”在丛林中待不下去。

攻下于邦后，中国驻印军进逼胡康河谷的中心，也是第十八师团司令部所在地：孟关。

1944 年 1 月，廖耀湘新二十二师开始从正面进攻孟关。

正面不比侧背，孟关为“菊兵团”重点经营所在，谁来了，都够喝上一壶的。

与廖耀湘先前所料完全一样，丛林战打来打去，大部分都是围绕大树做文章。进攻时，首先不是往前看，而是得往上看，看树上有没有敌情，有就要把他给打下来，否则就会有各种各样莫名其妙的伤亡。

训练时打好的扎实基础，让新二十二师一投入战场，就几乎是丛林战的半个老手，由《森林战术》演绎出来的盲战和树战，也立刻从训练版一变而成现实版。

眼见丛林游戏难以制胜，“菊兵团”又把赌注放到了林中修筑的永久性坚固工事上。

普通碉堡难不倒新二十二师。

驻印军的装备总体上虽然不如英美军，但却超过日军，特别是在特种化配备上，是对手远远不及的。

新二十二师一个连就有六门重迫击炮，在投入进攻时，屁股后面还有军直属的炮兵、坦克等营建制特种部队，其炮兵配属，已从通常的九比一提高到三比一，也就是三个步兵背后就有一个炮兵。

轻重迫击炮集中起来，瞄准了一炮过去，就把日军碉堡整个给掀了个底朝天，盖材、枕木的碎片满天乱飞。

最具难度系数的，是工事与地形的结合体。

“菊兵团”卡住大道，两边都是悬崖，就剩那么一条路可走，然后把主力往道中间一摆，守住工事，再瞧那工事，则有着令人难以想象的坚固。

所谓工事，其实是一棵树，一棵犹如“李家寨”那样的巨型大榕树，日军把树底掏空，用扶梯上下。

这种千年树精，比任何盖材都牢固，你用飞机炸、大炮轰、坦克冲，对它来说都无关痛痒。

令人恼火的是，你步兵不上去，它就不开枪，背一只乌龟壳任你轰，等你轰完了，日本兵就纷纷从树洞里爬出来，用机枪进行扫射。

新二十二师反复冲锋，廖耀湘使用了所有特种部队进行配合，十多天过去，仍然拿树精没有办法。

打又打下不，绕又绕不开，真是“一夫当关，万夫莫开”了。

廖耀湘是个近视眼，平时戴副眼镜，背后大家都叫他“廖瞎子”。但此君在指挥上却一点都不瞎，和孙立人一样，他也喜欢打聪明仗。

正面没有进展，那就派一个团迂回。

廖耀湘告诉负责完成迂回的团长：“你哪怕是爬也要爬到日军后方去，只要后面一乱，前面就守不住了。”

一个团四千人，带着轻重迫击炮，插了过去。

迂回说说轻松，攀悬崖、走峭壁、拽树藤，走的全不是寻常路，很多人手脚磨破，不是撞着石头，就是碰着沙土，浑身青一块紫一块地才转到山后。

日军的注意力都朝着前面，没有想到后面会突然冒出强敌。迂回部队以丛林为掩护，在拂晓前接近敌阵地，天一亮便用迫击炮进行连续轰击，接着步兵再端着冲锋枪冲进去，短时间内便把要道上的日军全给解决了。

以后廖耀湘掌握了规律，索性专门安排一个团干迂回的活。这个团从来不从正面走，任务就是迂回，即使正面不需要配合攻击，也埋伏于日军后方，没事就捡第十八师团的增援和辎重部队打着玩。

长途奔袭，或者是迂回穿插，怕的就是时间一长，粮弹不济，迂回部队完全没有这个担心。

觉得缺点啥，无线电台打声招呼，告知方位，飞机即刻飞来，部队补充完毕，继续穿插和袭击，最后连第十八师团的野炮阵地区都让他们给一窝端了。

廖耀湘以正面攻击为主，配以小迂回，与此同时，孙立人的“骠骑军”则从侧面展开大迂回，两路兵马拔掉了孟关外围的所有据点，形成围击孟关的态势。

大路已通，该是施展绝活的时候了。

廖耀湘在法国重点学的是机械化作战，到第五军后整天琢磨的又是这一套，因此他在步车协同战术方面独具功力，一个军属战车营在他操持下简直有如神助。

战车营从孟关东侧出发，穿越原始森林，迂回至孟关以南，将孟关守军的后方补给线完全切断。

中国坦克随后冲入关内，一路纵横驰骋，如入无人之境，日军工事接二连三被冲垮，曾骄狂一时的日本兵四散奔逃，光被碾死在坦克履带下的就有百人之多。

好长时间没这么爽过了，那种感觉，仿佛是不用买票上动物园，就到了免费看猴的机会。

3月5日，驻印军克复孟关，但是铁流滚滚，却没有停下来的时候，战车营继续超越追击。

当坦克突然出现在眼前的时候，第十八师团的人都魔怔了，不是被枪弹射杀，就是遭履带碾毙，连师团作战课长、联队长这样的角色都未能幸免。

廖耀湘依靠坦克部队冲垮“菊兵团”

廖耀湘坐着坦克突入第十八师团司令部，不仅摧毁其指挥系统，还缴获师团长官印一枚，至此，胡康河谷战役完美杀青。

第十八师团是一个超大师团，原先拥有三个联队计三万二千人，在这一战中伤亡总计达到一万二千，加上野人山战役的损失，其主力受创极其严重，整个“菊兵团”走向了一蹶不振的道路。

另一方面，整个驻印军只伤亡了四千多人，也就是说，中国人优秀的战略战术指挥，官兵的勇敢善战，加上必不可少的强大火力支援，使中、日之间伤亡率的对比完全颠倒过来：主力对主力，一比三，即一个中国兵可以轻轻松松打掉三个日本兵。

在孙立人被国外舆论赞誉为“东方隆美尔”后，廖耀湘也以其大胆果敢的作风继之而上，以“东方巴顿”一举成名。

史迪威对此又惊又喜。

这个美国老头具有很多美利坚将军共同的优点，即无论训练场还是战场，对士兵的态度都较为和善，很少摆官架子，因此后来一般驻印军老兵对他的印象都还不错，称其为“老乔”（取史迪威的英文名第一个字母）。他之所以拼命打压中国军官，闹得军中鸡犬不宁，很大程度上只是出于一种固执和偏见。

但是战场上的所见所闻逐渐改变了这种印象，归根结底，老乔毕竟出身西点名校，也在美国带过兵，指挥官有没有水平，还是能看出来的，他对孙立人和廖耀湘的指挥才能大为赞赏。

原先史迪威规定新三十八师和新二十二师都要由其直接掌握，自胡康河谷一战后，开始将指挥权还给两师师长，对郑洞国也不再咄咄相逼。

第十二章

速度与激情

反攻缅北，开始了史迪威在战场上最惬意的一段日子。

史迪威不是没有军事才能的人，如果摆到合适的地点，他所能取得的军事成就也许未必输给麦克阿瑟，当然，这有一个条件，那就是得放低身段，别把自己看得太高。

经历第一次远征的失败，特别是多次实战交锋后，“老乔”在很多方面都发生了变化。

他经常身穿普通士兵的服装，肩挂冲锋枪，只带一个卫兵就来到前线，来了之后往师指挥所一坐，跟孙立人或者廖耀湘共进晚餐，就战术和敌情谈论很长时间，然后一块儿住下。

史迪威住的地方，离最前沿不过五百米距离，但老头既不要工兵专门为他修筑掩蔽所，也不要加派岗哨。

打仗时，遇到哪个地方进攻不顺畅，他还特别着急，常常独自一人驾一辆小吉普到前线，来了之后就不走，说看你们打仗。

史迪威是驻印军最高统帅，前线指挥官哪敢让他待在这么危险的地方，只好一个劲赌咒发誓，哄老头先回去。

过了两天，史迪威一看，怎么搞的，阵地还没拿下，于是又驾车来了，来了就蹲着不走，弄得师长也得跑来跟着一道劝。

如是者三，直到如愿以偿地攻下日军阵地，他才肯乐呵呵地打道回府。

我们得承认，假使没有那些致命的缺陷，这其实是个非常可爱和勇敢的老头，也是一个合格的美国将军。

自 1944 年 4 月起，史迪威发起第二次旱季攻势。

迂回再迂回

在缅甸，5 到 10 月为雨季，在这中间为旱季。雨季一来，便洪水泛滥，山地泥深过膝，平地则一片汪洋，于机械化作战很不利。

胡康河谷后，还有一个孟拱河谷，史迪威就是想在旱季结束前，拿下孟拱河谷。

这又是一次特种化作战的经典范例。

远征军航空队的三十多架飞机轮番进行俯冲轰炸及扫射，接近六十辆坦克战车在地面超前攻击，重炮随坦克前进，逐次延伸射程。

日本航空队已经毫无踪影，坦克装甲车和战防炮倒是有，但是大多被重炮给拍成了废铁。

最后，才轮到步兵上去歼灭残敌。

正打得欢畅，雨季来了。

到5月底，孟拱河谷战役还没结束，缅北却已是大雨滂沱，水一泛滥，不但不能埋锅造饭，连开水都没有，官兵只能以罐头伴雨水充饥，另一方面，坦克飞机也不再能够自如地进行配合。

日本“缅甸方面军”闻风而动，大量增调援兵，咬牙切齿地要扳回局面。

在特种作战效果大减的情况下，能够依靠的只有战术和战斗力。

在胡康河谷战役开始前，孙立人便留起了胡子，誓言“不取孟关不剃胡须”，克复孟关后，史迪威代表罗斯福，将一枚“丰功勋章”挂在了孙立人胸前。

“丰功勋章”系美国开国总统华盛顿所创制，专门授予对美国有功的非美籍将领，奖状中还称孙立人“智勇兼备，将略超人，实足为盟军楷模”。

剃了胡子，胸前挂满英美勋章的孙立人精神焕发，斗志高昂。

在这个艰难的雨季，我们却有的是速度与激情。

孙立人分出一路“剽骑军”，从各路日军的缝隙中一穿而过，攀高山、涉深溪，最后趁夜偷渡水流湍急的孟拱河。

没有汽艇，没有竹筏，拿什么渡?

官兵们把身上的背包、水壶、干粮袋、头盔都取下来，做成简易渡船，行军锅上架一重机枪，利用水流速度向对岸划。

这种新奇的渡河技术，驻印军已演练多次，熟练得很了。

过了孟拱河，就是日军的物资囤聚站。

驻站日军共有千余人，什么兵种都有，就是从没想到过大后方会有危险，正三五成群吃着早饭哩。

当“骠骑军”突然出现在眼前时，这帮迷迷瞪瞪的小子竟然还以为来者是驻印军的少量空降兵，所以只用小股部队上前迎击。

想什么呢，人家是主力，一击之下，垮了。

“骠骑军”不仅占领物资囤聚站，还切断了作为前线日军唯一补给线的公路。

生命线没了，那是要全盘崩溃的，“缅甸方面军”司令部大为紧张，急调其他师团赴援。

孙立人的另一路“骠骑军”出发了。

他们这一路比前面一路还要辛苦，此时整个缅北已成泽国，雨越下越大，路越走越滑，稍不留心就可能滑入万丈悬崖。

骠骑军锐不可当，缴获了很多日军军旗

一路上骡马跌毙很多，有的马爬不上来了，奄奄一息之时，犹对浊泥落泪。人言蜀道难，然缅道之难实在更甚于斯。

在令人难以置信的可怕环境中，驻印军官兵也同样表现出了令人难以置信的坚韧和勇气。

没有马力，就把装备和给养背在身上，空投困难，便找野生芭蕉根充饥，都是杳无人烟、兽迹罕至的地方，但是没有任何困难可以挡住这些无敌勇士的前进。

第二路“骠骑军”的迂回穿插，使日本后续援军也处于腹背受敌的状况，再也不可能给前线部队带去任何希望了。

廖耀湘趁日军陷入慌乱之际，从正面加快进击，其战术也越来越精妙，形成了一整套花样百出的打法：先迂回包抄，将日军围起来，然后逐一分割，大饼换小饼，慢慢嚼，直至“引蛇出洞”，等你走投无路，想方设法突围时再来个半路伏击。

7 月 11 日，孟拱河谷战役胜利结束，此役基本全歼了第十八师团。自战役发起后，“菊兵团”虽经十二次新兵补充，但仍无法避免覆没的命运。

除此之外，“缅甸方面军”先后抽调四个联队增援，也无一不遭重创，伤亡总数达到两万六千。

日军的意志被完全击垮了。到后来，一个大队加炮兵特种部队都冲不开驻印军一个排驻守的阵地，驻印军总部只要再派一个连，就能将它打得落花流水，直至灭得一个不剩。

现在的日军俘虏已不是一个两个，而是成群结队，这种东西少了稀罕，多了还嫌，可你问他们为什么不切腹，他们会一脸尴尬地告诉你：凭良心说，日本兵不愿这么做！

这些日俘个个面黄肌瘦，有的只剩一条沾满泥水的短裤，一副肮脏不堪的样子，昔日“皇军”的威风已荡然无存。

值得一提的是，传说中的“杀俘”不是来自于孙立人，而是他的团长李鸿。

李鸿是老税警总团成员，经历过淞沪会战，对当年日军残酷屠杀中国战俘和百姓记忆犹新，且恨之入骨。

第十八师团不是以凶残的九州兵自居，还担当过登陆金山卫的主力吗？那就派人审问一下，看他们淞沪时有没有去南京。

没去过的当俘虏送来，去过的就地处决——为南京大屠杀的同胞复仇！

这番话是李鸿拿着电话、当着一众记者的面堂堂正正说的。

只能用两个字来概括：解气。三个字注解：特解气。

从天而降

就在孙立人“骠骑军”迂回的同时，有一支神秘部队也在进行穿插，只不过他们的范围和目标更大，要抄的是密支那的底。

密支那在孟拱后方，是日军在缅北的最后一个据点。经两年经营，不仅城外已形成环形防御阵地，城里的地上地下，工事布得密密麻麻。

因为这些原因，很多英军将领认为密支那难以攻取，尽管蒋介石的统帅部和史迪威本人多次提出方案，但都遭到了东南亚盟军总司令蒙巴顿中将的拒绝。

史迪威决定不再陪英国绅士玩儿。

按照骨牌的一般玩法，缅北战场的进行顺序应该是这样：野人山、胡康河谷、孟拱河谷，最后才是密支那。

在孟拱河谷战役刚刚打响之时，史迪威就组织中美联合特遣队，直接插入密支那，出人意料地开辟出了第二战场。

特遣队由中、美军队混编而成，分为两支纵队，总计六千多人，其规模与孙立人派出的“骠骑军”大体相当。

与“骠骑军”不一样，由于目的不同，特遣队在路上即使遭遇日军，也很少与之交锋，实在绕不过，才留下一支部队作为掩护。

每天十公里的推进速度，放在平原上不足为奇，但如果是雨季的缅北绝地，那就是一个不折不扣的奇迹。

5 月 17 日，特遣队赶到密支那，并发起“眼镜王蛇”行动。

“眼镜王蛇”的第一个步骤是奇袭密支那机场。由于特遣队的行动秘密而迅速，日军在遭到打击的前一刹那，还在做他们的春秋大梦，逃路时连鞋子裤子都来不及穿。

先进的技术设备，使得战术实施拥有了更加广阔而丰富的空间，第二个步骤紧跟而至：空中列车。

当天下午，运输机川流不息地飞临密支那上空，一松钩，机身后牵引着的滑翔机便一节节地降落下来，从里面涌出来的，都是刚刚由国内运达、加入中国驻印军的部队。

搭乘空中列车的中国驻印军官兵

按事先约定，特遣队向史迪威发出密电，密电上只有五个字：“威尼斯商人。”

史迪威知道，“商人”要开始做生意，“眼镜王蛇”行动成功了。

消息一夜之间传遍世界。英国首相丘吉尔致电蒙巴顿：“中美军队是怎样漂亮地在密支那从天而降的，对此你有何解释？”

蒙巴顿无言以对。

5 月 18 日，史迪威亲自带着十几多个记者抵达密支那机场。

老头的军事天赋和战争智慧在“眼镜王蛇”行动中毕露无遗，也让他大出风头。春风得意之余，他向记者们宣布道：“半个月内，我们将拿下密支那！”

但史迪威高兴得太早了一点。

“眼镜王蛇”行动虽然使中美军队部分绕过城外防守，可是城内连边还没碰着，正是调动降落机场的后续部队、乘胜追击的时候。

偏偏美军前线指挥官在关键时候犯了大错，对军队的使用，不仅不集中，反而分散，结果造成攻击不利。

就这么一愣神的工夫，密支那就不好打了。

起初防守密支那的日军只有一千，一周之内，增加到三千，第二周又增加到五千。

这些日军明知没有退路，一个个都到了歇斯底里的状态，他们要像在太平洋岛屿上一样，利用密支地的坚固工事进行“玉碎防守”。

说是半个月，史迪威两个月都没能拿下密支那。

奇袭变成了“拔河”，这当然不是史迪威所乐意看到的。

在史迪威心目中，美军最可靠，英军次之，中国军队只能排在末尾。想来，密支那久攻不下，可能还是驻印军不中用之故，于是他便把英美军派了上去。

一打之后，老头大跌眼镜。

美军欸欸地往后退，根本不听命令，英军参加密支那战役的还是突击队，看上去却更饭桶，几乎是扔了枪就跑，没有一点肯突击的样子。与此相反的是中国军队，冲锋号一响，无不往前猛冲，无论官兵。

为此，史迪威沮丧地在日记中写道：“连美国人都不中用了，真难以置信。”

不得不服

让他烦心不已的是，兵不行，官也有问题。

担任前线指挥官的美国将军似乎都不会打仗，一而再、再而三地陷入分割使用兵力的错误，在指挥水平上令史迪威自己都看不下去。

一连更换三任，仍然如此。

这时候，他才想起了那些起初不被信任的中国军官。

从野人山战役一路过来，史迪威见识过孙立人和廖耀湘在战场上的手段，他们的水平毫无疑问要比被撤换的那三个美军指挥官高得多。

美国人就算心里有再多的傲慢和偏见，但在铁的事实面前，也不得不服。

7月6日，郑洞国来到密支那。此时孟拱河谷那边都快结束了，密支那这里却仍处在僵持状态，而史迪威对此也一筹莫展。

不能再这么拖着了，再拖下去，于战不利。

郑洞国虽然一直都被史迪威闲置在旁，然而这位富有经验的战将从没停止过对战场的观察和思考。

仗打不下去，出在两个结上，只有解开它们，才能取得进展。

第一个结，是要懂得中国士兵之心。

当天晚上，郑洞国以驻印军指挥部的名义向前线下达了动员令，号召在7月7日这一天向日军发动猛攻。

"七七"这个特殊日子的含义，老外是不可能明白的，但是每个中国人都能体会。

复仇，雪耻，反攻。

"七七动员令"一到前沿，官兵便沸腾起来，嗷嗷叫着冲向市内。

"七七动员令"使远征军沸腾起来

光用血肉之躯去硬拼不是办法，第二个结，是要信任中国军官。

这时，史迪威也看出调入缅北的美军将领不堪大用，同意参照孙立人和廖耀湘的模式，由驻印军的各师师长独立进行指挥。

如此一来，前线部队的攻击战术立刻灵动起来。

整个密支那防守体系，对驻印军威胁最大的是地下坑道。驻守日军原先大部分是北九州的煤矿工人，修筑坑道是其特长，在密支那的地下，坑道纵横交错，到处都是。

日本兵往坑道里一钻，任凭你怎样猛烈射击，他都不还手，等你接近十米甚至五米距离时，才冷不防地把枪管从枪眼里伸过来，一打，就会给进攻一方造成惨重伤亡。

枪眼很小，加上树丛和蒿草的掩护，子弹射不准，手榴弹投不进。

针对日军的坑道战，中方将领创造了堑壕战术，即利用蛇形堑壕往前延伸，等接近对方的坑道时，便把一根根竹竿捅进枪眼。

竹竿前端捆着手榴弹，导火线已被点燃，好像过年放鞭炮，嘭的一声，可好玩了。

一个枪眼一串“鞭炮”，堑壕延伸到哪里，就灭到哪里，终于由点到面，使死的坑道败在活的堑壕手里。

搞定地下，还有地上。

日军把密支那城里的十几条街道和大小建筑物都变成了工事，活脱脱一个网状堡垒群。

驻印军搬出国内常用的敢死队战术，趁夜幕潜入其后方，将日军的通信设施完全予以破坏。

这叫心理战，经过两月攻击，日军早已是草木皆兵。试想，钻在笼子一样的据点里，拿起电话喂喂喂，里面却啥声音也没有，那是一种什么感觉?

正好孟拱河谷战役结束，公路粗通，特种部队可以过来了。驻印军组织强大的炮兵群，逐巷、逐屋进行轰击，战车营跟在后面冲，一明一暗两个心理战，咔咔一整，群魔再也舞不起来了。

8月3日，中国驻印军发起总攻，密支那城防司令官水上源藏少将自杀，两天后，密支那战役正式宣告结束。罗斯福于当天亲自签发命令，晋升史迪威为四星上将。

在此之前，中印空运主要通过驼峰航线，那是一个著名的死亡航线，飞机不但会撞喜马拉雅山，还经常遭到日军飞机袭击，差不多每个月都有十多架飞机坠落。

控制密支那后，可以直飞密支那，从而使得印度到昆明的空运距离大大缩短，飞机再也不用玩死亡游戏了。

密支那战役结束，中国驻印军在缅北这块才算全部竣工。

由于连续不断地在艰苦环境下作战，官兵十分疲惫，雨季接下来还剩两个月，正好利用这段时间进行休整。

此时，在缅甸的中国军队已达到五个师，按照蒋介石统帅部的命令，将其统一编组成新一军和新六军，孙立人、廖耀湘分任军长，史迪威任驻印军总指挥，郑洞国则调升副总指挥。

郑洞国名为副总指挥，实际仍是什么权力也没有，状况紧急时想到他这个人，平时有和没有都一个样，但郑洞国一如既往，知道史迪威怕他去军营"搞串联"，他就哪儿也不去，一个人独坐斗室，看看书，下下棋，最多也只到场地上去打打太极拳。

没人跟史迪威争，可他老人家自己却把戏给演砸了，由于跟蒋介石彻底闹翻，他被罗斯福召回美国，总指挥一职由副手索尔登中将接任。

索尔登同样毕业于西点军校，但他的专长是工程兵，来到缅甸战场后的主要职责也只是建立后勤补给线。

一方面，长期处于这种不显山不露水的位置，本身决定了索尔登相对低调的作风，另一方面，史迪威被召回国，对当时服务于中国战区的美国军官来说，都无疑敲响了一记警钟，使索尔登变得更加谨慎起来。

担任驻印军总指挥期间，索尔登很少发布重要作战命令，也不对基层部队做过多干涉，一门心思抓后勤，这反而使中方将领在前线拥有了更多的发挥空间。

没有第二个密支那

在开拓空中航线后，接下来的任务是彻底打通地面的中印公路。

1944 年 10 月上旬，雨季刚过，驻印军决定向缅中的八莫进军，原计划由两军联手，但中途情况却发生了变化。

如同一杆秤，一头重了，另一头就必然轻。在中国军事重点向缅甸和云南转移后，国内战场的形势一天比一天紧张，终于那一头完全翘了起来——日军已直逼贵阳，威胁重庆。

仓促间，蒋介石的统帅部赶紧将廖耀湘第六军空运云南，这样一来，进攻八莫的担子后来便完全落到了孙立人和他的新一军肩上。

整个缅北反攻战役，密支那是打得最苦的一仗，中方伤亡超过了日方，而且奇袭最终也没能“奇”得起来，导致战斗旷日持久，这让两眼输得通红的“缅甸方面军”司令官河边正三中将突然看到了反败为胜的一线希望。

八莫与密支那环境相似，密支那守军在两周后才达到五千，河边未雨绸缪，提前在八莫集结了五千人马。

为什么不能把八莫当成第二个密支那？

如今家当一空，河边再也没能量去拨弄迂回攻击的阵形，他拿来套的，只有以前中国人经常采用的“口袋阵”。

河边计划在八莫固守三个月，等各路援军聚齐后，再由守势转为攻势，从而一举挫败中国驻印军。

八莫守军司令官原好三大佐奉命后，派出一个大队到八莫以北，准备在那一带山地上修筑阻击阵地，以拱卫八莫。

想法是个好想法，但你得有人家出手快才行。

那个大队不知道“骠骑军”的速度有多快，等他们气喘吁吁地赶到时，险峻山地早就为新一军所占据。

一眨眼的工夫，新一军已穿过山地，攻到江边。

电影到了大结局的时候，孙立人上演的是新一轮“速度与激情”。

原好三被惊着了，在八莫外围，他能依恃的只有这最后一道江。

江面很宽，作为防守一方的南岸地势险峻，工事强固；作为进攻一方的北岸却地势平坦，易受瞰制。

闭着眼睛强攻不是孙立人的风格，他到江边看了看，然后兵分两路，主力秘密迂回，留下一个团佯攻，以迷惑对手。

中国远征军有了不一样的行军速度

按照孙立人的战术安排，必须等迂回主力得手之后，正面的这个团才能真的发起攻击，但他们不甘寂寞，趁夜选派水性好的士兵潜入对岸，并且成功地找到了日军在防守上的破绽。

在过江士兵的指引下，该团以夜色为掩护，架起浮桥，兵不血刃地渡过江，短时间内就攻占了八莫外的所有村庄和飞机场。

已经迂回的主力转而由小迂回变大迂回，钻到八莫身后切断了它的后路。

一通雨点般的快拳下来，原好三被整蒙了。

老老实实守八莫城吧，三个月已没把握，像密支那那样熬上两个月或许还有可能。

战场之上，孙立人是一个任何时候都能保持清醒头脑的战将。当他快速杀到八莫城下时，马上就降下速度。

密支那城有的坚固工事，八莫城一个不缺，坑道、据点一应俱全，甚至比密支那还要坚固和隐蔽，如果只知道提溜着刀扑上去，那得死多少人？

激情要继续燃烧，但举着火把的人更需理智。

孙立人降低速度，就是要在攻城中尽量发挥战术和武器的优势，减少官兵的无谓伤亡。

在八莫城垣外围，日军利用复杂地势，修建了许多分散的抵抗巢。每个巢里面三个兵，分别是轻机枪射手、步枪狙击手和掷弹筒炮手，别看人少，但很让人头疼，而且各个巢之间还能形成配合，步兵很难接近。

孙立人调上迫击炮，定点清除，一个巢赏几颗迫击炮弹，不信它还能顶得住。

两三天后，外围扫清，进城。

八莫城内有密支那一般的坑道，步兵最怕这个，孙立人又没那么多时间去挖堑壕，他就把工兵派上去。

用工兵来对付坑道，那真是找对了专家。工兵成天跟坑道打交道，能挖也能毁，先用炸药炸断，接着开推土机、挖泥机一段段挖。

有哪个不服的，一铲下去，连土带人掘得血肉模糊。

所有关卡一一闯过，八莫市内的地面工事成了最大的拦路虎。

这些工事全都由钢筋水泥构成，在坚固程度和隐蔽性上令人叹为观止，美军轰炸机一颗五百磅的大炸弹扔下去，也仅能炸毁工事的外三层，仍然伤不着里面的守敌。

新一军越接近防御核心，火力越强，因此进展也越来越慢。

即使在这种情况下，孙立人的原则仍然只有一个：人力重于一切，要千方百计避免人员伤亡。

哪怕是蚂蚁啃骨头，一个据点一个据点地来，绝不贪多求全，为的就是达到多放炮、少流血的效果。

从早晨开始，所有特种部队轮番使用，先是空军轰炸，然后是炮兵射击。

孙立人调入四个重炮营，他不要求步兵上前死拼，但对炮兵的要求却异乎寻常的高，“指挥官必须到步兵第一线进行观测，炮弹射偏了，我拿你是问”！

这么多炮弹朝一个固定的据点使劲，场面是很骇人的。

多放炮，少流血

攻城期间，郑洞国乘坐小型侦察机在八莫上空督战，见到整个八莫城烈火熊熊，日军火力几乎完全被压制，城内建筑大多崩毁于地。

到这个时候，孙立人仍不肯单上步兵，往前推进的是战车营，步兵跟在坦克后面小心翼翼地推进。

即使是步兵对步兵，也没法较量。

当时普通日本兵的弹盒里，最多不过装三四十发子弹，远征军的冲锋枪却是一梭子一梭子地上，想要多少给多少，那能打得过吗？

白天无法抗衡，日军便效仿很多年前台儿庄的中国军队，组织敢死队进行夜袭。老实说，如果晚上拼刺刀，鬼子们还是很厉害的，极度疯狂下，一个挑你几个不在话下。

可惜的是新一军连靠近的机会都不给他们，几颗照明弹加上冲锋枪的密集扫射，便把这些敢死队员的小身板全给打弯了。

这种看上去不讲理的作战方式，与太平洋战争后期美军在南洋群岛上的打法类似，它从根子上摧垮了日军原来所拥有的自信心和战斗意志，有的日军指挥官在绝望之下甚至发了疯，不去打仗，而到花丛中追蝴蝶去了。

12 月 15 日，孙立人“啃”下了八莫全城，城防司令官原好三大佐中弹而亡，守城的仙台第二师团搜索联队两千多人被歼灭，新一军战死八百人，伤亡率又恢复到一比三，这一战绩在高难度的城市攻坚战中是非常罕见的。

河边说要固守三个月，事实上四周就结束了，在“东方隆美尔”面前，终究没有第二个密支那的说法。

占领八莫，中国驻印军的使命已经履行大半，就等着与一墙之隔的滇西远征军会合了。

第十三章

怒江在咆哮

作为远征军的两大分支，中国驻印军有的时候，滇西远征军也就有了，不过与驻印军不一样的是，滇西远征军在组建之初，双方就有约定，即这支军队须完全由中国军官指挥，美国人只负责训练和提供武器。

如果没有第一次远征，蒋介石不可能想到这一点，现在想到了，也只能限制在云南，而且军官还得由史迪威本人来遴选。没办法，人家手里握着要你命的援华物资分配权呢。

史迪威眼力不错，他看中的滇西远征军首任司令长官是陈诚。

老乔倒不是为了投蒋介石所好，陈诚身上所具有的品质，可以说都是他喜欢并认可的，即使拿美国标准来衡量，也绝对称得上是个优秀的指挥官。

不过，这下可够陈诚忙的了，有一段时间，他既要顾远征军一摊，六战区那一摊又丢不掉，真个是团团乱转，甚至到鄂西会战，还得飞回恩施去指挥作战，就差没有分身之术了。

和很多长年征战的军官类似，陈诚也有着严重的胃病，如此一折腾，这位十项全能的铁人就真给累垮了，只得请假去重庆郊外休养。

远征军司令长官的位置又空了下来，要说国内能征惯战的将领也很多，可关键是人家史迪威得认可才行，你能让杜聿明、罗卓英去吗？

为了找到合适人选，军政部长何应钦把一本军官名册都翻烂了，终于翻到了一个人的名字。

东山再起

因为中条山之战，昔日虎将卫立煌跌入了谷底，撤职加革除上将衔的处分，也就比坐牢、枪毙好那么一点。

撤职之后，改调军委会西安行营主任。

卫立煌为人非常倔犟，属于“五虎上将”里面最爱说怪话、发牢骚的，有时跟蒋介石都不对付，但事到如今，他也无话可说，短期内就办完移交手续，去西安就职了。

所谓行营主任，是一个标准的闲职，没什么权，去了以后，卫立煌也不愿意一本正经地坐办公室，而是把事务推给幕僚，自己则带着一家子在西安城里闲逛。

每天都是这么打发光阴，卫立煌自此绝口不言军事，就连原先部属求见，他也一概婉言谢绝。

暗淡了刀光剑影，远去了鼓角争鸣，在外人看来，卫立煌是真的想退隐不干了，要不然怎会如此悠闲和清静?

只有到了晚上，夜深人静的时候，这只虎才会偶尔露出真容。

他经常翻阅报纸，看完之后就长吁短叹，拍案不平。

将军的价值在战场，若久而“髀里肉生”，空长一身肥肉，连战马都骑不了，岂不悲哉?

不言，其实满心都是言，但总不能自己哭着喊着说“廉颇未老，一顿还能吃上一大碗”之类的话吧。

在西安闲逛一个月后，卫立煌再也熬不住，索性离开西安去了成都。

表面上是彻底退隐，其实却隐含着强烈不满：这么一个闲职，你们不觉得大材小用?

这叫以退为进，然而起初却只能退不能进，一连憋屈两年，到了用人之时，统帅部才想到以前还有过这么一只虎。

在第一次远征军的出国名单里，罗卓英的位置原先就是安排给卫立煌的。

心里那个激动，可卫立煌还是忍住了。

机会再好，该拿架子还得拿，不然就会让人看扁，认为你被贬如此，怎么上面一声招呼，你就急不可耐要出山了。

要让人看重，就得学会“拿”，这是中国传统官场的经验之谈。

接到征调令后，卫立煌答复：“我以前去中条山视察时，乘马受惊，把我从上面颠了下来，因此震坏脑子，所以无法赴任。”

等到陈诚病倒，何应钦又想起了卫立煌，名单报给史迪威，老乔点了头。

这时，史迪威和蒋介石私下里已经势同水火，谁跟蒋介石热落，谁就不讨史迪威喜欢。卫立煌因中条山之败遭贬，与蒋介石的关系，已不像其他几虎那样近，他自然没有理由表示反对。

美国佬能点头，就一切 OK，可是因为前面那个例子，一个军政部长已经请不动卫立煌了，非得元首去请不可。

1944 年春天，蒋介石派专机到成都相邀。

这回要是再“拿”就过了，官场沉浮这么多年，对尺寸所在，卫立煌还是掂量得清楚的。

重庆一行，蒋介石亲自接见，卫立煌正式就任远征军司令长官，并得以恢复上将衔。

“脑震荡”问题不存在了，需要面对的是如何在战场上挽回自己的声名。

退隐的那些日子，卫立煌不言军事，某种程度上却是已痛得说不出话来了。

那一仗打得实在丢脸，算得上是抗战中期最窝囊的一仗，以至不提中条山便罢，一提就是一个惨字。

在告别洛阳时，卫立煌特意让司机返回，绕着住处兜了一个大圈子才离开。

他不知道的是，自己今后还有没有可能再回到原来的地方。

虽然说是胜败乃兵家之常事，但现实生活中的军人，往往是打了一次败仗就一辈子抬不起头来，就像刘峙，号称“常胜将军”，老“五虎”里面属于最牛的，可是因为在保定会战中摔了跟斗，竟然被人奚落成了“常败将军”。

将军荣辱在战场，卫立煌（右二）要靠第二次远征来翻身

卫立煌是幸运的，因为还有机会重来。

这次绝不能再输。

陈诚在任时，把远征军司令长官部设在楚雄，此地离昆明有三百里路远，当时主要是陈诚顾虑军风军纪废弛已久，在无法有效改善官兵待遇的情况下实施的“苦肉计”——要穷穷一块儿，大家都没话说。

卫立煌把长官部迁到了保山，这回却不是要做样子，而是为了真刀实枪地开练。

保山已接近滇缅边境，离怒江前线不远，便于观察敌情，用兵筹谋。

当年中条山之败，败就在败在麻痹大意上，若是当时能靠前一点指挥，则决不至于败得那么惨。

先得去看看怒江。

诸葛亮在《前出师表》中，曾谈到他为了出师南征，曾“五月渡泸，深入不毛”，其中的泸水，据说就是怒江。

怒江源于青藏高原，其河面不宽，旱季水流也不是很急，但是到雨季就像变了个脸，波涛汹涌，真个是犹如天神怒吼一般。

这是一道很难轻易逾越的天然屏障，对西岸的日军是这样，对东岸的远征军也是如此。

1944年4月，卫立煌带着幕僚经过多次察看，终于找到了合适的渡江地点，滇西远征军也初步完成了装备和训练。

此时，中国驻印军已在缅北发起第二次旱季攻势，孟拱河谷杀声震天，处于亢奋中的史迪威一再催促，要求滇西远征军按照计划渡过怒江，与驻印军形成东西夹击之势。

就在这节骨眼上，日军发动“一号作战”，昆明和重庆大受震动。

蒋介石给卫立煌发来加急电，要他回师楚雄，以保昆明。

捏着两位老大的电报，卫立煌反复思量，觉得按哪一头的意思办都不好。

回师楚雄，就意味着出师计划要泡汤了，可自己出来这一趟算怎么回事，没有战功，到头来罩头上的帽子还是一个“中条山”，今后又有何前程可言？

若只听史迪威的话，不顾一切渡江作战，到时昆明若有差池，自己一样要吃不了兜着走。史迪威固然不好惹，那蒋介石却也不是好侍候的老板，一个抗命失地之罪就可以让你永世不得翻身。

给这两个牛人扛活不容易啊，卫立煌最后决定走“中庸之道”：先抽一部分兵力到贵阳，等局势稍一缓和，再相机发起渡江战役。

最弱军

1944 年 5 月，眼看进入雨季，到了怒江要大发脾气的时候，卫立煌感到不能再等了，必须像诸葛丞相那样“五月渡泸”。

在怒江岸边已集结五个军，但在渡河前，有个军长突然问工兵部队：“渡江之后，假如站不住脚，能不能再把我们接回来？”

这话一听，心就一沉。

未渡就想到要回来，跟仗还没打，先找退路一样，都是一种不自信的表现，而这无疑是一件再糟糕不过的事。

当时国内的中国军队，只有第七十四军这样的超一流部队可以跟日军硬碰硬，大多数别说攻，能勉强守一守就可以给打高分了，以至天长日久，大家都养成了习惯，即打仗之前一定要往后看一看，找好退路再说。

更别提盘踞怒江对岸的，还是日军第五十六师团。

在第一次远征中，有两个师团暴得大名，它们同出于北九州，一个是从正面击退远征军的“菊兵团”第十八师团，另外一个就是快速猛插，抄了远征军后路的第五十六师团。

经过那一战，来自于久留米的第五十六师团在南洋日军中声誉显赫，号称“龙兵团”，而且自侵占怒江以西地区后，这个师团就一直留驻滇西，

第五十六师团的疯狂曾给首期出征的远征军造成致命威胁

再未换防，他们天天在那里挖工事，其阵地之固可想而知。

当所有看得见的情况都一五一十摆在面前，担忧和恐惧就会像野草一样四处蔓延。

卫立煌到云南后，对每个军都走访了一遍，跟师长以上军官一一谈话，他知道这种未战先怯的心理不光是一支部队有，而是大家都有，不光是军官有，士兵也有。

在这里，卫立煌看到了第五十三军。

第五十三军原属东北军系列，从前的老军长是万福麟，也就是保定会战时第一个开溜的部队。

第五十三军曾接受过卫立煌的指挥，那时还称得上是东北军系统中编制最大的一个军，虽有保定之败，然而瘦死的骆驼比马大，仍有四个师六万人，为一般部队望尘莫及。

可当他们再次出现在卫立煌面前时，却已是凄凄惶惶，可怜兮兮。

原因，当然还得首先从自己身上找。

第五十三军人多，武器相对也好，可是战斗力弱，每次作战都和保定会战中一样，没抵抗几下就要败退，以至战区组织大小战役时，没有谁敢把它放在重要位置，都怕东北军一掉链子，害自己步刘峙的后尘。

别说当初的卫立煌，就算鼎盛时期的薛岳也不敢放胆使用第五十三军。两次长沙会战，第五十三军都参加过，可基本上是有它不多，没它不少，作用还不及杨森的川军。

这是个恶性循环，你越怕打仗就越打不好仗，越打不好仗，上级就越不重视你，表彰、补给之类的好事统统与你无缘。

第五十三军是从湖南走到云南的，这时万福麟已升迁，由副军长周福成接任军长，人马也从四个师缩到两个师，六万成了三万。

部队在一起，能够攀比的就是战斗力和以往的战绩。在滇西远征军里，第五十三军是毫无争议的“最弱军”，谁也不待见。

不过，卫立煌并没有因第五十三军垫底就将之忽略，相反还很重视，在军营里一待就是五天。

检查武器，发现步兵连每连只有四门迫击炮，而按美械装备的统一标准，应为六门，卫立煌便让军长周福成把另外两门也拿出来。

周福成不是没拿，而是集团军没发。

滇西远征军分为两大集团军，第五十三军隶属第二十集团军，集团军总司令霍揆章嫌“最弱军”战力不济，觉得给全也是浪费，便自作主张扣下两门，以便其他能打的部队损耗了，还能立即进行补充。

不管霍揆章怎么想，这对周福成当然不公平，只是心里虽有气，上面如果不问，他也不敢多说，就怕你们上头都穿一条裤子，合着伙来欺负人。

现在既然司令长官主动问起，周福成心头的不平之气便按捺不住了，“我的所有炮都在这里，没有的两门让集团军给扣了！”

卫立煌的目光转向霍揆章。

霍揆章满脸通红，但当着周福成的面，他又不能说出“最弱”这些理由，只好解释说：“扣是扣了，不过是准备今后补发的，因为担心第五十三军一下子用完，坏了没法再补。”

这点小伎俩当然骗不了卫立煌，他随即追问：“既然如此，为什么集团军里的其他部队都发全了呢？”

霍揆章张口结舌，无话可说。

卫立煌板起面孔，“少发两门迫击炮，就会减少火力，这可是自己配苦药给自己吃啊。”

霍揆章赶紧诺诺连声，“明天就发，迫击炮都在仓库里存着呢。”

卫立煌把第五十三军的军官集合起来训话，明确承诺，“请大家放心，今后会对第五十三军平等看待，装备和补充一律按司令长官部规定，不得克扣。”

谁要是不听命令，必受处罚！

由于战绩劣，名声差，第五十三军到云南后一直都是夹着尾巴做人。从周福成到最基层的东北军军官，最担心的还不是克扣武器，而是怕遭到缩编乃至“吞并”。

如今，终于有人肯帮着撑腰和说话了，而且这个人还是最高长官，能不激动加感动吗？

卫长官为什么会对我们这么好？

有人说，卫立煌本身就是“嫡系中的杂牌”，人家靠的不是裙带和学历，而是实实在在的战功，因此才会对所有部队做到一视同仁。

这似乎也说得过去，就像卫立煌在训话中所说的，要“平等看待”。

可是事情的发展远远超出了第五十三军的想象，卫立煌对“最弱军”表现出的，还不是“平等看待”般简单，那已是一种异乎寻常的重视和关照。

信心之战

强渡以前，卫立煌将制订好的作战方案和计划予以下发，但各军一拿到手，就引起了议论。

第一个焦点，是第十一集团军成了防守部队。

滇西远征军有两大集团军，无论战斗力，还是对滇西敌情和地形的熟悉，第十一集团军都要胜过第二十集团军。

大兵团作战，尤其是这样关键性的反攻，远征军全扑上去都嫌不够，还要留人防守，就算是要防，也应该让第二十集团军防，结果却是第十一集团军成了主攻部队。

第二个焦点，也是争议最大的焦点。

第十一集团军主攻也罢，使几乎所有人都想不通的是，第五十三军竟然被安排为主力之一。

那个“最弱军”，也能成为主力？它有多强的战斗力，能打这样的硬仗吗？

周福成自己都不知道梦中抽了哪支上上签，让卫立煌这么关照自己，想来想去，也没别的好解释，只能从人情脉络上瞎联系。

兴许是当年受过卫长官指挥，所以他才把咱们当亲生儿子了吧？

意外得宠当然是好事，不拼命打也肯定是对不起领导的，可问题是第五十三军能力就这么一点儿，连他们自己对能否强渡成功都心中无数。

有数的人，是卫立煌。

吸取中条山的教训，卫立煌对这次远征准备得非常细致。他在隔江观察时，发现第五十六师团采取的其实是死守要隘战术，即守住高山据点，而没有沿江部署重兵。

卫立煌立刻意识到，渡过怒江其实不难，难的是后面，在地形复杂的大山里与“龙兵团”作战，那才真叫难。

知道为什么要让第十一集团军主守了吧，守是假，留着最强的部队，随时投入后续攻击才是真。

把第五十三军列入强渡主力，则出自于卫立煌的另外一番盘算。

第五十三军是“最弱军”不错，对此卫立煌也不是不清楚，可是本来也没指望它第一口啃的便是硬骨头，关键是给它信心，让它认为自己很行，特别是装备美械之后。

不但如此，还能给各军以示范，你瞧，“最弱军”都渡江成功了，我们还怕什么！

“恐日病”，或者说是恐第五十六师团的病铁定不治自愈，也就不存在军长脑子里都在想“我还能不能回家”之类的事了。

前提，当然是大家都以为怒江很难渡。

说到底，强渡怒江，其实是一次心理战，或者说恢复信心之战。

名将的思维皆有相通之处，卫立煌的这一战术，与南昌会战时的冈村宁次颇有异曲同工之妙，后者就是用“最弱师团”打头，才挽回了日军的士气。

5 月 11 日拂晓，滇西远征军揭开渡江战役的序幕。

渡河部队乘坐的是一种前尖后方的帆布船，一只船可以运送一个班，然而使用起来却极其方便，不用的时候折叠放在背包里，一个人就可以带走，要用的时候只需拿气囊充一下气。

美式后勤配备真是世界一流，几乎挑不出一点毛病，可是乘客们的心却仍然悬在半空中，好半天落不了地。

眼睛一闭下了船，眼睛一睁上了岸。

强渡怒江

想象中的恶战没有发生，因为卫立煌已经用特种部队为“最弱军”铺平了道路。

强渡之前，远征军在岸边建立了炮兵阵地，一水儿的榴弹重炮，往那里一摆，日本人的炮够不着，它却可以准确无误地完全摧毁日军江岸防线。

经过火力清除，当强渡正式开始时，岸边已没有什么日军，第一批渡江部队仅两人伤亡，就顺利地攻占渡口阵地。

滇西远征军由此士气大振，“恐日病”也一扫而空。

最艰苦的行军

滇西反攻正在朝着卫立煌预计的轨道走，即先易后难，越来越难。第二十集团军过岸后，就被高黎贡山挡住了去路。

第五十六师团算准了你要从这里过，因此在险要处修筑了很多据点群用以阻击。在这样的地方作战，山高路隘，到处都是陡坡，爬坡尚且不易，更别提展开兵力了。

令人头疼的雨季又雪上加霜，连绵阴雨使得山路既陡且滑，大部队只能喊暂停。

不停还好，一停困难更多。

负责后勤支援的美军联络组起初认为，可以用空投来代替兵站补给，可是没想到山地气候十分复杂，说变就变，山高雨大，人在飞机上往往看不见地上的空投标志，无法准确实施空投。

空投不行，能进入深山的，便只有骡马，而那些山路，人既难行，骡马也强不到哪里去，于是补给时断时续，难以为继。

进攻中，要想打破僵局，最有效的手段无疑是迂回包抄，而对于迂回路径，卫立煌早就选好了。

反攻滇西之前，他就在找一条绕过高黎贡山的秘道，但这在现有的中国军用地图上找不出来的，大概日军地图上也不会有。

怎么办呢？卫立煌想到了空中侦察。

以前是没有这种条件，如今不一样了。在提出申请后，远征军航空队即飞到高黎贡山上空进行拍照，那时尚未进入雨季，视界没有障碍，结果仅仅两周后，一张高清地图便绘制而成。

在这张高清地图上，隐隐约约真的有条山路绵延其间。

幕僚去民间查证，查证的结果，却是从来没有人走过这条路，年轻一辈没有，年老一辈，甚至上上几辈也没听说过，只是在少数民族口耳相传的故事里似乎有这条路的踪迹。

卫立煌认为有门，少数民族缺乏文字记录的技术手段，嘴巴里传下来的就是历史，而且从地图上看，这条路沿途并非绝地，是可以通过的。

选定路径后，卫立煌便通知远征军航空队，要求不再派飞机在那一带飞行，以免引起对方注意。

迂回部队，选定的是第五十三军，那支原先大家眼中的“最弱军”。

世上没有天生的废才，只取决于你会不会用。南昌会战后，第一〇六师团不仅摆脱“最弱军”恶名，而且还在第一次长沙会战中冲破了四个中国军组成的防线，薛岳被迫调上第七十四军才得以稳住战局。

到了第五十三军身上，道理也是如此。

过了江后，“最弱军”夺得首功，精神头马上大不一样，脸上再无忧愁颓唐之色。

明知迂回是项受苦受累的活，全军也高高兴兴地接了下来，军长周福成派先锋师前去开路。

这一走才发现不是一点点受苦受累，那竟然是整个滇西反攻中最为艰苦的行军。

沿途地滑坡陡，更有甚于其他地方，一路行去，就没有能直着腰走路的时候，唯一的好处也许就是荒无人烟，连日军也想不到它。

在翻过标高四千米的高黎贡山主峰后，先锋师来到了山后。

但这时，他们却又犯了过去常犯的那种毛病，发现山后日军据点很坚固，师长软了一把，又退回主峰。

这一退不要紧，几乎把第五十三军推到了覆没的边缘。

经过一路行军，官兵把身上带着的粮食都吃光了。山顶云雾满天，飞机没法空投粮食，大家只好跟第五军过野人山时那样，挖野菜和竹根充饥。

滇西山上山下的温差很大，强渡怒江时还汗流浃背，在主峰上却如临严冬，就算穿着厚棉衣都冷，一下雨更要命。

从保山出发时，官兵穿的都是单衣，顿时冻得浑身直哆嗦，有的人外面套了一层美式胶皮雨衣，但是雨衣潮湿后贴在皮肤上，同样寒气袭人。

高山顶上，先锋师先后冻死饿死达数百人，周福成得知情况后非常焦虑，担心部队随时会陷入崩溃。

他当即报请卫立煌，将负有责任的师长撤职，同时将另外一个师也跟上去，以整军力量投入进攻，终于将山后据点一击而破。

迂回包抄的成功，意味着解决高黎贡山守敌不再成为问题，只要在你的掌握之中，有的是时间慢慢削，反正左一拨，右一拨，直至把据点群削完为止。

驻守高黎贡山的第五十六师团非常顽固，主动投降的不多，战后山上遍地是日军的死人死马，血浆与雨后的泥土相拌和，竟然重新生成了一种殷黑色的泥巴。

夺取高黎贡山是为了打开通向腾冲的通道，那里是“龙兵团”的战略据点。

“水牛”发力

由于四处受击，日本“缅甸方面军”兵力相当紧张，“菊兵团”第十八师团即将覆没在孟拱河谷，其他部队也脱不开身，能用来守腾冲的只有第五十六师团的一个联队，联队长为藏重康美大佐。

藏重康美手上的人马不多，所以他放弃江防，收缩要隘也是实在没有办法的事。

要隘核心是腾冲，其间有三道关，你过得了第一道，未必过得了第二道、第三道。

所谓第一道，即高黎贡山。这第二道也是山，不过是直接拱卫腾冲的四座高山，相当于腾冲的天然外城墙。

就在藏重忙着往山上增兵布阵的时候，第五十六师团长松山佑三中将突然发来电报，要求从腾冲抽兵，以增援师团主力。

这缺德玩意儿，我这都快揭不开锅了，他那里还要再抓米出去。

可是师团长的命令又不能不执行，而且还要认真执行，藏重只好调出一个大队，本来不多的守军这下更少了。

干脆，意思意思吧，于是有的山不守，有的山就弄了几十个人的小队在那里充充数，反正死了拉倒。

6月27日，第二十集团军首先清除四座高山的守敌，其中三座山很快拿了下来，只有腾冲南面的来凤山无法攻破。

在藏重看来，这是最重要的一座山，因为其山峰比腾冲城墙还高一百多米，可以直接俯视城池。

攻城战中，如果你可以在城外占据一块高出城墙的要地，那对守军来说往往是致命的，经典范例，就是南京保卫战中紫金山或者雨花台于南京的利害关系。

藏重人再少，哪座山头都可以弃，唯有来凤山不肯弃。

他舍得放在外围的精兵都在来凤山上，共建立了四个堡垒群，堡垒里有炮、有机关枪，更有极富山地战经验的老兵。

7月23日，第二十集团军对来凤山发起第一次总攻。

集团军总司令霍揆章也深知来凤山的价值，因此不惜把预备师都拿出来，投入四个团进攻来凤山，但得到的战报，却不是捷报，而是接二连三的伤亡报告。

三天，付出了近千人的伤亡代价，竟然毫无进展。

霍揆章毕业于黄埔一期，他有个绰号叫“水牛”，言其性格憨厚，平时极少发火，然而在这种高压之下，也忍不住愤愤地朝部下发了通大火。

我问你，如果再发起第二次总攻，你有没有成功把握？

部下实话实说：“堡垒太坚固，没有重火力，仍然没把握。”

重火力，也就是特种配备，看来“水牛”得把头上的两只角伸出来了。

7月26日，第二次总攻。

这次，霍揆章亮出了他的“霍家拳法”：远征军航空队多达五十七架飞机在上空投弹，目标就朝向一座小小的来凤山，一天光投下的炸弹就多达五千余枚。

来凤山的日军堡垒的确坚固，可也吃不消如此狂风骤雨般的打击，顿时被炸毁了一大半。

当然，还有飞机炸弹都解决不了的，这就得用敢死队了。

敢死队员匍匐到达堡垒死角后，把炸药包和集束手榴弹塞进堡垒枪眼进行爆破。

远征军航空队猛袭日军堡垒

在接下来的战斗中，霍揆章采用车轮战术，各部队轮着上，一刻不歇地发动进攻，为的就是不让日军得到喘息和修复工事的时间。

7月27日傍晚，一支远征军已杀到来凤山和腾冲之间，藏重眼看连山带人都得全部失掉，只得弃山保人，将残余兵丁撤入城内，山地攻坚转入城池攻坚。

钢将军

在第二十集团军中，真正能打硬仗恶仗的，还是霍揆章带过的第五十四军。

第五十四军系“土木系”部队，在“土木系”中排名仅次于第十八军，新老两任军长霍揆章、阙汉骞也都是有“土木”背景的战将。论名气，这二位或许比不上黄维、胡琏，但也称得上是一对牛人。

霍揆章这个大“水牛”看上去寡言少语，人家却是武林高手，擒拿格斗样样利落，在黄埔读书时就一身两职，既是学生，又是教员——武术教练。

阙汉骞擅长的则是另一套功夫，那就是书法，其成就甚至超过以写字写得漂亮著称的张灵甫，已自成一派，称为“拨云体”。

除了打仗，阙汉骞的业余爱好就是练字，甚至指挥作战的间隙都不肯放过，不到桌上去写上两笔，浑身都不得劲。

即使是淞沪会战的罗店时期，阙汉骞照样可以在屋里练他的书法，日军炮弹落在屋外的稻田里，旁边人都心慌不已，他却笔走如飞，写完还告诉别人，“不用怕，这是扰乱射击”。

阙汉骞是湖南人，打仗很猛，做团长时就有扔出一箱手榴弹以稳定军心的事迹，被称为“神臂团长”，连从不把别人放在眼里的“关猛”关麟征都对其称赞不已。

要说吃亏，还就吃亏在资历上，他跟胡琏一样，都是黄埔四期的，混到师长后，再想往上挪一步升军长都比较费劲。

到第二次远征前，总算有了机会，史迪威那边要人，第五十四军奉命前往印度，阙汉骞以代军长身份随行，假如没什么意外，那就是要升成军长了。

可是这个世界只有你想不到，没有做不到。史迪威把兵留下，军部退回，不要！

至于面子不面子，人家不管，他是美国人，不理你这一套。

这个气，还好，军部虽然“退货”，但第五十四军得以在国内重组，众望所归的阙汉骞也由“代”而扶正。当时的黄埔四期生中，张灵甫和胡琏都是副军长，阙汉骞是晋升上去的第一个军长。

无论老第五十四军，还是新第五十四军，以前都是助攻角色，尽管活干得很漂亮，但射不了门，进不了球总是难以让人心甘，何况阙汉骞刚刚当上军长，憋着一口气要证明自己。

第二次远征，终于让阙汉骞和第五十四军得到了主攻的机会，从强渡怒江，到兵临腾冲城下，攻城拔寨，无役不胜。

日军对中国军队的情报资料研究得非常深，连藏重联队长都知道第五十四军军部被“退货”的事，他对第五十四军在基本部队留在印度的情况下，还能打得如此勇猛，感到十分吃惊。

一查，原来军长阙汉骞来历不凡，是罗店那血肉磨坊里磨出来的，藏重顿将阙汉骞视为劲敌，并在日记中写道：“强将手下无弱兵，彼真钢将军也!”

阙汉骞因此得“钢将军”之名，不过“钢将军”在腾冲城下看到的却是一座“钢城”。

8 月 2 日，阙汉骞沿用山地攻坚的经验，集中全军火炮对着腾冲城墙进行轰击。

按照美械装备标准，第五十四军直接配备十二门榴弹重炮，下面每师还各有十二门山炮，这么多炮加一块儿，那也是气势夺人，半天工夫，便用去了多达三千余发炮弹。

除此之外，远征军航空队还有六十架飞机在上空投弹，可是这一立体式攻击方式，却并没能达成预期效果。

腾冲城墙据说系明朝南征将士垒砌而成，全部为大青石条，不仅异常坚固，而且表面光滑有弹性，炮弹在上面炸开条口子可以，却无法完全轰塌它。

当第五十四军顺着口子往城里爬时，日军的机枪火炮就突然“叫器”起来。这些火器原先都藏在城头或角落的石头掩体里，炮弹也打不着，它们给登城部队造成了重大的伤亡。

血色腾冲

在腾冲战役初期的那几天里，虽然第五十四军时时能通过口子冲入一部分，但由于地形复杂，火力隐蔽，使得这部分人马根本就站不住脚，并且伤亡剧增。

阙汉骞不得不另想攻城之策——光开小口子不济事，得开大口子，整军进入才行。

要开大口子，就得从墙根上动动脑筋。

在这方面最早开窍的是太平军，他们在难以攻破对方城池时，往往使用“穴地攻城法”，即在城外挖地道，直通城下，然后用火药炸开城墙。

清史记载，太平军利用此法攻城，“无坚不破”。

太平军当年是以城外民房为掩护开挖地道口的，所以关键是要找到这么一个掩护地点。

看来看去，只有腾冲城南门外符合这一条件，那里原先是百姓赶集场所，开战后，日军只拆除了靠墙三十米内的建筑，三十米外还有很多房屋，其中包括一些两层的老式楼房。

于是，阙汉骞在楼房上偷偷用沙包垒出了二十个掩体，利用晚上集中重机枪对着城头进行扫射。

大炮都奈何不了，我还怕你的机枪，日军采取了不管不问的态度，这便让早已潜伏城下的工兵有了机会。

挖地洞、埋炸药、按电钮，一气呵成，现代工兵比太平军的“土营”自然要利索得多。

随着爆炸声起，城墙被炸塌多处，隐蔽在平房内的进攻部队呐喊上前，一拥而入。

当第五十四军攻进腾冲城内，发现里面已无一间完好房屋，尽为断壁残垣，而这主要是远征军航空队的功劳。

第一次立体攻击受挫后，远征军航空队感到很不得劲，第二次便派上了 B－25、B－29。

这些都是二战中最为优秀的轰炸机种，B－29 更被称为“超级空中堡垒”，一次性载弹量达九吨，扔炸弹就跟下雨一样。

8 月 13 日，几枚重磅炸弹恰好命中联队司令部，包括藏重大佐在内的三十二名日军官兵粉身碎骨，联队校佐级将官至此全部伤亡。

原任中队长的太田正人大尉接任守城指挥官，其实这时换谁守都一样，三千守城兵卒已被打掉一半，何况城外的远征军还在源源不断地拥进来。

想要溜还有机会，可是电报发过去，松山佑三师团长却要他继续死守，说是坚持到 10 月上旬，就有主力来援了。

信也好，不信也好，除了硬着头皮顶下去，一点退路都没有。

一群困兽发了狂，令腾冲之战进入了最残酷的时期。他们从城内的各个隐蔽角落跳出来开火，一会儿前面，一会儿侧面，让你每向前走上一步都要付出不小代价。

仅仅一天之内，第二十集团军就伤亡了三百多人，双方寸地必争，乃至斗到了尸填街巷、血满城垣的地步。

为了尽量减少兵员损失，集团军总司令霍揆章被迫采用步步为营的战术，即每至一处，就用炸药将墙垣房屋完全炸倒，以保证所过之处不会再钻出任何一个有威胁的日本兵。

第二十集团军连着发起四次总攻，不但彻底挫败了太田时不时组织的夜袭，还将其慢慢驱赶和逼退到城内一角。

到第四次总攻，远征军航空队的战机增加到一百架，地面部队向日军发射炮弹达一万五千发。

太田再看他那些兵，已经完全成了“残疾部队”，不是成了“铁拐李”，就是做了“独眼龙”。

主力在哪里，天晓得，还是送些手榴弹下来实惠，起码这些残疾人还能扔扔手榴弹。

按照太田的要求，日机冒着被击落的风险，飞向腾冲城上空，并向城内投下了大量手榴弹和医疗物品。

靠着这些手榴弹，残兵败将们又有了顽抗的本钱，远征军的第四次总攻再次归于失败。

每一步都要提防来自暗处的袭击

腾冲之战迟迟不能结束，蒋介石在重庆非常焦虑，因为同一时间，日军仍在向中国的大后方继续推进，如果滇西反攻再陷不利，等于后背又被捅一刀，整个国内局势终将无法挽救。

他向霍揆章发来电报，“中国军队的荣辱，真的就决定于今天的你们了。我命令你们务必在 9 月 18 日，也就是国耻纪念日之前，把腾冲城夺回来”！

腾冲日军被打成“残疾部队”，其实现在的霍揆章也接近精疲力竭，经过四次总攻，第二十集团军连预备队都已用尽了。

捏着蒋介石的这份电报，霍揆章咬着牙，把本来负责打援的一个师也调入城内。

不管它了，现在是孤注一掷的时候。

“九一八”如同“七七”，让每一个远征军官兵都热血沸腾，全然忘记了什么叫做危险，什么叫做死亡。

9月5日，第二十集团军发起了入城以来规模最大的一次进攻，其排山倒海的气势，如潮水席卷，使残余日军有了一种马上要被吞没或压倒的可怕感觉。

经过这次冲击，日军包括太田在内，仅剩七十余人，他们的命运终于走向了尽头。

9月13日，在太田“玉碎”于自杀性冲锋后，腾冲得以完全收复。

这是滇西反攻中最为惨烈的战役之一，当记者进入腾冲城时，不仅找不到一块好瓦，就连青的树叶也看不到一片。

战后，经霍揆彰提议，在腾冲专门修建了国殇公墓，内葬牺牲于腾冲一役的几千名远征军将士。

第十四章
倚天屠龙记

对滇西反攻会先易后难，卫立煌是有预计的，但他确实没想到“难”会来得这么快，光进攻一个高黎贡山就费那么大的劲。

与高黎贡山相比，怒江西岸的另一座山——松山更是易守难攻，所以卫立煌一直把第十一集团军留着，名为防守，其实就是为进攻松山至龙陵一线而准备的。

等第二十集团军占领腾冲，两个集团军合力对付松山，才会有更大的取胜把握。

可是，卫立煌很快改变了主意，因为一个电话，更准确地说，是因为一张地图。

自力更生

电话是第十一集团军总司令宋希濂打来的，问他什么事，对方的语气十分神秘，“您得亲自来，电话里面不好说。”

去了之后，宋希濂给卫立煌看一张地图，那是一张刚刚从日军那里缴获的军事地图。

卫立煌立刻惊呆了。

它与远征军长官司令部里的作战地图竟然一模一样，换句话说，卫立煌的作战意图和计划已被日军完全掌握。

肯定是出汉奸了，可是两人想来想去，又都搞不清究竟哪里出了岔子。

要知道远征军在保密方面是做过严密措施的，以至召开军事会议时，都不准与会人员做笔记，更不用说对地图进行复制了。

计划的泄露，却是源自于美国飞机。

卫立煌举行滇西反攻，肯定要把计划报给史迪威，偏巧一架开往印度的飞机因故障在腾冲迫降，携带文件的军官被俘，整个计划也就因此落入了日军手里。

第五十六师团长原先仅设重兵于松山，在研究卫立煌的进攻计划后，师团长松山佑三赶紧从松山临时调了两千人到高黎贡山，以加强那里的防守。

不管怎样，远征军已无秘密可言，卫立煌如今想到的是将计就计。

既然日军在松山主力到了高黎贡山，第五十六师团在这一方向上的兵力必然空虚，我何不打它个冷不防？

6 月 2 日，第十一集团军也渡怒江奔松山而来。

卫立煌和宋希濂都估计松山日军在调动后，所余兵力至多不过数百，所以只留了新二十八师于松山，其余集团军主力绕过松山，直趋龙陵。

一个美械师，没有理由解决不了区区几百人的日军。

然而，他又错了。

一个月过去，松山仍然动都不动，反而把好好的新编师差点给打残，这让卫立煌再也坐不住了。

发起反攻之前，卫立煌曾不只一次地隔岸眺望松山，不过，这次他决定亲自过江去看个究竟。

当卫立煌一行来到山脚下时，有日军飞机朝地面进行扫射，随员们不由得慌乱起来，但卫立煌视而不见，兀自一人举着望远镜对山上进行观察。

不要怕，这是侦察机，只是恰好经过，射击也是盲目的，打不着人。

跟着过来的有美国记者，觉得眼前的情景简直不可思议：一个战场最高指挥官，竟然可以在如此危险的情况下做若无其事状。

赶紧拍照，传回美国国内，让你们看看，什么叫牛人，什么叫猛料。

卫立煌满心想着的却是另外一码事。

将计就计，却没能让日军中计。

卫立煌（拿望远镜者）正在前方了解敌情

卫立煌还不知道，当时中国军队的来往密码已全部被日军破译，他的所有电令可以一字不漏地到达对手桌上，第五十六师团也早就在松山部署了一个大队，计有一千三百多人。

卫立煌也许不清楚个中内幕，可是他只需根据多年沙场经验，就可以判断出松山之敌绝不只几百，而应在千人以上，再观察新二十八师的攻击情况，官兵们不是不卖力，而是实在没力了。

显然，没力了就得换有力的，可是两大集团军都上去了，无论腾冲还是龙陵，都处在激烈的相持缠斗之中，他们还恨不得再伸手向你要援兵呢。

松山如此难搞，抽少了没用，抽多了，那两边就可能要失血晕过去了。

好在卫立煌可以自力更生。他不像去印度的郑洞国，后者就是一个空头指挥官，门口连站岗放哨的都没有，卫立煌不同，他不仅可以自如地调度两个集团军，还掌握着一支直辖军。

这支直辖军，就是郑洞国出国前留下的第八军，现任军长为何绍周。

何绍周是军政部长何应钦的侄子，虽系高干子弟，习气却并不纨绔，人家是黄埔和陆士双料生：黄埔一期，陆士十五期。

光凭后面这个资历，别说汤恩伯，就连冈村、板垣、土肥原们都得站成一排，喊一声“学长，您好”。

何绍周为人谨慎，尽管叔叔身居高位，自己资历又深，但并不倚老卖老，不仅平时待人接物谦逊周到，在治军作战方面也非常认真。

可是有时候，人还是得有点运气才行。

淞沪会战时，何绍周担任税警总团支队司令官，由于美式军团不服黄埔的“水土”，导致开局不利，只得把位置让给了孙立人。

人一下来，上去就不容易。到组织第二次远征前，何绍周总算熬出头，又当上了军长。

从卫立煌那里领命之后，何绍周立即点起五万精兵，把新二十八师换了下来。

地堡大攻防

真是不打不知道，一打吓一跳，不是难，而是太难了。

在第八军发起的首轮攻击中，经过轻重火炮炒油锅似的反复轰炸，日军重火力已经基本被打坍掉了，连遮蔽堡垒的树木都化为灰烬。

但是无论多猛的火炮，都始终奈何不了那些堡垒，就算你知道它们在哪里。

当步兵冲上山，为免误伤，只能使用近战武器，而用步机枪与武装得像牙齿的堡垒较量，就如同堂吉诃德挺着长矛刺风车，要多吃亏就有多吃亏。

何绍周组织爆破手，抱着炸药包去炸敌堡，然而没走多远，就被打倒在射孔前。

无法摧毁的堡垒成了进攻松山的最大难题。

在中条山时，苏联顾问曾告诉卫立煌，什么才是真正的现代防御工事，现在第十八师团苦心营造的松山要塞，恰如对这一名词的最好诠释。

松山要塞的大小堡垒均深入地下，上面用多达三四层的树干和泥土覆盖，光积土就有一米多厚，中间再铺钢板，加上伪装巧妙，天上落的炸弹和地上甩的炮弹均难以命中，更不容易予以破坏。

高黎贡山的工事已算坚固，可是仍远远不及松山。第五十六师团在松山也做了长期固守的准备，地下有小型发电厂，可以提供照明，粮草弹药则储藏丰富，短时间内足够消耗。

“龙兵团”曾放出狂言：“中国军队不牺牲十万人，休想攻取松山！”

何绍周的头大了。

他面对的不是几道防线，闭着眼睛冲过去就行了，那是无数密密麻麻的地堡，而不将这些地堡和里面的日军一个不留地全部清除掉，就谈不上收复松山。

战争进展到这种你死我活的残酷地步，“龙兵团”已经歇斯底里，其官兵完全幻化成了一种亦人亦兽的怪物，即使明知山穷水尽，也没人肯举手主动投降。

何绍周的第八军，除在昆仑关一战成名的荣誉第一师外，其他都是黔系部队，和何绍周一样，均为贵州子弟。

在王家烈时代，黔军名声很糟，西南军队如果设一排行榜，它得排在末尾，那是标准的“双枪兵”，一打就倒。不过在成为嫡系军后，由于历经淞沪会战等大小战役的考验，加上很多黄埔军官的加入，使得其战斗力已今非昔比。

贵州人是很能爬山的，但此山非彼山，松山之上，大家比拼的是意志和坚韧，当然还有必不可少的特种武器。

第二轮进攻，何绍周投入了火焰喷射器。

火焰喷射器由一只盛装汽油混合溶液的汽瓶和皮管组成，溶液由皮管喷出后，与空气混合，会自行燃烧，从而形成一条火龙。

由于喷射器的实际射程可达四十米，所以喷火兵用不着像放炸药包一样贴近地堡，而只需在步兵掩护下，选一个射程内的适当位置即可。

在将火龙喷入地堡后，堡内立即燃烧、爆炸。

如果日本兵侥幸不被烧死，炸死，那他的下场更惨，在氧气被完全烧尽后，将窒息而亡，有人临死前甚至用手把喉咙都给抠破了。

松山上的地堡非常多，远征军只能用这样的办法让它们从眼前逐个消失。

7 月 25 日，何绍周发动第三轮进攻，经过苦战，远征军终于接近松山顶峰。

与周围极其坚固的工事相比，这里的工事最坚固，与周围极其严密的火网相比，这里的火网最严密。

母堡护子堡，子堡托母堡，轻重机枪迫击炮，加上山高坡陡，第八军连稍微靠近一点都不可能，喷火兵一时也无可奈何。

已经两个月了，松山仍不能克，中印公路也就一直处于截断状态，补给运不上去，已严重影响到腾冲、龙陵两战场的进展。

卫立煌传来蒋介石的紧急命令：限九月上旬克复松山，到期不成，团长以上全部要治罪。

何绍周穷急之下，决定采用一种十分罕见的大爆破攻坚法。

从 8 月 11 日起，工兵开始作业，分别挖出两条地道，直通日军地堡底下三十米处，筑成两间“药室”。

美国 TNT 炸药，那个时代被称为“炸药之王”，满满两卡车全都运进了“药室”。起爆那一天，整个松山山顶都被掀翻了，炸出了两个深达十五米的漏斗坑。

除了几个奄奄一息的家伙外，顶峰日军皆化成灰烬。

都这个样子了，松山之战还没完，最后还有一个由村庄、山洞组成的堡垒群。

此时，处于攻方的远征军伤亡已十分惨重，荣誉第一师的一个营竟然只有十八人还活着，等于整个营都快打光了，其他两个黔军师情形也好不了多少，这使得第八军的整体攻击力和攻击效果锐减，前线又停滞下来。

时间已到了蒋介石设定的九月大限，卫立煌急得如热锅上的蚂蚁，于是再次来到松山视察。

两卡车“炸药之王”掀翻了松山山顶

第八军的实际情形他看到了，最好就是能调一支生力军过来接替，但问题是他手中已经没粮了，再说松山战场如此特殊，重新派新部队的话，必然还有一个熟悉过程，那只能使时间拖得更长。

这位司令长官只能一个劲地给何绍周打气：“敌人已是山穷水尽、精疲力竭，你只要用适当的战术，出奇兵而攻之，松山很快就能攻下。”

何绍周唯有苦笑，奇兵奇兵，你倒是出一个给我看看。

从发起第一轮进攻起，何绍周可以说是绞尽脑汁，军校学的、战场历练的、临时逼出来的，该想的能想的，全都想过了，他真的不知道还有什么“适当的战术”可用。

卫立煌却没打算就此饶过他，回到后方指挥部后，当下就正式发给何绍周一项书面攻击命令，限期两周攻下松山。

何绍周一看，两周还是有困难，便打来电话，要求让部队喘息一下，否则攻击进行不下去，说着说着，忍不住在电话里嚷了起来，“实在不行，长官不如先把我枪毙，另找旁人来松山吧。”

战场之上，服从命令听指挥是铁律，卫立煌想不到自己连正式命令都下达了，对方不仅拒不服从，而且还敢公然顶嘴。

他冷笑着撂下一句话，“你不用着急，不服从命令，当然是要枪毙的。”

说完之后，他就气呼呼地把电话给挂上了。

卫立煌的参谋长见情形不对，赶紧给何绍周打去电话，旁敲侧击地告诉对方，“卫长官这回可真生气了，他是敢作敢为的人，别以为你叔叔是军政部长，他那一刀就剁不下去。”

何绍周意识到自己脖子上架一把冰凉的刀，再顾不得体恤他的子弟兵了。

拼了，哪怕是近战肉搏。

主攻团团长端着冲锋枪上阵，负了重伤抬下来，接着代团长又受伤，这个团最后仅余数十人，不得不归并其他团指挥。

在第八军的拼死冲击下，堡垒群逐渐消融，残余日军也所剩无几，负责驻守松山的金光惠次郎少佐以下还有八十人，而且很多和腾冲那里一样，为只手只脚只眼的残疾兵。

9月7日，第八军全歼这股残敌，完全占领松山，距卫立煌下达两周攻克的死命令，用时不到十天。

弄巧成拙

滇西反攻虽分三个摊子作战，腾冲、松山、龙陵，但前面两个可以说都是围绕龙陵来进行，因此史家又称整个战役为“龙陵会战”。

龙陵是重中之重，不然就不会派宋希濂上了。

在黄埔一期出身的将领中，宋希濂除了运气特别好以外，脑子也属于比较灵光，经常喜欢走走捷径的那一种。

攻坚战非常难打，这一点大家都知道，如果硬攻，都不知要拖到什么时候，就算孙立人在八莫采用那种“不讲理打法”，也打了足足四周。

宋希濂认为自己可以快得多。

不是吹牛，那是有经验的。兰封会战，桂永清声名扫地，宋希濂却能取而代之，都跟兰封的攻守有关，而宋希濂之所以能攻下兰封城，某种程度上，却是日军主动撤离的结果。

什么叫垂死挣扎，什么叫困兽犹斗，都跟人的状态有关，你不能把人往死里逼，弄得他走投无路，那不得跟你玩命吗？

老宋长了心眼，他在龙陵采取的是一种“网开一面”战术，即猛攻东、南、北三面，故意放开西面，这一面就是给日军跑路时用的。

很讨巧，但是运气好了，也不能说就一定不灵。

第十一集团军主力为钟彬第七十一军，包括第八十七、八十八师，其悠久历史可追溯到德械师乃至“一·二八”会战那段光辉岁月，虽然说眼下已算不上超一流部队，但在滇西远征军中绝对还是佼佼者。

加上宋希濂本人又是德械师的老军长，在两师中的威望很高，相当于是带着亲兵部队在征战，指挥起来那真是得心应手。

仅用两三天工夫，第七十一军便杀到了龙陵城郊，速度十分惊人。

6 月 10 日晚，第七十一军前沿部队进入龙陵城，还占领了日军仓库，看到好多的干粮和罐头。

太可人了这个，让传令兵带点到后方去。

这下子，有实物有证人，到处都在盛传日军从西面跑了，远征军已经完全占领龙陵。

宋希濂喜不自禁，赶紧打电话到前线查问是否属实。

军师长们正吃着缴获的牛肉罐头，随口答道：“没错，要不要把罐头给您送两罐去？”

老宋听了之后比吃牛肉还兴奋，刷刷地便写一捷报发重庆。

那阵子，无论腾冲还是松山，都没有着落，收到“克服龙陵”的消息，蒋介石的统帅部差点沸腾起来，立即向新闻界进行了通报。

但随后发生的事却让宋希濂和统帅部都目瞪口呆，且尴尬万分。

消息是假的，那不过是龙陵的第五十六师团唱的一出空城计而已。

当天晚上，退到四周山上的日军又反扑过来，城内的远征军未及提防，死伤大半，不得不退出龙陵。

“网开一面”设计得很好，我留西面，让你去那里待着，可是西面实际是平原，日军如果往西面跑，根本无险可守。

想想还要被你在后面追打，倒不如回过头来咬你了，实在不行，尚有险可据。

以往宋希濂的运气总是不错，然而这东西毕竟不是你们家亲戚，总有出偏差的时候，一不小心，眼瞅着就砸手里了。

敞开西面，却正好让敌人援兵从西面钻进来：从腾冲方向来了一千五百人，从龙陵的后方芒市又来了七百人，日军数量的剧增，使得仗越来越难打。

另一方面，由于腾冲、松山被卡，补给不能及时跟进，在粮弹难以为继的情况下，第一次攻击被迫暂停。

宋希濂万万不会想到，他要讨巧，结果却弄巧成拙，原先预想的最短时间变成了最长，直到腾冲、松山之役临近结束，龙陵之战还悬而未决。

8 月 10 日，在补给到位后，宋希濂才得以重新集结兵力，向龙陵县城发动了第二次攻击。

如果说上次没成功，是因为不小心，这次应该给足了力，但情况却显得更加糟糕。

不仅二十多天没有打下龙陵，还遭遇了第五十六师团凶猛地反扑，有的部队退回来防守都来不及，还有的差一点就全军覆没。

卫立煌收到战报十分惊讶，这个样子，分明是攻守主角要易位了，龙陵日军哪来这么大的力量？

按照卫立煌的推断，先前渗入龙陵的那两千多援军远不足以翻出如此大浪，其中必有蹊跷。

高科技是不得不信的，远征军航空队的侦察机又出动了。

连续几天拍成的照片在桌上摆了一堆，如果一张张单看，似乎看不出有什么古怪，但当卫立煌把它们平摊开，铺成一列时，立刻，一个类似于动画片的奇异效果出现了。

在芒市以南的公路上，许多树丛竟然会走路！

人走路很正常，树走路？

除非它是树鬼。

卫立煌立即命令当地游击队进行辅助侦察，侦察结果表明，“树鬼”

并非灵异现象，而是伪装的日军军车，上面覆盖着的是绿色防空网，有的还特意被漆成了丛林图案。

这么多部队秘密移动，显然是一次大规模的侵略行动，表明日军的作战意图极可能发生了重大变化。

很快，缅甸地下抵抗组织传来的情报，完全证实了卫立煌的这一推断。

时间竞赛

缅北的第十八师团，滇西的第五十六师团，均属于日本“缅甸方面军”第三十三军编制，司令官为本多政材中将。

本多政材毕业于陆大第二十九期，他和横山勇一样，是从关东军方面转过来的，而且此前也是方面军司令官。

干过关东军的，总会下意识地把自己摆到绝对精锐的位置上去，即便换了地方，也改不了人五人六的习惯。

可时势比人强，等他到了缅甸，战局急转直下，曾经威风一时的“菊兵团”竟然成了挨熊的典型，在缅北只有被人掐住脖子痛打的份。

在没有多余机动部队的情况下，本多政材唯有调整战略，由兼顾两头变成只顾一头，即在缅北由攻转守，滇西却由守转攻。

缅北那里不是不管，而是暂时不管，等把中国远征军消灭或驱出滇西后，主力再移往缅北，变守为攻，以挽救密支那及八莫。

当宋希濂二攻龙陵时，本多政材已将自己的指挥所前移至芒市，第三十三军主力和第二师团也昼伏夜行，陆续往这里集结。

现在的芒市，已成了一座不断膨胀的大兵营，龙陵守敌力量的增强，正是缘于芒市日军的增援，难怪人越打越多，总也打不完。

按照这个代号为“断”的作战计划，本多政材准备先死守包括龙陵在内的滇西，等日军在芒市集结完毕，再对滇西远征军正式发动总攻。

在把本多政材的底摸清楚后，卫立煌便与对手展开了时间竞赛。

他的角色，变成了苛刻的监工，一天到晚地催工程进度，不仅用下达死命令的方式一个劲倒逼霍揆章和何绍周，还以“上传假捷报”的理由把宋希濂给换了下去。

新任第十一集团军总司令是黄杰。

与其他黄埔一期出身的高级将领相比，黄杰的能力并不十分突出，尤其不擅应变。

长城抗战时，他在最险要的八道楼子只部署了一个连，原因是认为日军穿着大皮靴，又背着较为笨重的装备，爬山一定不行，至少会爬得很慢，没等爬到半山腰，主力部队就可以闻讯过去增援了。

没想到鞋是死的，人却是活的，日本兵换了鞋子，轻装上阵，结果直接导致八道楼子失守。

正因有这么一个缺陷，黄杰尽管资历很深，前前后后也积累了许多战功，但在变幻莫测的战场上，却常常马失前蹄。

最哭笑不得的是在兰封会战时，本来要继胡宗南之后升军团长了，黄杰自己也已在到处为之搜罗幕僚人选，不料商丘失守，最后只落得个与桂永清一样撤职处分的下场。

不过，黄杰有一点好，那就是任何时候都能保持他那老实本分的个性，即使被撸下来了，也不声不响、一句牢骚没有地顺墙脚蹲着，等到上面想起他来，又一点价不还地马上出列。

后来国民党在大陆失败，树倒猢狲散，别人都重新做了计较，只有黄杰硬是带着几万残兵跑到越南，然后在那里苦熬三年，一直等到返台，因此有人称他是“海上苏武”，后期很受蒋家父子重用，成为蒋介石在台湾的第一号看门人。

黄杰当然没有老宋那么机灵，可他不会取巧，这时候卫立煌要的就是认死理的人。

你按照我的要求，只管狠劲往龙陵打，不让它反击过来，即为大功一件。

黄杰的人生字典里，就没有“不从命”这三个字，所以只管放心。

到九月中旬，随着腾冲、松山之战结束，滇西远征军主力得以全部会拢于龙陵，而在远征军航空队日复一日的空袭下，日军在芒市的集结却十分迟缓，根本无法达成大兵团侵略作战的要求。

眼看失去腾冲、松山，龙陵也旦夕难保，本多政材的“断”计划已失去意义。这位第三十三军司令官流着眼泪，下令取消原先的总攻计划，同时从龙陵撤出一部分守备部队。

对不起，你没法“断”我，我可就要“断”你了。

10月29日，由黄杰具体指挥，滇西远征军对龙陵守敌发起致命一击。

按照事先的准备，远征军首先使用的是特种部队，所有步兵奉命后撤一千米。

三百门大炮集中射击，天上还有轰炸机投弹。整座龙陵城因此地动山摇，尘土蔽天，连隔开老远的远征军阵地都被震得像地震一样不停波动，由于炮弹实在太多，爆炸散发出的热量把空气都快给煮沸了，尽管当时还下着雨，但中国官兵却个个汗流浃背。

一时间，重武器火力网强大到了不能再强大的程度，日军连抬头喘息一下的空都没有，阵地工事已被摧毁大半。

在空前猛烈的炮火中，日本兵有的被当场炸死，有的则炸飞了双腿、双脚，变成了不能行动的残疾兵，绝望之下，这些人像接力一样，把手枪传来传去，为的是朝自已太阳穴上卅最后一枪。

可怕的特种打击结束后，龙陵城里即使没有被炸掉的堡垒，也被炮弹掀起的泥土完全覆盖，以至黄杰不得不调动工兵进行清理。

堡垒里面还有残敌，不过他们如果再待在憋闷的堡垒里，无异一死，所以情愿冲出来拼命。

远征军采用紧逼战术，前后左右地围逼，直到将这些刚刚跑出来的“土老鼠”完全消灭。

整体上摧毁容易，难的是全城搜索清理。那些零零碎碎的日本兵往往藏在瓦砾中，等你打扫战场时，就会冷不防地蹿出来，挺着已没有子弹的步枪猛刺猛扎。

如果工事对工事，冲锋枪一梭子过去，就能将这些失去理智的家伙打得通透，关键还是没防备，以致远征军常常要为此蒙受损失，龙陵只是一座小县城，但全城大搜查就忙了整整两天。

火炮集中射击让“龙兵团”无处可藏

11 月 13 日，远征军完全收复龙陵。当重庆方面确证时，已是半夜三点，蒋介石接到电话后如释重负，说我一直都不敢睡觉，等着的就是这一消息。

龙陵之战，是滇西反攻中双方耗用时间最长，投入兵力也最多的战役，日军前后死伤一万多人，远征军伤亡也接近三万。

按照中国民间的传统说法，曾被本多政材寄予厚望的龙陵光在名字上就很不“吉利”，龙陵者，埋葬孽龙之陵墓也，第五十六师团号称“龙兵团”，你说有多晦气。

“龙兵团”也确实是基本覆没在龙陵的，从那里撤出来的，只能称得上是该师团的残部，第五十六师团的番号随后便被予以撤销。

脾气最大的门生

收复龙陵后，卫立煌乘胜追向芒市。此地一马平川，无险可守，更是吃不消远征军的特种打击。

沿途日军的纵深阵地和堡垒，几乎无一不被远征军的炮空力量所摧毁。有的堡垒比较隐蔽，一时能躲过炮火，但试想一下，你成天像老鼠一样钻在既局促又闷热的工事里，光听炮响，以及感受死亡一步步地走来，却得不到与对手面对面决斗的一丁点机会，那是一种什么样的滋味？

很多日军官兵都出现了精神问题，有人干脆钻出堡垒——很可悲，外面全是炮弹，一颗炮弹飞来，半边脸都飞了。

当黄杰陪同卫立煌视察阵地时，他们看到焦黄枯枝上散乱垂挂的，都是被炸死日军的残肢。

黄杰向为老实憨厚之人，虽经无数次战场厮杀，但目睹这种无比凄凉之态，亦不免“魄动而心惊”。

日军退出芒市，再退出遮放，到了中缅边境的畹町才得以收住脚。本多政材遂授命第五十六师团长松山佑三在此统一指挥，以阻止远征军西进。

松山佑三快成光杆了，幸好他还可以调遣第二师团，这个师团是“九一八”事变的始作俑者，当年也是赫赫有名，被称为“仙台武士”。

第二师团从东北调入南洋的时候，正好碰上美军大反攻，那种海陆空的立体摧毁式进攻，打得它溃不成军，不少人都患了战争恐惧病。

在日本，第二师团几乎就是开创历史新纪元的英雄部队，轻易可垮不得，日本统帅部赶紧将其后移，转给了“缅甸方面军”。

可怜“仙台武士”并没能逃脱厄运，自从第二次远征开始后，已被拆掉了好些部分，稍比“菊兵团”“龙兵团”好些的，就是到现在为止，主力尚存。

以第二师团为底子，加上“二残”——第五十五、五十六师团的残部，松山佑三凑得一万多人，为的就是在回龙山再挣回脸。

畹町有回龙山作为屏障，山上工事坚固，再加上畹町实为日军在云南境内的最后维系，所以打起仗来既疯狂又玩命。

虽然同为美械装备，但滇西远征军远不如中国驻印军，这在装束上就可以看出来，前者一律灰衣灰帽，很多人扛的还是步枪，后者则个个头戴钢盔，基本上握的都是冲锋枪，同时在兵员补充上，中国统帅部也是优先供给中国驻印军，用飞机运过去的大多是黄埔军官和老兵，剩下来的才会考虑滇西远征军。

这在一定程度上，造成了滇西远征军的人员损耗特别大，即使有强大的特种配备，其伤亡率也基本维持在三比一，即三个中国兵才可以打倒一个日本兵。

到收复遮放，滇西远征军的伤亡已达六万多人，每个师多则千人，少的只有几百，加上刚刚补充的新兵又缺乏格斗经验，导致部队战斗力锐减。

黄杰亲临一线督战，先后调换两个师，连攻数天，都攻回龙山不下，而且，两师还伤亡过半。

日军非常狡黠，知道远征军的炮火猛烈，等你发炮时，他就躲起来，炮一停或一延伸，日军随即一拥而上，殊死反扑。

这时，已经突击上去的步兵退不下来，只能近战肉搏。一些官兵，特别是新兵或者年纪不大的小兵，在白刃战中根本就不是老鬼子的对手，连招架都谈不上，就被对方用战刀或刺刀给解决了。

黄杰在下面看得清清楚楚，目睹惨状，痛心得眼泪直流，“不要再攻了，明天再说吧”！

第二天，第七十一军军长陈明仁主动向他请战：“凡是其他部队拿不下的任务，都可以由我们第七十一军来完成。”

陈明仁，湖南醴陵人，毕业于黄埔第一期。

黄埔名将大多以“勇”著称，陈明仁算得上是“勇中之勇”。东征北伐时，生着病都能一个人爬上山头，硬是指挥一个排缴了对方一个营的枪。

攻惠州城时，身为连长的陈明仁一手拿驳壳枪，一手举旗子，率先登上城头。为嘉其勇，蒋介石在惠州亲发口令，吹三番号向其敬礼。

人的脾气总是会跟着本事和功劳一道长，陈明仁的脾气也越来越大，渐渐地都敢跟“校长”叫板了。

陈明仁的脾气和本事一样大

滇西远征军开始组编时，蒋介石在昆明召集军事会议，由于蒋氏素来注重军人仪表，因此与会者个个都穿着将军服，且一丝不苟，只有陈明仁大大咧咧、不修边幅，披着件士兵的衣服就来开会了。

蒋介石看得直皱眉，但当时也没说什么，及至他到陈明仁的部队去视察，便再也忍不住了。

这支部队哪有一点嫡系军的样子，军装全都又破又烂，简直连地方军都不如。

如果是在三战区、五战区、九战区，天高皇帝远，也就算了，可这是昆明远征军基地，不知多少美国军官和记者在这里呢，让人家看见，岂非“有伤国体”？中国军队的脸都丢得一干二净。

蒋介石让陈明仁的上司，第十一集团军总司令宋希濂去找陈明仁，当时大概也就想骂两句算了。

没想到陈明仁不在昆明，在郊区，而且神龙见首不见尾，连宋希濂都找不到他。蒋介石打了四次电话过去，都见不到人，不由得勃然大怒，立即下令将其调为第七十一军副军长。

这个调令下达，陈明仁不能不现身了。

陈明仁最初到云南时，虽官居师长，但供他指挥的部队，却有三个步兵师，还有一部分炮兵，明摆着就是要升军长的。现在成了副军长，显然是明升暗降，陈明仁心里十分不甘。

等蒋介石第五次召见时，这哥们便准备大闹一番，临走时还特地关照家人，“我这一去，或许不能再回来了”。

有了这番决心和气势，陈明仁连通报这道程序都省了，直接闯过门卫和侍从室，一路咋咋呼呼地跑进蒋介石的会客室。

蒋介石闻讯，倒没有大发雷霆，反而态度非常安详和蔼，跟陈明仁会面时还说了一些安慰的话，这倒很难让人发作了，毕竟师长变副军长，是升而不是降。

千不该万不该，谈话临近结束时，蒋介石画蛇添足，多了一句嘴，"你这个师长没有做好，希望以后多努力"。

陈明仁心头的那股无明火，腾地就被这句"好话"给点燃了。

说什么呢，我哪个地方没有做好？是打仗不好，还是训练不好？每次作战，你都说我打得好，训练也不错，你还亲自发电报嘉奖过，怎么今天突然一下子全变了？

蒋介石被他噎得张口结舌，沉默好久，才道出实情："你的部队的衣服没有穿好。"

这话不说还好，一说陈明仁更生气。

"是，我承认，我的部队衣服没有穿好，可这不能怪我，只能怪你！"

自陈明仁进门后，蒋介石一直保持着"校长"的风度，听到这句话，却也来了气，"什么？你还怪我，凭什么？"

陈明仁既然敢闯"白虎节堂"，就没什么可顾忌的，"衣服是你发给我的吧，你知道那衣服的质量有多差，说是可以穿两年，实际一季都穿不到，有的一个星期便破了。就这料子，还只发四成新，六成都是旧的。"

这一棍，可算是捅到了蒋介石内心最痛的地方。

抗战打了七年，中国后方经济已经困窘到需要四处求爹爹告奶奶的地步了，试问他还有何能力再给部队添置挺括的新装？

但这又关系到"国体"，平时是不能说也不能承认的，蒋介石理屈词穷，一再坚持"决没有这样的事"。

话说到这份上，已经相当不给人面子了，但陈明仁吵吵巴火地还是不肯罢休，"我说的这些事都有账可查，绝非捏造"！

蒋介石眨巴眨巴眼睛，忽然回过神来："我看过在滇的所有部队，大家发一样的衣服，可没有哪一支像你的部队穿得那样烂。"

陈明仁却还有话说。

“那是他们想拍你马屁，糊弄你，我可不会这么做，我是有什么穿什么，绝不会学矫揉造作的那一套。”

蒋介石很无语，只好说：“就算衣服质量差一些，你也可以想些办法，没必要弄得这么难看吧。”

陈明仁今天就是打定主意来闹事的，给台阶他也不下，“巧妇难为无米之炊，我家里又没有钱给士兵重做衣服，当然是你发什么，我们便穿什么。”

蒋介石不是一个很善于争辩的人，面对眼前这个“铁齿铜牙纪晓岚”，只得翻来覆去重复一句话，“总之你不行，总之你不行……”

后面这句话没有哪个男人不忌讳，陈明仁气极，也不顾一切地跟着嚷嚷，“我认为我什么都行，就是行，就是行……”

陈明仁本来是穿一身将军服来见蒋介石的，你不是就是喜欢看这副行头吗，吵着吵着，他怒不可遏，竟然当着蒋介石的面，把中将领章一把扯下，扔在地上。

不干了，这是什么中将，我不要这个官了！

侍从们及时跑过来拉架，两人的嘴仗还没有结束的时候，经旁人一劝，陈明仁才从高速公路飙车般的亢奋中冷静下来，发现自己确实玩得有些过火，所以蒋介石示意让他回去，他也就闭起嘴巴，乖乖地离开了。

回家后，陈明仁以为蒋介石要追究他，做好了吃牢饭的准备，没想到一个星期后两人再见面，蒋介石不但对争吵一事只字不提，还问长问短，甚至问陈明仁最近看些什么书。

倒是陈明仁熬不住，表示自己上次在态度和言辞上多有失敬的地方，请对方原谅。

蒋介石一听，一边摇手，一边说：“那是没有关系的。”

这句话，连说了三遍。

自此，陈明仁在黄埔一期生中可算是出了名，说他是蒋介石身边“脾气最大的门生”也不为过。

宝刀屠龙

蒋介石既能在民国乱局中成就一番事业，就不会是无量之人，在用人御将方面自有他的一套章程。

一名战将，如果对官阶荣辱完全不在意，那未必是好事，除非这个人有更高一层的境界，否则只能说明此人已暮气沉沉，身上不再具备搏杀战场所必需的冲劲和闯劲。

蒋介石能对陈明仁的“大不敬”既往不咎，当然是有所期待的，而这位勇将也很快以实际行动做出了回报。

第七十一军军长原先是钟彬，收复龙陵后，钟彬奉调去青年军，陈明仁得以正式升为军长，有了进一步施展抱负的机会。

陈明仁主动请战，黄杰知道这位仁兄很能打仗，因此十分高兴，可这时他却遇到了一件非常烦心的事。

新任中国战区参谋长魏德迈起初判断畹町的日军只有五百，他不明白为什么几天过去了，还是拿不下这区区五百人，因此对滇西远征军很不满意，甚至认为中国军队是在消极怠工。

他通过联络官直言不讳地告诉黄杰，说航空队经费需要美国纳税人掏钱，你们远征军不卖力，空军以后恐怕不能再配合作战了。

不管黄杰怎么解释战场的实际情况，对方就是不相信，并且问下面还有谁能担当进攻之责。

陈明仁就在黄杰身边，腾地站起，“我，陈明仁!”

老美把眼光转向着眼前这位中国军人，继续问道：“那么，陈将军，你们哪一天可以拿下回龙山?”

陈明仁答：“我的部队明天到达，后天接防，第三天攻下回龙山。”

联络官不再说话，在场有个著名的美国记者白修德，当即追问：“你对此是否有确切把握?”

言下之意不要信口开河。

陈明仁瞟了他一眼，斩钉截铁地答道：“如果当天不能一举成功，便只有一种可能，那就是我与我的部队都已经战死在回龙山了。”

白修德闻言，不由得耸肩伸舌，在惊讶的同时，也表示不能完全相信陈明仁的话。

太能吹了，这家伙。

陈明仁不是吹，他确实有把握。

1945年1月9日，第七十一军正式接防，但首先进攻的不是回龙山，而是附近的三台山，连远征军航空队的飞机也跟了过去。

松山佑三迅速把主力集中到三台山。

他中了对手的调虎离山、声东击西之计，第二天凌晨，陈明仁突显峥嵘，下重手猛击回龙山。

三批轰炸机从上空飞过，轮番进行俯冲扫射，随即是炮兵出击。

这一次，陈明仁准备了足量的炮弹，从早上轰到下午。不过炮打得很离奇，在行家看来，都不在一个调子上，有时长时间大面积地进行连续射击，有时急射一阵又突然停下来，有时则阴一炮、阳一炮、前一炮、后一炮，变戏法一样地倒来倒去。

美国联络官和那个叫白修德的著名记者都在观战，准备“见证这一伟大时刻”的到来，可看来看去，越看越乏味，乃至昏昏欲睡。

最让他们感到郁闷的是，本来准备冲锋的士兵竟然全都松松垮垮，一副满不在乎的样子。

这也太膈应人了，难道你们不想攻取山头了？

白修德一看手表，都下午三点了，离天黑还有两三个小时，这还要瞎折腾到什么时候。

他开玩笑地说：“但愿上帝将太阳拖住，不要让它溜下山，否则，陈军长可就难以自圆其说了。”

“陈军长”今天却是要将他的诈术进行到底。

这次炮击之所以显得那么古里古怪，原因是炮兵已全部改由负责冲锋的步兵指挥官进行指挥，让发射就发射，叫延伸就延伸。

开始一放炮，日军就紧张，可是炮一停，发现远征军却并无要立即冲上来的迹象，况且炮又打得那么杂乱无章，毫无“专业水准”。久而久之，日军就以为对方是佯攻性质，完全不放在心上了。

由步兵来指挥炮兵，难怪这么乱

时间一分一秒地过去，低头一看，已是下午四点多。

美国人脸上都是一副哭笑不得的表情，照他们看来，恐怕连上帝都救不了那个吹牛不上税的大嘴“陈军长”了。

陈明仁给前线打去电话：“时间就是胜利，我们的身家性命就决定于这最后时刻。”

按照陈明仁的命令，炮兵集中火力向回龙山迅速发射，其中三分之二火力射击敌堡，三分之一火力断其后方。

紧接着第七十一军便发起冲锋，这时炮声仍然不停，而是将原先射击堡垒的三分之二火力完全移向后方，从而成功地阻止了日军反扑。

刚才还一副懒洋洋神态的步兵，忽然像川剧变脸一样蜕变成了另外一群人，他们杀声震天，吼声如雷，转眼间就冲上了回龙山顶，并且用手榴弹纷掷的方式，把山顶残留的日军炸得血肉横飞。

下午五点，远征军占领回龙山，此时天还未黑，陈明仁没有食言。

打了一天“百无聊赖”的炮，奠定胜局的却是最后十分钟，中国将领的指挥才能和滇西远征军的战斗精神，让美国“观战团”目瞪口呆，并且赞叹不已，白修德还专门就此写了一篇通讯报道。

宝刀屠龙，谁与争锋？回龙山之战成为整个畹町战役的转折点。

除回龙山外，畹町还有其他高山和工事，有的工事据说比松山还坚固，黄杰在进攻前，曾预料即使攻克，也会出现重大伤亡。

经过回龙山之战，滇西远征军在美国人心目中又有了地位，美国联络官反过来劝说黄杰：“千万不要对堡垒硬冲，只要发现日军，我们就派飞机来炸，没事的！”

飞机来炸了几次，却发现对方根本没有对空还击，而这在以往是从来没有过的事情。

前线部队觉得奇怪，就派侦察兵前去一探究竟。

侦察兵小心翼翼地摸上去，在堡垒前没看到鬼子，再钻进去，也没有。

远征军迅速追击，一直追到畹町街上，也没有见到一个鬼子兵。

日军撤了，或者更准确一点说，是溃退了。回龙山一战，已将松山佑三师团长和他的官兵们固守畹町的意志摧毁殆尽，乃至过去只有败退的中国军队才有的大崩溃也现身在他们身上。

前线的日本兵连中国军队的影子还没看到，就纷纷拼着命往后跑，无论“仙台武士”，还是“二残”，都一个衰样。谁要是倒霉晕倒在路上，哪怕你还有气，身边的同伴们也会毫不客气地扑上去，把你身上能吃能穿能用的东西全部扒光。

浑身光溜溜的可怜虫们，醒过来后只能祈求中国兵早点杀过来，这样或许还能救他们一命。

日军将在缅北和滇西的溃退之路称为“靖国街道”，等于说是进靖国神社可以开后门、抄近路了。

1945 年 1 月 27 日，中国远征军、中国驻印军会师于畹町附近的芒友，第二天，被称为“到东京之路”的中印公路得以完全打通。

第十五章

烈焰中的军旗

中国的跨国远征，却仿佛是一次巨大的冒险。

第一次远征，失去了整整六万精锐，国内第一支机械化部队的所有辎重装备损失殆尽，作为王牌部队的老第五军从此消失。

第二次远征，又是几十万主力进入云南和印度，经过大战，中国总预备军中训练及战斗力良好的部队，几乎完全消耗于缅北滇西两战场。

当重兵远征，主力他调，国内战场终于刮起了远超人们想象的暴风雨。

山水有相逢

1944年初，时任"华北方面军"司令官的冈村宁次给自己卜了一卦。

给他占卜的这位"算命大师"在日本很有名，据说每年都给日本的商界名流预卜一年吉凶，当然不是每次都灵，而是有时灵，有时不灵。

不过，对于靠算命吃饭的人们来说，这一成绩也已经不错了，就跟打仗一样，一个人一辈子能有百分之五十的胜率，足堪"名将"。

"算命大师"煞有介事地鼓弄一番，留下两条卜语，其中一条是：战局迄今虽无大变化，但年中至秋季将有进行大战的迹象，作战方位似在西南。

占卜后，冈村却没当一回事，因为这位被彭德怀称为"历来最厉害"的华北日军司令官，自发动"五一大扫荡"后，就使八路军转入了极度被动。在他看来，百团大战那还是好久以前的事，眼前根本就不可能有什么"大战的迹象"。

1944 年 2 月，冈村接到日本统帅部的一项最新命令，不由得大吃一惊。

占卜应验了，根据命令，日本即将在关内发动一场超规模大战，而北方指挥官就是他本人。

此次大战代号为“一号作战”，是想趁中国发动跨国远征的机会，打通大陆交通线，以便将南方战略资源运往日本，维持其战争机器的运转。

对“一号作战”，日本统帅部是下了血本的，先后共动用十九个师团，兵力超过“七七事变”以来的任何一次。

既然要打仗，就要有新兵进行补充和守备交接，为此，日本国内进行了一次大规模动员，共动员五十一万人，超过日俄战争的两倍，称之为“亘世纪之大远征”。

这样的命令，冈村盼得很久了。

他是一个实力论者，向来就反对搞什么诱降，连引诱汪精卫都觉得没意思。

诱什么诱，你把“重庆军”都打光了，蒋介石还有什么实力跟我们对着干？

到现在才下这样的决心，实在太晚了。

可是晚下总比不下好，何况如果没有中国的远征，冈村怕是连这样的机会也不一定能捞着。

冈村的任务是渡黄河、取河南。

那年中条山战役后，中国统帅部就对豫省境内的第一战区进行了改组，由蒋鼎文、汤恩伯分任正副司令长官。蒋鼎文是早期中央军“老五虎”成员，但冈村并不在意，他重视的仍是汤恩伯。

在冈村担任武汉第十一军司令官期间，汤恩伯始终是其最大劲敌之一，从武汉会战到随枣会战，这对中日的超一流武将两度交锋，冈村都未能领先一招半式，成为他离开武汉时的一块心病和遗恨。

山水有相逢，我们又见面了。

日本将帅里面，冈村向以信任幕僚、放得开手脚著称，平时只抓大事和决断，作战计划均由参谋们负责起草，很少插手，但这次他一反常态，破例专门对属下进行了一番交代。

冈村所说的，是对汤恩伯的了解。

知道汤恩伯是一个什么样的人吗？我告诉你们，这是一个非常勇敢而且具有很深战术素养的支那将军。

他喜欢打运动战，随枣会战的时候，我曾猛攻他正面的一角，当时已经把他的一部分军队包围了起来，你们猜怎么着，他竟然敢亲率主力进行救援，并乘隙使第十一军陷入重围，为此，我们的军队受到了不小损失。

没有人天生喜欢打败仗，当冈村"复盘"的时候，心里显然是相当不好受的。

幕僚你看看我，我看看你，心里也不由得发了毛。

汤恩伯如此神出鬼没，抓又抓不住，逮又逮不着，一旦出现，还能打得你飘啊飘，这次别又重蹈覆辙吧！

冈村似乎胸有成竹，"我自有计较"。

拿过作战计划草案，冈村指了指其中一支特种部队的编制：暂时隐藏起来，不要予以使用。

因为它将是战胜汤恩伯的独门秘技！

"虎师团"

1944 年 4 月 18 日，"华北方面军"所属第十二军突然自黄河铁桥强渡新黄河。

这座黄河铁桥原来是平汉铁路的重要枢纽，早在花园口决堤前就被炸掉了。战前，日本从关东军方面调来专用器材，用三个月时间完成修复，同时还在黄河岸边建立了一座小桥头堡。

由于自中条山之战后，黄河岸边皆无大的战事，乃至铁桥修复和桥头堡的出现，都未能引起第一战区的足够重视，以此埋下巨大隐患。

日军在发动强渡时，正是以这座小小的桥头堡为据点，确保了军队和辎重得以快速通过。

4 月 29 日，第十二军已兵临许昌城下。

日本人对中国的"四大名著"，最熟悉的莫过于《三国演义》。第十二军司令官内山英太郎中将就是在宜昌反击战中曾被陈诚打得差点剖腹自杀的那位，他起初认为，许昌是三国以来著名的“军都”，曹操发家的地方，汤恩伯可能就在这里，因此不惜动用三师二旅团来围攻许昌。

素来行踪不定的汤恩伯恰恰不在许昌，在获悉许昌被围后，他曾派三个军前往救援，然而都无法进入内线。

许昌已成孤城，但即使这样，城池也不是那么好攻的。

守将吕公良，毕业于黄埔第六期，这是一个非常讲究军容风纪的战将，据说人热天上衣扣总是扣得整整齐齐，寒冬腊月也从不把手伸进裤袋中取暖。

吕公良治军也很严格，幕僚常称他有当年曹操在许昌割发代首的风范，他则坦然言称：“我没有曹孟德那样的雄才大略，却一定不会像曹操那样叛汉不忠，在抵御外侮的战争中，我会尽一个军人的天职。”

有其将，必有其兵，吕公良的新二十九师只是个新编师，力量并不强，但他们在面对日军重兵围攻时，仍表现出了超常的勇气和作战意志。

当战斗进入白热化时，军官们身先士卒，肠子打得流出来都不肯稍有退却，团营长直接拿大刀将冲进城内的日军砍倒在地。

一天之后，内山司令官发现自己的部队伤亡在不断增加，而守军却异常顽强，没有丝毫要撤退的迹象。

内山曾担任关东军炮兵司令官，多次尝试过将炮兵前移直接支援步兵的打法。进攻受挫后，他将山炮推前，进行直接瞄准射击，这样许昌城终于被打开了缺口。

城池眼看守不住了，5 月 1 日，汤恩伯同意吕公良分路突围。

突围前，吕公良眼含眼泪，下令将本师军旗予以烧毁，以免落入日军之手，使部队蒙受耻辱。

包括吕公良在内的高级军官后来大多在突围中阵亡，日军为吕公良建了一座墓，当新二十九师被俘士兵路过此墓时，全都伏地痛哭，看守他们的日本卫兵亦无法禁止。

冈村说过，要知道汤恩伯究竟在哪里，唯一的办法就是包围其分属部队，到时他不可能不去救。

汤恩伯要救许昌，就不能不与吕公良进行电报联系，其电报全部被冈村截获并破译，而正是这些电报暴露了汤恩伯的作战计划和所处位置。

汤恩伯的真正意图是，将汤集团一分为二，包括吕公良新二十九师在内的南集团负责在许昌牵制日军主力南进，作为主力的北集团则从登封山区攻向郑州，那里是内山第十二军的侧背，兵力薄弱，可一击即中。

原来汤集团主力在登封，而且已握有胜券。

这一战策毫无疑问是可以让冈村看到心里发凉的。如果它能顺利实施，汤恩伯就算救不了许昌，也完全可以从背后打到他狂吐鲜血。

冈村立即转换策略，下令内山在攻下许昌后，仍遣部分兵马沿铁路南进，以麻痹汤恩伯，同时“华北方面军”主力却悄悄地向登封疾进，以包围汤恩伯北集团。

起初，日军在登封山区的作战过程并不顺利，且连遭打击，其中汤恩伯第十三军的战斗力再次给冈村留下了深刻印象。

第十三军装备上乘，每连有四到五挺捷克式轻机枪，每团还有十二挺重机枪，所以他们作战时，喜欢先将日军吸引到阵地前，然后再使用正面及交叉的浓密火力进行杀伤，劣势的小部队一旦被其夹住，几乎就是死路一条。

除此之外，这支部队还拥有精锐主力通常具备的那种傲气。在撤退时，已负伤难以行走的官兵，为了不致被敌所俘，宁愿以手榴弹集体自杀，而一般的中国军队通常是难以做到的。

相持不下，就得用绝招。

这个绝招，冈村早就准备好了，那就是他在修改作战计划草案时隐藏的特种部队：战车第三师团。

这支重甲兵团其实早就过了黄河，但冈村始终把它隐藏在郑州以北，为的就是等汤集团主力露面。

在很长一段时间里，日军坦克都是分属各师团使用，即使南昌会战时，冈村首次组建战车集团，也只属于偶尔的灵光一现。

后来，德国在欧洲发动闪击战，日本派陆军视察团跑去一看，舌头全伸了出来。

太带劲了，跟人家一比，我们简直是小巫见大巫啊。

赶快合并，坦克再也不一辆一辆用了，得聚一堆使，这便是“战车师团”。

战车第三师团被称为“虎师团”，原先一直驻包头，是准备对苏作战用的。南昌会战时组建的战车集团有一百三十五辆坦克，那已经令人咋舌了，战车第三师团拥有的坦克数量则达到两百二十五辆，而且坦克的厚重、速度、火力均为以前所不及，一辆坦克可携带七十发炮弹，在平原之上几乎没有敌手。

“虎师团”与另一支隐伏的骑兵旅团加入攻击后，突然截断汤集团的后路，战场形势立刻大变。

“虎师团”的出现改变了河南战局

5月8日，在主力部队陷入四面包围的危急情况下，为免全军覆没，汤恩伯只得下令突围。

这时的突围却变成了一场谁也料想不到的悲剧兼闹剧。

从1942年到1943年，河南连续两年爆发大灾，这时正好抗日后方在经济上也难以为继，结果导致这么一个穷得透底的省份，不但得不到赈济，反过来还要负担几十万军队的给养，由此弄得赤地千里，哀鸿遍野，军民关系也极度恶化。

河南省政府由此指责汤恩伯是罪魁祸首，甚至把他列为“水灾、旱灾、蝗灾”之后的第四灾，谓之：汤灾。

其实，汤恩伯并非军政一把手，那么多军队，汤集团也仅是其中的一部分，说“汤灾”多少有些夸张的成分在里面。

这只能说汤恩伯自个儿把自个儿的形象给糟践了。

常言说得好，民不患寡而患不均，同是名将，薛岳、张自忠在个人生活上从来都艰苦朴素，老百姓就是再苦再穷，看着气顺，也就不会说什么了，偏偏壮汤在这种民不聊生的情形下还忘不了摆排场，老是拿美国将领的标准来宽容自己，他自己越吃越壮，部下们也上行下效，丧失民心就成了必然。

当汤集团突围时，几乎每个村庄都在向他们开枪，骡马受惊了四处乱窜，那些抓来的壮丁也乘机脱逃，部队整团整营地损失，汤集团内外交困，几乎临近覆没边缘。

最值得庆幸的却是日军的封锁线出了问题。

内山英太郎擅长步炮协同，但他此前对坦克战车一窍不通，更不掌握步车协同以及如何集中使用坦克部队。

他让战车师团长时间在公路上来来回回巡逻，以为这样就可以遮断汤集团的退路，却不知道坦克战车再多也有限，哪里能把公路都关照得过来，只好一辆辆排在路上，既不开灯，又不开炮，眼睁睁地看着汤集团从缝隙中一穿而过。

内山着急，说你们看到了怎么不出击啊?

“虎师团”气得嘴都歪了，“集中不得有时间啊，再说你让我们不停地来回走动，汽油也消耗得差不多了，想跑也跑不快呀。”

拜内山失误所赐，汤集团得以突出重围，并撤入豫西的伏牛山区，但已元气大伤。

汤恩伯与冈村宁次三次交锋，第三次终于败给了老对手，当然也可以说是败给了他自己。

在突围时，汤恩伯身边只剩一个特务连，所带的电台也丢掉了，情形狼狈至极。他越想越伤心，越想越懊恼，每次涉水过河，都忍不住号啕大哭。

事后检讨，汤恩伯主动揽过了失利的全部责任，乃至常常“面有惭色”。

办公室法则

对打败汤恩伯，冈村可以说是喜不自胜，比他当年攻下武汉或策划南昌会战还得意。

“我这一战，足以让汤恩伯永不能翻身。”

可是旁边却有人跟他唱反调，唱反调的这个人说：“不对，汤集团主力并未被消灭，不过是躲进伏牛山区去了。”

这话真的是让人听不下去，不等于说我白忙活了吗？

一看，说话的却是第十二军司令官内山英太郎。

内山以前给人的印象，就是那个躲在宜昌城里被陈诚往死里揍的可怜虫。现在不仅可以独当一面，还能击溃连冈村都为之发憷的汤恩伯，那感觉岂一个“爽”字了得。

一个人开始飘飘然，他就不知道自己是谁了。冈村说这样，他就偏偏说那样。

5 月 10 日，冈村向内山下达了前去围攻洛阳的命令，后者不仅是豫省重镇，还是第一战区司令部所在地。

本来要第十二军集中包围洛阳的，内山却自作主张，把一个师团调往豫西，说是去伏牛山区追击汤恩伯了。

“我说过嘛，汤恩伯主力还在，不追怎么可以？”

第十二军一共才四个师团，这么做肯定分散了力量，但对部下的违令而行，老冈村却又无可奈何，倒不是他的涵养有多高，而是不得不如此。毕竟内山已不是武汉会战时“最弱师团”的师团长，你怎么挥来使去都可以。

“华北方面军”能否在“一号作战”中建功，可就全部仰仗着这个第十二军呢。

冈村只好自己想办法，除临时从驻山西的吉本第一军调来八个步兵大队南下参战外，还将军直属的第六十三师团派来洛阳，以弥补兵力上的缺口。

内山以为冈村是好心，等接到下一个命令，却把他给气得够戗。

第一军在西，第十二军在南，一家负责堵一面，只能干看着。洛阳以北是黄河，那是绝地，最后进攻那一面留给了第六十三师团，师团长野副昌德中将成了攻城指挥官。

说来说去，谁也不是圣人，那两条办公室法则任何时候任何地点都不会改变。第一条，上司永远是对的；第二条，如果上司错了，参照第一条执行。

冈村的所谓胸怀纯粹就是装出来的，你惹了他，不给他面子，他同样会很难受，同样会多少给你点小鞋穿穿，只不过不会做得像寺内寿一那样难看罢了——你小家雀真的以为能斗过我老家贼?

为了明捧野副、暗贬内山，冈村真个是煞费苦心，那洛阳城外已被堵得严严实实，他仍担心出现闪失，又把军直属的野战重炮兵全部派过去，还让飞机进行配合，跟全勤保姆一样上蹿下跳，忙得不亦乐乎。

洛阳城外千军万马，城内却只有武庭麟第十五军的三个师。

第十五军实质上是杂牌军，原来只辖两个师，都是从中条山退下来的，而且打那以后，兵员武器一直没能得到补充，为了守洛阳，第一战区临时才紧急调来了一个中央军系统的步兵师。

看上去，洛阳守军的实力似乎并不怎么样，冈村如此大动干戈，是因为他破译了蒋介石统帅部发给蒋鼎文的电报，上面明确要求坚守洛阳。

冈村非常清楚中国军队的纪律，但凡规定哪里要坚守，主将都必须死扛到底，没有上级明示绝不敢轻易撤离。

这样一来，势必增加攻城难度，同时，作为中国通，冈村也有别于一般的日本将领，他知道洛阳是文化名城，担心把这座城池打烂了会影响自己儒雅之将的名声，因此他起先采取的是围而不攻之法。

你不管守多久，总是要撤，而且肯定是往后，也就是朝西面撤，冈村在洛阳城西预伏的第一军八个大队，就是等在那里收网的。

正面作战不能轻易言退

冈村知道武庭麟不会降，也不会提早撤守，所以想用心理战的方式来“请君入瓮”，他通知野副，围个十天再攻洛阳。

按照冈村的吩咐，野副在围城期间，先是让洛阳白马寺僧人送信，再拿扩音器喊话，甚至派飞机撒传单，反过来复过去地“劝告”守军不做抵抗，开城投降。

武庭麟完全不予答理，既不投降，也没有如冈村希望的那样撤离，而是在城北的邙山设立了主战场。

你们不是口口声声要保护古城吗？好，我们就在城郊大战三百回合再说。

野副一瞅乐了，这个傻瓜，我就怕攻城困难，他偏偏还要出城决斗，凭你那小样，能挡得住我这么多兵马？

机会啊，不抓住就迟了。

姜还是老的辣

5月19日，野副不等十天到限，就迫不及待地提前对邙山发动侵略性进攻。

这一天，地上的野战重炮兵、天上的轰炸机都跟着凑热闹，第六十三师团也哇啦哇啦地叫着往山上爬，好像立马就能把邙山拿下似的。

一天下来，不仅邙山阵地纹丝不动，日军还遭遇了很大伤亡，一个步兵大队差点被打散架。

冈村称得上奸猾无比，野副也是一个见便宜就上的货，可他们全都上了武庭麟的当。

武庭麟是一位老将，民初就出来混了，打过的仗比走过的桥还多。人家那智慧才叫真智慧，一条条都告诉他怎么生存，没有哪一条是从军校的书里面生吞死背下来的。

他诱野副去决斗的邙山阵地不是一般阵地，此地经六年时间苦心经营，后期还有美国军事顾问进行指导，山上有相当多的钢筋水泥暗堡，每座暗堡里不仅能容纳数十人，堡与堡之间还能通过电话进行交叉配合。

第六十三师团在进攻时，只能从村庄或麦地里向上运动，中间还得通过铁丝网和布雷区，山上暗堡里的守军却是安安心心，一扫一大遍。

冈村的面子搁不住了，就跟当初对待“最弱师团”一样，他首先检讨的不是自己战术对不对，而是当兵的卖不卖力。

幕僚们倒是熟知主将的这一习惯，马上指出，第六十三师团是一个以混成旅团为基础编成的“速成师团”，此前只能在北平地区担任治安队的角色，根本就谈不上有什么正规作战的经验。

冈村顺坡下驴，从其他“非速成师团”调拨了两个步兵大队到洛阳，归野副指挥。

野副第一天就考砸了成绩，自己也很着急，恨不得把脑袋盖打开，直接从里面捞条锦囊妙计出来。

邙山攻不下来，干脆还是攻洛阳城去吧。

武庭麟把最强的那个嫡系军步兵师摆在洛阳城，而且城头同样筑有各种碉堡，城外还有交通壕，日军被打死七百多人，却仍然没能进得了城。

野副像个没头苍蝇一样，一看城里进不了，转过头又去爬山了。

爬不上去，便想玩一招地空协同，结果一慌乱，轰炸机没炸着守军，却把炸弹扔到他的第六十三师团阵地里去了。

指挥官也出了问题，这回连幕僚都等不及，直接建议把野副给换下来。

理由当然还是本人有问题——野副原先不过是关东军里的守备队队长，负责跟东北抗联这样的游击队兜圈子，打正规战实在不是块材料。

野副成了扶不起的阿斗，冈村只好又让内山负责指挥。

冈村表面上把责任都推在可怜的野副身上，心里却很有数：换谁，洛阳也不是那么好攻的。

事实上，战前他曾用空中照相、地面侦察等多种方式，对洛阳的守备阵地进行过研究，深知城池之固。

还是得用那个绝招，让战车第三师团随同作战。

几天后，借助“虎师团”的迂回绕击，日军已逐步侵占了邙山阵地的诸多要点。

武庭麟一看情况不对，赶紧下令第十五军撤入城内。

内山在围攻汤恩伯时，对步车协同战术还不熟练，吃了亏后一招一式才像那么回事。

洛阳城外筑有很多防坦克壕，日军就以坦克掩护步兵，步兵用炸药将防坦克壕的陡壁炸成斜坡，使坦克得以越壕而过。

利用步兵和坦克的这种配合，在城墙也被炸开缺口后，“虎师团”得以冲入城内。

5 月 24 日，第十五军已到最险时刻，城池是注定守不住了，在没有反坦克炮的情况下，打巷战也支持不了多久，只有撤离洛阳城。

冈村激动得不行，他预料武庭麟必定会往西撤，那样将落入吉本第一军的伏击圈中。

可是出乎意料，武庭麟却选择了往东南突破。

东南是日军后方，那里全是一些后方医院和兵站，最多也不过是一些小部队，而武庭麟第十五军此时主力尚存，力量很足，一冲就把这些鸡零狗碎全给冲垮了。

他们要去的地方是登封，汤恩伯折戟所在，曾经是最危险的地方，如今却是最安全的所在。

进入登封山区后，武庭麟收拢部队，这才西进寻找一战区大部队。

当第十五军到达豫西时，由于队伍不整，枪支杂乱，有的友军还看不起他们，不允许其从大道上通过，而让他们绕道从河滩上走。

武将军很生气，大声说："只要河滩上有路，还不至于把活人给憋死。"

说完，他带头大步向河滩走去。

武庭麟以孤军守洛阳，坚持了近一个月时间，还能保持主力基本完整，依靠的完全是一个热血老军人才有的智慧、冷静与担当，在当时的河南各军中，无人能及。

中坚兵团

第 战区司令长官蒋鼎文见到武庭麟后，感慨万千，他称赞第十五军在洛阳保卫战中立了大功，应当受到尊敬。

随后，蒋鼎文的一句话听来却意味深长："我蒋鼎文是有罪的，对不起国家，应当受到谴责。"

第一战区是一个大战区，光军编制就有十七个之多，其中，汤恩伯指挥一半，蒋鼎文指挥另一半，前一半是汤集团或挂在他的名下的部队，后一半主要是杂牌部队，因为汤恩伯以擅长"吞并"杂牌著称，这些杂牌都怕他，不肯由其统率，而宁愿归蒋鼎文节制。

本来这两半能配合好，局面会大不一样，可是汤恩伯和在五战区时一样，人很直，就是脾气不好，老是跟上司顶牛，顶来顶去，蒋鼎文也就不管他了。

杂牌们则是另外一副心思，想想天塌下来，总有汤恩伯这高个儿给顶着，那壮家伙才是唱大戏的绝对主角，自己只能在戏里演配角，也就乐得个清净，乃至当汤恩伯被围登封时，蒋鼎文所辖的那另一半人马竟然全都坐而望之，不予援救。

他们全都忘记了中国的一句古话，叫做“覆巢之下，焉有完卵”。

等到汤恩伯败走伏牛山区，天真的就塌了下来，大家被各个击破，没一个不吃败仗的，这时候才后悔莫及。

5月21日，第三十六集团军总司令李家钰因遭日军伏击而阵亡，成为继张自忠之后第二位战死沙场的集团军总司令。

豫中会战结束后，蒋鼎文因战败遭到撤职处分。

眼见第一战区陷入困境，第八战区副司令长官胡宗南立即调集五个军，在作为潼关门户的灵宝摆开三线防御。

从5月27日到6月1日，胡宗南不仅守住了黄河防线，而且发动全线反击，歼灭了吉本第一军一个大队。

原驻山西的吉本第一军本来不在豫中会战计划之内，临时拨出的这八个大队也只是想在洛阳以西伏击守军，捞点现成便宜，可是苦守多日，连个毛没等着不说，再攻黄河防线又损失一个大队，十足地赔了夫人又折兵，这让司令官吉本贞一中将大动肝火。

不打垮胡宗南，我就不回山西了！

凭吉本第一军的那点人手，自然还是搞不定，需要“华北方面军”再调兵增援，但豫中会战持续一个多月，吉本后来尚不觉得累，内山却已疲惫至极，他的第十二军不可能再跟过来瞎凑热闹了。

冈村想来想去，只能再次动用战车第三师团。

在登封和洛阳两战中，冈村都是依靠战车师团才得以迅速扭转局面，这次他和内山都以为，坦克战车一到，好运自然来，可是“中坚兵团”的坚韧善战却让“虎师团”大出洋相。

冈村在华北期间，曾注意到共产党领导的八路军与国民党军队的不同区别。具体而言，八路军是大部队、小部队水平差不多，要强一道强，没有说谁特别弱一些的，国民党军队却是个大杂烩，里面强弱悬殊非常大，几乎就是一天一地。

在与冈村打过交道的中国军队中，最强的是三大“中坚兵团”，即王耀武第七十四军、汤恩伯第十三军和胡宗南第一军。

换句话说，只要你打掉这三大兵团中的任何一支，该区域的其他部队皆不足为虑。

黄埔一期生中，胡宗南是升至战区级高官的第一人，他在练兵治军方面确有同僚难及之处，昔日他训练出来的第一军曾于中央军部队中独占鳌头，等到淞沪会战中几乎被打光，若干年来后竟又能拿出一个新的第一军，而且同样可以居于超一流部队之列。

胡宗南第一军依托灵宝山区，用地雷和反坦克炮对战车第三师团进行阻击，该师团的坦克战车被毁掉三分之一，一时难以前进。

跟着坦克一道进攻的日军步兵大队在失去掩护后，伤亡达到一半，大队长先后被击毙或受重伤，一天之内换了三个，最后实在没有合适人选，只得由炮兵中队长临时充任指挥官。

地雷不光炸坦克，也炸步兵，不光炸普通步兵，还炸当官的。吉本手下的少将旅团长木村千代太少将不慎踏中地雷，整个人被炸得跟车祸现场一样，当场一命呜呼。

坦克集团化在平原作战中能起到关键作用

吉本司令官骑虎难下，索性向冈村建议，大量调集兵力，从而向陕西发动大规模进攻，企图侵占潼关至西安。

冈村倒是心有戚戚，当初他拿到“一号作战”命令时，还直嘀咕，怎么攻河南而不攻陕西呢？

可光他同意没用，这事得南京的“中国派遣军”司令官批准才行，畑俊六的答复却是绝对不行。

既讨不来援兵，“虎师团”就是唯一的指望。

吉本贞一亲自到战车师团指挥所，逼着坦克兵们拿出打开局面的办法。

办法是有的，那就是重新选定线路，绕开地雷区。

6月10日晚，随着战车第三师团进攻路线的改变，灵宝战况很快发生变化，守军有多处阵地被日军突破。

6月11日，吉本第一军沿着缺口，在战车的掩护下，发动全线侵略性进攻，第八战区部队被迫撤回潼关，日军亦无能力再进行追击，灵宝战役至此结束。

第十六章

浴血孤城

畑俊六之所以对侵占西安不感兴趣，是因为他正在武汉部署“一号作战”的第二期行动，侵占长沙，他那里兵还嫌不够用哩，如何还能再拨得出去。

自日军侵占武汉，不知道多少趟想打长沙的主意，光长沙会战前后就有过三次，可每次都不尽如人意，第三次长沙会战更是一败涂地，整个第十一军都因此差点萎掉。

前面三次，均由第十一军司令官负责，却都没打好，这次我要亲自来。

5 月 25 日，畑俊六大将以驻华日军最高长官的身份来到汉口，并将指挥所设于第十一军司令部内。

死架子

畑俊六现在很迷信，打仗还得挑日子。

说起来，迷信这东西，跟人的心理大有关系。你如果老是一帆风顺，也许就想不到要找尊菩萨来保佑保佑，比如徐州会战那会儿，畑俊六就不会去看黄历，他只需派“快速挺进队”抄一下底，就可以决定整个战役的胜负。

时过境迁，在日军再也不占有绝对优势的情况下，几乎所有指挥官都背上了想赢怕输的包袱，特别是此次作战与以往不同，本身就是只能赢，不能输的。

畑俊六选的日子是 5 月 27 日。

这个日子是有讲究的。日俄战争时，东乡平八郎指挥的舰队在日本海上奇迹般地击败俄国波罗的海舰队，一举奠定胜局，那一天就是5月27日，从此被日本作为海军节。

在畑俊六看来，这是一个黄道吉日。在日本海陆军全面出现颓势的情形下，没准他还能成为陆军史上的东乡平八郎呢。

5月27日，第四次长沙会战如期打响。

对日军准备侵占长沙，薛岳开始并不相信。自第三次长沙会战后，这位老兄威名显赫，声隆中外，连陈纳德都以能跟他称兄道弟为荣，他自己的感觉也是好到不能再好，乃至数天下之大，似乎就剩他这么一个军事天才可以谈谈打仗这件事了。

常德会战后，第六战区司令长官孙连仲请他接济军粮，他竟然在电文上批道："你丢了我的粮仓，我哪里有粮给你？"

孙连仲是个厚道人，拿着这样一封电文真是哭笑不得，只好又通过孔祥熙来请薛岳帮忙。

薛岳根本就不给行政院长面子，拿过电报，只写两字"不理"，然后随手丢进了字纸篓。

薛岳认为，日军会攻六战区，也会攻五战区，就是不会攻九战区，原因很简单，"日军于三战之余，不敢问津长沙"，有我"民国岳飞"镇守在此，他们怎么敢？

等到日军侵占长沙确定无疑，薛岳才开始组织会战，这时候连份具体的作战计划都未来得及起草。

不过，他认为没关系。嘿，不是有第三次长沙会战的成功经验吗？再用"天炉战法"套一下不就行了，守株待兔，决战长沙，用不着什么计划不计划的。

薛岳不知道，其实他的"天炉战法"早就是一个死架子了——第三次长沙会战后，谁不研究这个东东？连三战区的顾祝同都想从中学一手，更别说喜欢用显微镜来做考证的日本人了。

另外一方面，即使薛岳能提早把他的死架子变成活架子，是否有胜算也是件没把握的事，何况他还根本没想。

龙卷风

当日军强渡新墙河时，薛岳还以为日军兵力不多，进展不快，但是眼看着情况越来越不对劲，卷涌过来的已经不是一般风浪，而是从未见过的龙卷风。

以往武汉第十一军都是既要出击又要看家，才跑几步远，就得被“中国派遣军”司令部给喊回去，所以历任第十一军司令官都像是被人用绳子拴住的一只猴，只能在一个不大的圈子里蹦来跳去。

这次是彻底解放。日本统帅部专门成立武汉防卫军，以代替第十一军的守备任务，允许其全部出去打仗，而且能冲多远就冲多远。

第十一军出击部队由此达到八个师团，并配备有六个相当于旅团编制的野战补充队，可随时进行兵员补充。

在横山勇第十一军的猛力冲击下，各部队都是自顾不暇，自身都难保，哪里还谈得上什么侧击和包围。

杨森的第二十军自第二次长沙会战以来，就以灵活顽强著称，打一阵后经常能钻到侧后去袭击对方，这次却无论如何站不住脚，拼尽全力才得以突围。

“天炉战法”真的成了一个死架子，第三次长沙会战中的法宝一一失效。

驻守长沙的是张德能第四军，这是平时薛岳压箱底的部队，作战力也很强，但日军太多了，他们这区区一个军，既守不了长沙，也守不了岳麓山，处境极其尴尬。

特别是此次日军吸取第三次长沙会战的教训，他们通过湘江运来大量的炮兵部队，其中的平射炮用于近距离射击地堡，一炮或者最多几炮，就能将地堡给轰掉，命中十分容易，而重炮则集中压制岳麓山炮兵阵地，使得中国炮兵威风大减，并逐渐由声嘶力竭转向噤若寒蝉。

屋漏偏逢连夜雨，如今连“洋哥们”陈纳德都帮不上薛岳了。

在数量和质量上，陈纳德指挥的中美空军都超过日本航空队，如果飞虎队可以像陈纳德所设想的那样，从空中完全切断日军的后勤补给线，则薛岳无论选择在哪里决战，日子都要好过得多。

可是控制援华物资支配权的是史迪威，而不是陈纳德。

史迪威一心只有缅甸战场，而且由于跟蒋介石闹矛盾，他甚至恨不得“东部”（指国内战场）出丑，于是便对运往中国国内的战略物资左卡右卡，最后弄到连飞虎队的航空油料都不足，也没有重磅炸弹，从而无法对地面战场进行更有力的支援。

陈纳德多次请求将B－29轰炸机用于湖南战场，却全部遭到史迪威的拒绝，理由是：没用。

随着时间的延续，第四军与外界的电话联系完全中断，长沙成了一座孤岛，这加剧了指挥官的心理紧张，使得失误频频。

6月18日，军长张德能自行决定率部突围，随着长沙失守，薛岳的决战计划也完全沦为泡影。

“老铁军”是薛岳的心肝宝贝，但这回出了大糗，从日军强渡新墙河到兵临长沙，沿途部队尚坚持了半个多月，但第四军仅仅在长沙守了一天一夜就弃城而退，纵然薛岳指挥失误，也实在难以与“一流部队”这样的称号相匹配。

突围后，第四军仅余两千多人，基本上残掉了，张德能因此被判死刑。

会战开始后，薛岳本来在长沙，但中途又离开了，致使电话中断后，张德能举止失措，不能不说是第四军迅速溃败的一个重要因素。

第三次长沙会战曾使薛岳的声望如日中天，就算不是第九战区的部队都对他十分信服，指令一来马上就跑，但经过这么来回一折腾，薛岳的威信大失，各部队对他的命令都不如从前那样重视，也开始出现指挥不灵的现象。

美髯公

长沙失守，使湘省门户大开。

6月28日，横山勇下令第六十八、第一一六师团沿湘江两岸攻向衡阳，守卫衡阳的是方先觉第十军。

方先觉，安徽省宿县人，毕业于黄埔第三期。

其人身材高大魁梧，平时不苟言笑，但激动或愤怒时会面红耳赤，凛然而有威仪，虽不留须，却也颇似三国时面如重枣、性情刚烈的美髯公。

方先觉之勇，绝不逊色于斩颜丑诛文良的关云长。

第三次长沙会战，还是师长的方先觉，本来被李玉堂安排为军预备队，方先觉坚决不肯当预备队，主动要求守城，并且表示完不成任务愿受军法制裁。

军情紧急时，薛岳打电话来询问战况，问方先觉："你能守几天?"

方先觉回答："我能守一个星期。"

薛岳再问："你如何守法?"

方先觉说："我第一线守两天，第二线守三天，第三线守两天。"

薛岳说好，然后挂了电话。

方先觉当天晚上就给妻儿写了遗嘱，这份遗嘱后来被登在《长沙日报》上，据说有的读者看后曾被感动到痛哭流涕。

方先觉没有守一个星期，但他这个师打得的确超棒，经过多达十一次拉锯战，不仅守住阵地，还取得巨大战果，光缴获的战利品就装了满满五间楼房。

常德会战，以方先觉率领的第十军救援最卖力，可没救成。结果，当追查常德会战失利的责任时，方先觉就因此倒了大霉，受到撤职处分。

真是越能干越容易吃板子，方先觉接下来的遭遇竟然和老军长李玉堂有惊人的相似。

先是第十军官兵对此处分不服气，继任军长也迟迟未到职，方先觉就那么一直给挂着。

接着长沙危急，衡阳极需猛将镇守，薛岳又想到了方先觉，可是方先觉被撤职，其实就是薛岳上报的结果，老虎仔也是个死不低头的人，他如何肯再去"求"对方就任，而那个受了委屈的人轻易也是不肯走回头路的，两边便这样僵了起来。

于是，戏剧性的一幕再次发生。

长沙失陷的当天晚上，方先觉寓所的电话响了。副官一接，说是重庆来电。

方先觉以为是军委会谁打过来的，没好气地说了一句："我马上就当老百姓了，重庆还有谁找我？你就说我不在。"

副官刚想依言回话，却不料对方告知，这是委员长的电话。

方先觉胆子再大，也不敢不接。

蒋介石在电话中的语气非常严肃："长沙已经弃守，衡阳必须确保，我现在就命令你继续指挥第十军，固守衡阳。"

方先觉唯有诺诺连声。

第二天，当第十军闻知方先觉复职时，都认为是个吉兆——老军长撤职后复职，马上就带着大家创造了第三次长沙会战的辉煌，历史定然还会重演。

方先觉有这个能力。

衡阳城和长沙城一样，城墙也早就被拆去，看上去是一座无险可守的城池，但方先觉懂得依势而守的道理。

衡阳一面临水，他就弄来石油，准备一旦日军横渡湘江，便向江面排放石油，并点火燃烧，以阻击日军登岸。

依靠这种火攻之术，相对就可以把主力部队给节省下来。

在另外三面，方先觉构筑了四道纵横交错的工事群，此即著名的"方先觉壕"，其纵深达到三百至四百米，外沿设置铁丝网和地雷区，里端则利用小山和丘陵，人工削去缓坡，从而造成高达四米的断崖，日军既无法接近，也难以攀登。

6月28日这一天，日军先发的两师团都结结实实尝到了"方先觉壕"的厉害，那是中日之战爆发以来从未见过的高难工事：人工断崖前一览无余，没有任何掩蔽体可用于隐蔽，如果你缺乏翼生双翅直飞断崖的能力，便只有两个选项，或者被打倒，或者自行卧倒。

在火力压制上，第十军的炮兵也起了很大作用，尤其把国产迫击炮给完全用活了。后者虽无重野炮威武，移动起来却很是方便，犹如长了腿一般，方先觉发现哪个地方有人指手画脚，便用迫击炮抵近射击。

国产迫击炮个儿小威力大

这么做往往是能发大财的。第六十八师团长佐久间为人中将大概没想到对手会这么“阴”，一个不小心就被迫击炮炸成重伤，他的参谋长和许多联队长也纷纷被炸倒抬了下去。

两师团铩羽而归，工事前到处是遗弃的日本兵尸体和各式武器。

激将法

横山勇得知两师团不仅被击退，而且第六十八师团由于指挥官非死即伤，已面临瘫痪的消息后，非常吃惊。

到了抗战中后期，日军原有老兵都换了好几茬，即使在熊本、名古屋这样的常备师团中，早期老兵也所剩无几，接下来能参加一场关键性大战的，就都称得上是有经验的老兵了。

第六十八、一一六师团皆为满编师团，而且相当多官兵参加过常德会战，就算是刚刚补充进来的新兵，经过前两个月的实战，“新”也变成了“老”，因此这两个师团的战斗力是不容小觑的。

侵占长沙，用了另外两个师团，一天便拿了下来，横山勇本来预料侵占衡阳也只需一天，万没想到第十军如此坚挺，作为第三次会战的功臣部队，看来绝非浪得虚名。

日军作战，表面气势汹汹，其实最是欺软怕硬，中国军队再多也不怯，但就是担心遇上第七十四军之类的狠角。

在进攻上，第十军也许不如“虎部队”那样犀利，然而在防守上恐怕还有过之，这就让横山勇十分头大。

佐久间受的是重伤，一时半会儿那伤也好不了，横山勇下令由第一一六师团长岩永汪中将接替统一指挥。

第六十八、第一一六师团都没有参加过长沙夺城之役，眼看着功劳被别人捷足先登，岩永汪和佐久间这两哥们急不可耐，恨不得立马就将衡阳吞肚里去，万没想到，蛋糕没吃着，却落一嘴的血。

这不是蛋糕，而是铁疙瘩，在继续全面进攻的同时，岩永汪决定亲自指挥从张家山进行重点突破。

张家山位于衡阳西南，属于方先觉极为看重的守军主阵地，当初在分配防区时，方先觉问几个师长谁愿意领命守张家山，起初没人吭声，最后预十师师长葛先才起立，“大家都不要的给我！”

“不要”者，为“不敢”也。

毕业于黄埔四期的葛先才年富力强，有沙场经验，虽是师长，但在第十军里面，他和方先觉是多年的老兄弟，双方焦不离孟，秤不离砣，再加上预十师本身就是第十军的绝对主力，方先觉本来是可以直截了当予以指定的。

可是自古道，遣将不如激将，究竟主动还是被动，往往决定着一个人的斗志有多高。

葛先才果然不负所望，他的预十师在张家山大放光芒。

继迫击炮后，另一近战武器开始登场，这就是手榴弹。手榴弹哪支部队都用，可到了第十军这里，俨然已演化为一种战斗特技。

预十师有个外号叫“傻子”的兵，脑子不太灵活，实弹射击，至少有两发不在靶上，但他却是师里乃至全军的宝贝，因为这兄弟力气大，投弹距离，比一般人还要超出十多米。

“傻子”在打仗的时候是不开枪瞄准的，只需你给他脚边放一大堆手榴弹，然后他自个儿乐呵呵地一颗颗投出去，往往一个人就能打退或消灭一群人。

“傻子”不过是投弹能手的代表，经历过衡阳保卫战的日本兵，认为第十军在手榴弹投掷上的水平，已远远超过在太平洋战场上反攻的英美军，属于优中之优。

预十师从人工断崖上集体投掷的手榴弹，既远又准，如同下雨一般，片刻之间便可以将日军的冲锋部队完全覆盖起来。

偶尔失了准头的手榴弹，骨碌碌地滚到人工断崖下，正好又要了那些躲藏于隐蔽处日军的性命。

等到你好不容易爬上断崖，对不起，又过不去了。

手榴弹投掷为第十军的一大特长

葛先才并不特别计较一尺一寸的得失，他采用的是“多杀固守”战术，即如果一点被日军突破，并不急于去恢复，而是让缺口的左右两翼稳着不动，却以交叉火力将缺口封死，使得后续日军无法进入。

这样挤进来的就死定了，因为他们也不能后退，结果只有等着被收拾干净的份。

葛先才派预备队去干这个活，仍然大量使用手榴弹。

经过长达四天的苦战，第一一六师团总算在张家山有了巴掌大那么一块立足之地，但却被手榴弹伤得够戗，大队长、中队长死了一堆，有的中队被炸到只剩可怜巴巴的几个人。

不过，岩永汪总算可以有所交代，第六十八师团那里也死伤了好多人，可他们连人工断崖的边还没摸着哩。

7 月 2 日，两师团一共才向前推进了两里路，弹药却已经消耗一空，横山勇被迫宣布暂停进攻，快速侵占衡阳的计划算是彻底破产了。

课上课下

在第一次总攻失败后，横山勇对两师团进行了人员和弹药的补充，给第六十八师团换上了新的师团长和幕僚，觉得火力不够，又增调了野战炮联队。

你要觉得这样还不够周到，那我真没什么好说的了。

7月11日，两师团仍由岩永汪负责统一指挥，对衡阳发起第二次总攻。

这次作战已由激烈上升到残酷的程度。日军一反常态，以百人为一梯队，使用了类似于人海战术的密集冲锋，如潮水一样往上涌，但最后又都一排排地被炸倒和打死在阵地前。

从前日军打仗，都是要将尸体拖回去的，或者至少砍个胳膊，弄根手指什么的，如今谁也没有这个闲情逸志了，结果阵地前尸体叠尸体，堆成了山。

第十军起初只备了两周的粮弹，子弹早就不够用了，一些部队干脆就地取材，从敌尸身上摸取武器弹药，包括更换歪把子机枪和38式步枪，有谁不会使用，便临时教一下。

用得习惯了，当日军攻来时，有人还着急，“不要射，不要射，等他们来得近点再打，那样我拿子弹比较方便”。

作战时，中方阵地也不停地回响着38式子弹啸叫的声音，这让敌我双方都不免有惊愕之感。

武器弹药可以靠对手“补充”，吃的却不行。由于长时间吞咽烧焦的米粒，官兵个个面有菜色，于是便想起去抓鱼。

打仗也有间歇，“课间十分钟”，总是有时间下池塘去捞的。

衡阳地方不大，城里的池塘也就那么一些，渐渐就捞光了，众人的眼睛竟然盯住了敌我双方之间的“公共鱼塘”。

兔子不吃窝边草，那是兔子没饿。

反正仗打到这个份上，已经没人把死当回事了，几个小伙子对着池塘对面的日军比画着高喊："我们下池捉鱼，你们不能开枪啊，谁要是要赖，把爷惹急了，冲过去把你们全给杀了。"

也不等他们回话，几个人就下去捉了。

前两天还相安无事，第三天日军憋不住，开枪了，虽然没伤着人，但几个还穿着裤头、浑身湿漉漉的捉鱼爷们特恼火。

二话不说，衣服也不穿，拎上手榴弹和刺刀就朝对岸冲了过去。

鱼塘边开枪的鬼子可真是够倒霉的，小身板全给这些要鱼不要命的猛男给刺穿炸烂了。

从这以后，日军学乖了，只要是约定的"捕鱼时间"，没人再乱放枪。

有一回，一个兵捞着条大鱼，却又让鱼给跑了，弄得全身都是泥，犹如马戏团的小丑，岸上的官兵见之鼓掌跺脚大笑，那边的日本兵见到这一情景，也捂着嘴乐了。

等到捞完鱼，大家进入作战时段，则又是枪林弹雨，尸山血海，仿佛刚才那一幕真的是课间的一个小调剂——也许对于双方都是如此。

由于久攻不克且伤亡很大，7 月 20 日，日军对衡阳的第二次总攻宣告失败。据日方统计，自对衡阳发起进攻以来，两师团已损失六千多人，减员数平均占到各师团的两成以上。

两次衡阳保卫战的胜利，让西南后方的军民大受鼓舞，自"一号会战"后，因河南、长沙失守的沮丧困惑情绪也为之一扫。

日本方面则是一片灰暗，加上衡阳，日军在哪个战场都输，缅甸输，太平洋上输，几乎到处都是"玉碎"的声音，成了不折不扣的"老书记"。

眼看战争机器朽坏不堪，曾经骄狂一时的战争狂人东条英机像霜打的茄子一样，先是辞去参谋总长的职务，接着又被裕仁天皇解除了首相一职。

本来在"一号作战"中，日本统帅部有侵占广东韶关，以打通粤汉路的计划，在屡攻衡阳失败后，便取消前令，要求横山勇集中力量继续侵占衡阳。

解围

衡阳更加危险，但解围的办法却越来越少。

当初薛岳要决战长沙时，他的幕僚长就曾建议决战衡阳，而副参谋总长白崇禧则提出决战广西，但薛岳一一摇头，后者更是惹得他破口大骂："我才不到广西去给人家看大门呢，可恶！"

等到第十军守住衡阳，可以"决战衡阳"了，老虎仔却已失去了那份功力。

无论决战在哪里，都不能忘记一个基本前提：战斗力。

没有战斗力，奢谈任何战略战术都是毫无意义的。过去，薛岳之所以能创造万家岭大捷、第三次长沙会战这样的经典战例，缘于他手中掌握优势兵力，具有相当战斗力的兵团随手可得。

如今，它们都去了滇西，或者缅甸。

在罗斯福和丘吉尔那里，欧洲是第一战场，北非是第二战场，缅甸是第三战场，为此哪怕牺牲中国战场也在所不惜，史迪威更是恨不得把中国国内的军队全都召到印度，以完成他的复仇之旅。

这是立场与利益的差别，当然，其中还有偏见和短视。

冈村宁次在北方发动"一号作战"后，国内战场如此紧张，史迪威却仍要求继续增加远征军的数量。

国内都要失火了，再往外抽兵自然困难，蒋介石很踌躇。

史迪威可不管这些，你不肯出兵，好，我削减你的援华物资。

美国援华物资本来就不多，每月才两万吨，史迪威发了这么一句话，物资因此都快给减没了。

怎么，还不肯动？

行，下一步就砍贷款、砍云南部队的补给，看你还敢不敢不听我的话。

其时，美国的援助固然不多，但没了那一点点贷款和物资，整个西南后方的经济就要崩溃了。两害相权取其轻，蒋介石只能对史迪威有求必应，结果在"一号作战"逐渐深入的当口，又有两个集团军，共约十六个主力师被抽去云南，这样一来，国内战场的机动兵力特别是优势兵力就少得可怜了。

当河南、长沙相继失陷，史迪威不但不予以有力支援，反而认为蒋介石是故意保存实力，在各种场合都暗示要他交出手中的所有军权。

蒋介石遇到了他一生中最为困难的时期之一，私下里颇有山穷水尽之感，乃至“为之攀挹于怀者久之”。

不过，他毕竟不是一般之人，关键时候，再次显示出了“士不可不弘毅”中的那个“毅”字。

你们不是说我保存实力吗？我不靠上下两片嘴跟你们争，我用拳头，或者说，打一场伏尔加格勒式的战争给你们看看。

然而中国战场，哪有伏尔加格勒的影子？

说石碑是“中国的伏尔加格勒”，不过是蒋介石个人的冠名，美国人并不这么认为，觉得那只是一场小仗而已。

只能看衡阳了，这是最后的机会。

方先觉把杂役兵也派上了一线

两次衡阳保卫战的胜利，让蒋介石从中看到了曙光，这绝不是小仗，连日本人都称第十军为“勇敢的重庆军”，你可以想想脸上有多光彩。

然而很快，蒋介石就意识到了第十军所处的险境。

7 月 18 日，日军第二次总攻还未结束，方先觉已不得不动员佐级以上军官和杂役兵参加一线作战。

蒋介石长年征战，深知部队长不到万不得已，是轻易不会做出这一举措的，所以他听到后很是心惊（“不料伤亡之大以至于此也”）。

可是，即使到这种境地，第十军也决不能撤出衡阳，否则那个已被罗斯福授予四星上将的史迪威又有话说了：这不还是想保存实力吗？

蒋介石知道，某种程度上，方先觉是在用自己的牺牲为他解围，可是自己却陷入了围城之中，这让蒋介石对方先觉和第十军产生了一种极为特殊的情感。

他在电报中对方先觉不称某某，或某军长，而是“弟”，他希望方弟弟能帮他撑到底，继续在衡阳固守下去。

当然，他也在使出浑身解数，调动所有能调动的力量对衡阳进行解围。

无解的死局

7 月 23 日，国民党统帅部以蒋介石的名义，向衡阳外围的援军发出了措辞严厉的电令，要求各军有一个算一个，必须拼命向衡阳内圈挤。

这意味着警报达到最高级别，已不是第九战区一家的事了。

有人说，蒋介石每每喜欢遥控部队，是部队作战效率变低的一个重要原因，但实事求是地讲，这种遥控有它不可替代的作用，尤其在这种火烧眉毛的关头，几乎相当于上方宝剑。

在蒋介石发出这份电令时，有的援军离衡阳已相当之近，最近的第六十二军距衡阳西南不过十四里之遥。

蒋介石扳着指头算算，只要一天往前推进十里，衡阳之围大致就可以解除。

但这不过是他坐在房间里自己想想的，实际战场远没有这么好，因为他的那份绝密电令，所有人都看到了，除了薛岳、各军军长、方先觉，还有横山勇。

日本人相对高超的解码译码技术，已令中国军队毫无秘密可言，你要么不发报，一发报必然遭其破译，无一遗漏，日本情报界称之为“频频入手”。

各支援军从哪里来，兵力多少，横山勇一清二楚，他只要照方子抓药，调部队过去一堵，便能把对方堵得结结实实。

除第七十四军这样的中坚兵团必须横山勇重点盯防外，剩下来的大多数，并不用横山勇花太大力气去堵，比如离衡阳最近的第六十二军，说是去救别人，其实自己就是一支极其可怜的部队。

美国记者白修德曾上过前线，他眼中的第六十二军简直目不忍睹。

这是一支粤军系统的部队，行军时没有任何交通工具，就靠两只光脚板走。三个兵里面有一个能扛上步枪就算不错了，其他的都空着手，最多拿两颗手榴弹。

重武器几乎没有，山炮倒是有几门，不过那还是“一战之遗物”，由于没多少炮弹，开炮时就如守财奴算金币，根本舍不得拿出来用。

第六十二军还是当时军委会直辖部队，从这里就可以知道衡阳援军的大致水准，别说十里，你让他们往前推一里都难，假如运气不好，这些部队自己都可能会随时遭遇不测。

假如远征军中的那些主力还在，情况肯定大为不同……

当方先觉和他的官兵们在衡阳城里望眼欲穿等待援救的时候，他们还不知道，从奉命固守衡阳起，就注定了自己悲剧性的命运。

谁都无法解救你，这是个无解的死局。

此时，衡阳内圈的战况仍然十分激烈。第二次总攻失败后，横山勇一直没有停止对包围衡阳的两师团进行补充，而那两个师团也对着衡阳照攻不误，但是情况不是越变越好，而是越变越糟。

战死的日军军官已从大队长上升到联队长，经过多次补充，每个中队也仅剩二十人左右，一个联队里面，竟然只有五名军官，这在以往作战中是从来没有过的。

由于伤亡实在太大，两师团已无法维持步兵大队的编制，只好将步兵大队改为突击队，而每个突击队也才不过七八十人，只比平时的小队稍强一些。

再这样下去，两个师团就得被摊成薄饼，贴到衡阳墙上去了。

到目前为止，第十一军在直接进攻衡阳方面只使用了总兵力的两成，畑俊六和日本统帅部一直对此非常不满，认为是衡阳迟迟难以攻破的重要原因。

衡阳战局的僵持，终于迫使横山勇不得不做出改变。

经过重新部署，第十三、五十八师团被调到衡阳，两师团变四师团，兵力增强了一倍，横山勇还决定亲临衡阳现场指挥。

当他乘着飞机，从长沙飞往衡阳时，被第十军发现了，后者没有高射炮，便用迫击炮对着飞机着陆地点进行连续射击。

由于距离太远，目标不明显，炸弹不可能正好炸中飞机，但飞行员一边降落，一边还要提防周围的炮弹，也够心惊肉跳的。横山勇旁边的一架飞机一个急刹，整个机身都因惯性而倒了过来，差点把他的魂都给吓飞了，自己飞机还没完全停稳，他就赶紧跳了下去。

机场惊魂让横山勇对衡阳战役的艰苦程度有了切身体会，他只能暗自庆幸，要不是中方已无强大的优势兵力，第三次长沙会战的场景可能早就在衡阳重演了。

华南旅顺之战

8 月 4 日，横山勇发动了对衡阳的第三次总攻。

日本人把侵占衡阳视为“华南旅顺之战”，将之与日俄战争时日军侵占旅顺相提并论，而在第三次总攻中，已孤注一掷、没有退路的横山勇，几乎就是把乃木希典的肉弹打法原样搬了过来，在衡阳战场的每一区域他都采用了以往罕见的“自杀式冲锋”。

这种自杀式冲锋是需要点不把自己当人的二愣子精神的，第一一六师团的联队长黑濑平一大佐因此引起了横山勇的重视。

日军在衡阳实施自杀式冲锋

黑濑这家伙人如其名，没什么头脑，就知道玩命冲，在前两次总攻中，他的联队伤亡十分惊人，大队长已经换了四个，却还没能取得多大进展。

可这种时候，大家都没进展，黑濑之类无脑之辈就成了旗帜，从师团长岩永汪到横山勇，都想把黑濑捧成榜样，竭力打报告推举他升为少将，报告上面已经批了，问题是开战以来，联队长以下死了很多，旅团长位置却还空不下来，黑濑只得以少将身份继续当他的联队长。

少将不是白给的，黑濑很想在横山勇面前表现一下，被他赶上去的兵都不准回头——结果真的没回头，全给守军一个不剩地打死了。

遭到挫折的黑濑也动起了脑，用他那积水的脑袋想出了一个“模糊战术”。

所谓“模糊战术”，就在是深夜施放烟幕弹，以便遮蔽对方视线，让你枪打不中，手榴弹也投不准。

脑残的家伙再怎么努力还是脑残。在浓密的黑烟中，首先被弄得晕头转向、不辨西东的不是守军，而是进攻中的日军。

原因是黑濑联队的基层指挥官已整个换过一批，现职小队长全都系当兵的充任，这帮人也只知道傻冲，白天还好，晚上加上烟雾重重，他们都找不到自个儿的兵在哪儿，现场一片混乱，被杀得人仰马翻。

这下可好，又死了很多军官，光大队长就翘掉了两个，兵死了可以拿补充兵来填充，军官却没这么多后备的。

黑濑只得以中队长来替大队长，他那个联队因此变得十分滑稽：一个可以当旅团长的少将联队长指挥三个本来只能当中队长的中尉大队长。

到第二天，连中尉大队长都非死即伤，轮到黑濑，他打算亲自举起联队军旗，带着已所剩不多的联队 做“悲壮的决死一战”。

白天吹了个牛皮，晚上黑濑就怯懦了，不过这一怯懦反而让他否极泰来。

黑濑固然打得糟糕，但其他部队还不如他呢，第六十八师团几乎就是没怎么动过步。

面对第十军密集连续的手榴弹，这个师团的官兵人人心惊胆战。旅团长志摩源吉少将正在前线督战，小胸脯一拍，“你们这帮胆小鬼，手榴弹有什么可怕的？只要它还没爆，你就可以把它捡起来，然后再扔回去”。

见士兵们将信将疑，这厮来了气：“不信是吧，我亲自示范给你们看。”

志摩源吉果然是做大官的，那俯身、拾弹、投弹的动作称得上是一气呵成，漂亮到让你不鼓掌都不行。

可惜，它们都被最后一个画面给否定了：守军一颗子弹过来，少将旅团长因为一颗手榴弹而丢了性命，真是够冤枉的。

他的死却便宜了黑濑，后者急速上位，总算当上了旅团长，再也不用到第一线拼老命去了。

最长的一日

坐拥四个师团，横山勇却仍然把这两个倒霉师团顶在最前面，是为了进一步消耗第十军，从而把这支英勇卓绝的部队推向崩溃边缘。

至 8 月 6 日，第十军已在衡阳苦战四十多天，处于势衰力竭的境地，余者大部分为重伤和重病人员，虽还有能战之士，但枪弹早已不敷使用，连手榴弹都快没有了。

中美空军一直在空中进行助战，偶尔也空投，但第十军能从空中得到的，全是零零碎碎的小东西，什么万金油之类。

不是不想投，而是没有。因为史迪威卡着脖子，为了能要挟蒋介石，他不允许陈纳德向中方输送任何援华物资，就这点小东西，也还是飞虎队长私底下凭交情偷偷送过来的。

衡阳的屡攻不下，让第十一军司令部陷入了集体纠结的状态，横山勇急到痢疾发作，身体虚得连坐都坐不住，但第十军的孤立无援，终于使他找到了机会。

8月7日，已在一边窥视很久，且养精蓄锐的第五十八师团突然杀了上来，从而改变了衡阳战局。

当天，这个师团就从西北方向突入衡阳，并尽其全力向前推进，第十军的阵地相继失守，双方随即由阵地战转入巷战。

当方先觉下令用炮兵进行阻击，却得知炮弹已经全部用光，再调预备队，亦无一兵可资调遣。

这是真正的大势已去，弹尽援绝。

方先觉向蒋介石发去最后一电，在电文末尾告知："此生已矣，来生再见!"

收到电报后，蒋介石失眠了。当天晚上，他半夜三次爬起来做祷告。

8月8日，对于很多人来说，都是最长的一天。

早上四点，蒋介石还是睡不着，又爬起来默祷一次，直到这时，他还抱着解围衡阳的一丝希望。

五点，似乎上帝真的开了眼，衡阳的电讯竟然还通着。

但只维持了一刻钟，电讯断了，自此再也不能取得任何联系。五个小时后，空军送来侦察报告："衡阳城内已不见人迹。"

这一天，蒋介石在日记中写下了一句话："悲痛之切实为从来所未有也。"

他以为方先觉和第十军都已战死于衡阳城中，但事情却有些微妙的不同。

整座衡阳城已无人迹

最后一刻，方先觉选择了为西方军队普遍认可的方式：放下武器、停止抵抗。他当时提出了两个条件：一是保证幸存官兵的安全；二是收容伤兵，埋葬死者。

方先觉后来又回到重庆，蒋介石的态度耐人寻味，对这个充满争议的降将军，他没有像别人那样装模作样地进行训斥，而是竭力对其进行慰勉，仍旧重用，并授以青天白日勋章。

1945 年春天，一位国民党元老级人物又在大会上提出第十军在衡阳究竟有功有过的问题，蒋介石听后腾地就从座位上跳了起来，“这话是谁说的？造谣，中伤，不识大体”！

老头被骂得面红耳赤，其他人也再不敢就此多论是非了。

但是，方先觉和他的部属从来没能因此摆脱“最长一日”的困扰，直到在台湾退役，方先觉仍被屡次抨击，遂出家为僧，在寺院钟声中化解心中无尽的烦恼。

不管怎样，第十军的历史功绩是无法抹杀的。

按日方资料，横山勇第十一军在衡阳伤亡了一万九千多人，接近两万之众，内含军官九百多人。据说战争期间，每天都可以看到日军阵地上在举行火葬，而整个衡阳城也已被死尸臭气所笼罩，完全是一炼狱景象。

日本人称衡阳之战为“中日八年作战中，唯一苦难而值得纪念的攻城之战”，这一战结束，对于横山勇和他的第十一军来说，也等于一次“苦难”的解脱。

第十七章

家家有本难念的经

随着长沙、衡阳的先后失陷，薛岳不仅未能再次复制第三次长沙会战的辉煌，他的第九战区也面目全非，一共四十八个师，有二十五个完全失去再战能力，另外那二十三个也已经不成样子。

有损失就要补充，但中国名为征兵制，实际除广西以外，其他省都不符条件，大多数只能硬拉壮丁，到了后期更是问题成堆，兵役署送到各部队的“壮丁”数量既少，还经常逃跑，所以凡是经过大战洗礼的第一、第九战区，战力在短期内都恢复不起来，等于武功被废掉了大半。

相比之下，对手的日子却要好过得多。虽然日本早已是四面楚歌，但一个“总体战”的号召，老百姓随即群起响应，连妇孺都拿着竹枪参加训练，准备在本土与美军决战，国民精神之差异岂可等闲而视之。

衡阳一战后，横山勇第十一军即得到十万新兵的补充，但当他要沿交通线继续侵略性进攻时，却在“中国派遣军”司令部那里碰了壁。

谁大谁小

由于装备上的悬殊，当时日军在太平洋战场、南亚战场都吃了败仗，而且败得很惨，到衡阳之战结束，美军已击破日本的远海防卫圈，随时可以攻向日本本土或在中国沿海实施登陆。

在此情况下，日军整体转入防御，从统战部到“中国派遣军”都对要不要集中兵力“打通大陆交通线”产生了动摇。

于是，当横山勇报来作战计划时，畑俊六就只能泼来一盆冷水，说你还是老老实实待在衡阳吧，哪里也不要去。

横山勇大怒：“凭什么不让我打仗?”

畑俊六的电报上明白写着："目前缺乏有效补给……"

横山勇看都不看，他的第十一军司令部内更是一片鼓噪，参谋们红着脸，声音一个比一个高，"补给能不能跟上，那是他们的事，我们只管打仗"！

真是"大海啊全是水，蜘蛛啊全是腿"，整个第十一军里面，就没有肯稍微谦虚一些的，一干人目空一切，张牙舞爪的气势，全跟横山勇一个德行。

但是横山勇看着很开心，他就喜欢这种众星捧月、舍我其谁的氛围，当下便拟一电报，给畑俊六发过去，谓："战场用兵，是第十一军司令官的职权。"

畑俊六收到电报，气得说不出话来。

横山勇不服命令，不是偶尔，而是一贯如此。侵占长沙和衡阳时，畑俊六名为坐镇武汉，其实也就是起一个象征作用，指挥根本就没他的份，那全是横山勇一手包办的活。

畑俊六的所有指示，都被当成耳旁风，别人提醒横山勇要给上司一点面子，他一脸不屑——要按那家伙的指示办，非得打败仗不可。

畑俊六在武汉无事可做，只好又搬回南京，但是除了骂上两句，他拿这位以骄悍出名的部下毫无办法，因为在军一级司令官中，已经找不出比横山勇资历更高、更有能力的战将了。

无奈之下，畑俊六派了一名大佐参谋到第十一军"了解实情"，顺便沟通一下，参谋了解到的"实情"却是横山勇已成了名副其实的霸王，当着这位钦差的面，就大说畑俊六的坏话。

参谋目瞪口呆，回去后也不敢照直说，只能如此汇报：双方确实有一些认识问题需要统一。

大家都明白，"了解"是假，找台阶下才是真，畑俊六早就成了小，人家横山勇才是老大，所以，最后"统一"的结果，就是小服了大，一切按照横山的计划行动。

横山勇跋扈，却无异于毁了自己前程。

考虑到西南战事越来越重要，日本统帅部打算在第十一军以上再成立方面军，畑俊六曾征求过横山勇的意见，对方的答复倒是非常简单——把第十一军司令部升格成方面军司令部不就行了。

畑俊六明白了，横山勇自己想当这个方面军司令官。

想当，你就应该乖一点，这样没大没小，等到你坐上那位置，是不是就得骑着我脖子拉屎了？

让谁当，也不能让你当！

泥瓦匠

1944 年 8 月 25 日，原“华北方面军”司令官冈村宁次大将被任命为第六方面军司令官，畑俊六催其尽快到汉口上任。

冈村心里怦怦直跳，他觉得曾给他算命的那位“大师”真的很灵，先是说“大战”，应验了，接着说“西南”，又应验了。

不过，当时“大师”的另一句卜语让他百思不得其解：您的职务将有变，且属荣升。

职务是变了，可这是“荣升”吗？

“华北方面军”是中国派遣军里的老军区，第六方面军却是刚成立的新军区，怎么看，都不像是升了。

到了武汉，旧地重游，冈村更加沮丧。

以前他担任第十一军司令官时，尚有很多精锐的王牌军，比如熊本第六师团、名古屋第三师团，但几年硬仗打下来，已今非昔比，熊本师团在去太平洋作战前就已形销骨立，摇摇欲坠，剩下来的以名古屋师团和第十三师团当家，却也没了印象中“钢筋铁骨”的威风。

终于明白让我干什么来了，冈村苦笑着告诉幕僚：“你我都已成了泥瓦匠，哪里作战出了麻烦，就被叫去涂抹一番。”

总算，这个“泥瓦匠”还不是普通工匠，算得上是个小工头，下面还有两个打工的，一是衡阳的第十一军，代号“旭集团”，一是广州的第二十三军，代号“波集团”。

有了冈村这个小工头，畑俊六就可以不用跟被他称为“浑蛋”的横山勇直接打交道了，不久，冈村也见识到了横山勇究竟有多“浑蛋”。

战争极大消耗了日军的野战精锐部队

冈村到任后，就遇到了畑俊六提出的那个问题，即由于战线延长，第十一军在给养方面可能难以跟上。

新官上任，得表现一点姿态，冈村就把后勤部长这个活给扛了下来，并派参谋长宫崎周一中将去衡阳向横山勇说明情况。

一般的人，人家供你吃，供你穿，多少得说两句感谢的话，可“勇哥”不是一般之人，他认为你们干这些都是理所应当。

除了外表不够儒雅，横山勇在其他方面倒与冈村很像，尤其喜欢扮“思考者”，每天大部分时间都做冥思状。

横山勇思考的，不是哥德巴赫猜想，而是上级有什么毛病或把柄可给他抓到。

没有当上方面军司令官，这小子一肚子的不满，既埋怨畑俊六不识才，又嫉恨冈村抢他位，竟然当着宫崎周一的面，就滔滔不绝地开始数落和挖苦畑俊六。

畑俊六还是宫崎周一的上司，双方初次谋面，就碰到这一出，让宫崎周一既吃惊又尴尬，回去向冈村汇报后，后者自然也十分不快。

可是畑俊六的难处，冈村同样也有，在第六方面军的旭波两集团中，“波集团”第二十三军长期驻于广东，缺乏“旭集团”第十一军那样的野战经验，没法独当一面。

显然，要想不让横山勇架空，就得有自己的力量。冈村就此在衡阳成立了第二十军，该军系第六方面军的直属部队，军部就地驻扎衡阳，可对“旭集团”进行面对面的控制。

为加强控制力，冈村还专门从关东军系统调来坂西一良中将任第二十军司令官，然而恰恰是这个坂西坏了事。

如果说横山勇是个疯子，坂西就是个神经病，平时什么都要管，惹得那些无事可干的参谋们大发牢骚。

关键是坂西和横山勇一样，也是个刺头，在国内就以敢公开辱骂老资格的将军著称，调到衡阳后，他一样我行我素，让冈村后悔不及，可又无可奈何——坂西的老丈人坂西利八郎是土肥原的师傅，因为这层背景，想换他都换不掉。

没法子，“旭集团”愿意怎么干就怎么干吧。

是攻是守

8月29日，在经过二十多天的休整补充后，横山勇第十一军再次发起侵略性进攻，薛岳在衡阳以西拉起的正面防御线很快便被击得支离破碎。

曾令日军后怕的第九战区里面，只有第七十四军等少数部队尚有虎威，第七十四军所属“榆林师”第五十八师在衡阳西北设伏，杀伤了大量日军，可惜独木难支，已无法扭转整个战局。

9月7日，第七十九军军长王甲本在白刃肉搏中战死沙场。

凡属将星，似乎总不会无缘无故陨落，据说王甲本是牺牲于一座名叫“玉七亭”的亭子旁边的，这座亭子上刻一副对联，上联起首是“玉汝于成……”，下联起首为“七月既望……”。

那一天，是农历七月二十日。

对个人来说，这也许是偶然的巧合，可如果用它来隐喻处于凄风苦雨中的西南中国军队，却再合适不过。

随着薛岳率残部败走湘东南，广西门户大开，“旭集团”第十一军自北，“波集团”第二十三军自西，总兵力超过九个师团，给驻广西的第四战区造成空前压力。

第四战区的主力是桂、粤两军，实力远不及强盛时期的第九战区，顿时被打得千疮百孔，组织起来的防线没有一道能守得住。

第四战区司令长官张发奎眼见情势不妙，决定采取“持久守势”战术，即集中所有残余兵力，固守桂、柳两地，为陆续集结于贵州的后续兵团争取时间。

应该说，这几乎就是当时军事处于颓势之下的唯一稳妥之策。特别是桂林，不仅山水甲天下，城内外还有为数极多的石灰岩山峰及其溶洞，这些溶洞只要经过稍稍改造，就可以成为天然工事，若再把兵力全部投进去，足可支撑一阵。

可是，白崇禧说不好。

“小诸葛”原先在广西乃至全国军界的威望很高，广西人更把他看做是“战神”，认为只要他到哪里，仗就一定能打赢，白崇禧也颇为自负，抗战以来，一直想着要创造经典给世人瞧瞧。

可惜的是，抗战中凡与大捷沾边的战役几乎都不是他主导的，比如台儿庄大战，那还主要是李宗仁的功劳，他不过是起一个幕僚长的作用而已，倒是在桂南会战中，反而让人有了一种英雄迟暮的感觉：“战神”不灵了，诸葛似乎也没有传说中的神机妙算。

白崇禧的参谋业务一流，但他并不甘于只做幕僚长，就像他也不情愿在李宗仁身边摇扇子一样，可是自桂南会战后，战场上能让他发挥的机会少之又少。在第三次长沙会战中，他曾亲临长沙，却惹得薛岳大发脾气，认为是抢功劳来了，当着面拉下脸，“我打仗不行，要不你来指挥吧”。

白崇禧又尴尬又恼火，只得哪里来还回哪里去。

时隔几年，没想到那么不可一世的老虎仔也被人家打得到处跑，这不正好是自己施展才能、恢复声名的机遇吗？

白崇禧打算在桂林组织一次大会战，就像第三次长沙会战那样的：不能光坐着挨打，还要攻！

时空错位

在军事会议上，白崇禧强调，桂林城内无须配备过多兵力，几个师用于防守足矣，其他的都到城外去，依城野战，可将日军主力各个击破。

几个师能守住桂林？

没人信。

白崇禧信，依据是内战时期，滇军围攻南宁，桂军战将韦云淞在南宁一守几个月，最后他亲自组织兵力在南宁城外来个反包围，从而将滇军一举击败。

韦云淞守南宁时，把存粮都吃光了，靠吃黑豆才生存下来，白崇禧始终引以为豪，并特地将守城桂军开始吃黑豆的那一天定为“黑豆节”。

黑豆的光荣可以延续，我现在就任命韦云淞这一擅守之将来镇守桂林，只要死守三个月，以“死守待援”和“里外夹击”的双重战术，定然能重铸昔日辉煌。

仍然是一片沉默。

内战那会儿，桂军和滇军属于水平差不多的对手，当然可以靠吃黑豆熬下来，可这都什么时候了，日军的战斗力是很多年前的滇军能比的吗？

韦云淞擅守，傅作义比他还牛，太原不照样一天就失守了，这就叫时空错位，而白崇禧在抗战中吃亏，很多时候也是看不到这一点，身上背的荣誉包袱太重。

别人称你是“战神”，那是过去时，对象不一样了，内战经验没法照搬照套。

张发奎就是一个鲜活的例子，北伐时候的老铁军军长，几乎百战百胜，然而首次独立指挥九江之战便让人大跌眼镜。

你必须明白，这个世界的变化实在够快。

张发奎早就明白了这一点，而且他亲眼看到从前线撤下的桂军已成疲惫之师，个个精神不振，情绪沮丧，你让他们全部集中在桂林固守，人多力量大，或许还能有所作为。决战？哪有这个本钱。可他心里明白，嘴上却表示完全赞成白崇禧的主张。

当幕僚提出质疑时，张发奎解释说："白崇禧是副参谋总长，又有'战神'之名，他这么说，自有其智虑之处，我们不必另出主意。"

在广西，张发奎贯彻的就是一个字：忍。

身为第四战区司令长官，张发奎虽然名义上是桂省军政首脑，然而坐的却是冷板凳。

无论在哪里，白崇禧从未放松对桂省和桂军的掌控，经常以协调战区为借口，越过张发奎直接给广西军政部门下达命令，实际上等于架空了张发奎。

坐冷板凳的滋味很不好受，但张发奎经历过人事上的很多风雨，他不像薛岳那样鲁莽，更不会甩出"我才不到广西去给人家看大门"那样的话，他与白崇禧的关系，就像从前的李宗仁之与白崇禧，总是前面的那个让着后面那个，所以有人称张发奎在广西是"张公百忍"：大家同舟共济，你要抓权就让你抓，我什么都忍，尽量听你的。

第四战区的桂、粤两军，张发奎在指挥上能得心应手的只有粤军，然而后者一直在柳州防御田中久一第二十三军，守桂林得靠桂军，说到底还是白崇禧说了算，即便你不赞成又能怎样。

张发奎在广西是"张公百忍"

11月9日，横山勇第十一军对桂林发动总攻击。守军十分英勇，杀伤了大批日军，但兵力相对太少，等不到"吃黑豆"，就已伤亡大半，韦云淞只得率剩下的一小部分人突围而去。

11月10日，桂林失守，加上外围作战，勉勉强强守了十天，与"死守三个月"的期许相去甚远，白崇禧的"大会战"自然也只好流产了。

受此影响，柳州当天即跟着沦陷。一个月后，田中久一第二十三军侵占南宁，随后与驻越南的日军会合，标志着日军已完全打通所谓的“大陆交通线”。

不抽你抽谁

在被豫湘桂战役（即日本的“一号作战”）愁得整晚整晚睡不着觉的蒋介石，此时还得应付另一场与史迪威之间的战争。

随着实战的历练，史迪威已能称得上是一个合格的美国将军，缅北战役的胜利便是明证，但他在交际等方面的致命缺陷却从未得以改善，真不知道此君从前的外交生涯是怎么混过来的。

他嘴里的蒋介石连名字都不配有，被称为“花生米”。

对付“花生米”，史迪威的经典绝招就是卡脖子——不答应我的条件，就不给援助。

他也许从来没想过，即使你是捐款者，那受捐的人也还有自尊心，更何况中国人自古以来就是把面子当做天大的事来对待的。现在一桩一件，一吨一元，都要看你的脸色，你让别人可怎么活？

在史迪威面前，蒋介石简直就是个乞丐头。

豫湘桂战役的惨败，反衬出远征军的辉煌，史迪威同样不会设身处地地考虑到，在很大程度上，第二次远征的胜利，其实正是以湘桂的失败作为代价的。

相反，他把所有这一切，都归咎于蒋介石的无能。

要让我来干，肯定不一样。

经过史迪威一吹风，对中国战场也很不满意的罗斯福遂亲自出面，四次发电报给蒋介石，要求他把中国战场的所有军权移交给史迪威。

蒋介石答应了。

他曾经寄希望衡阳保卫战能稳住局面，但衡阳失守后，抗战失败的阴影已触目可及。

整整七年的浴血苦斗，眼看盟军胜利在望，中国自己却再也支撑不住了，乃至到了经济崩溃和军事失败的双重边缘。

蒋介石心灰意冷，为了在关键时刻不再失去盟国的援助，他甚至情愿吞下让史迪威来掌帅这枚苦果。

这时候的史迪威真可谓是风光无限，攻克密支那后，他先是被晋升为四星上将，接着从蒙巴顿手里接过了东南亚盟军总司令一职，马上又即将从印度飞赴重庆，担任中国陆军总司令。

老乔爽透了，认为是自己指挥的缅甸战役改变了“这些家伙的态度”，使他们“不复有恩主的气派”。

其实，史迪威也不是神仙，如果手上只有蹩脚的装备和部队，他同样一筹莫展。

桂林失陷之前，史迪威由缅甸飞到桂林一趟，大家都希望这位鼻孔朝天的老美能拿出妙计以救危局，不料他的结论只有一个：打不了。

办法也只有一个：将桂、柳的所有物资设备全部运走。

之后他能做的一切，就是痛骂一通蒋介石，认为“花生米”笨得要命，既不肯打仗，又不会打仗，只会瞎指挥。

这样还不过瘾，他又跑回重庆继续当着面跟蒋介石吵。

另一方面，自第一次远征失败后，蒋介石内心里就充满了对史迪威的反感和厌恶。

这个来自大洋彼岸的美国人让他伤透了心，乃至使他觉得只有陈纳德算是个好人——好的美国人，原因是这小兄弟真心实意地帮我（“彼对援华盖竭其精诚也”）。

可是拥有援华物资分配权，且能在罗斯福等要人跟前说上话的，却不是蒋介石最喜欢的陈纳德，而是他最讨厌的史迪威。

这样一来，蒋介石就不得不一而再、再而三地做出“殊难忍受”的让步，哪怕对于自己来说，有多么委屈……

史迪威觉得驻印军还不够强，蒋介石就抽调精锐部队过去，使其得以组建第一军和第六军，相反，等到滇西远征军屡攻龙陵不下，需要驻印军进攻八莫以牵制日军时，却被史迪威以驻印军需要休息为由，毫不客气地予以了回绝。

蒋介石拟授史迪威以三军司令，既缘于罗斯福的压力，同时也是希望史迪威能够改变恶劣的战局，而这一切，都不能光停留于口舌之争，得赶快行动，具体来说，就是尽早占领八莫，在完成打通中印公路的任务后，把远征军调回国内参战。

可是他想错了，史迪威整天能做的就是吵架骂人，全不管中国这边的摊子已经没法开张了。

一周后，蒋介石又催史迪威进攻八莫，然而史迪威仍不当一回事，不仅当面顶了回去，还去罗斯福和马歇尔那里打了小报告。

曾经的朋友变成了对头

双方这么不和谐，史迪威拜将升坛的事也就一时没办起来。

9 月 19 日，到了摊牌的时候，不是蒋介石对史迪威，而是史迪威对蒋介石。

史迪威拟了一份电报，然后发给罗斯福草签，美国总统当时的健康状况已经很不好，只是听了一下就在上面签了字。

老乔写的东西，你还会认为有什么好，一副要跟人肉搏的样子，而他写的时候也确实是拿蒋介石做靶子的，他要证明一下“美国总司令的作风”。

里面的每一句都包含着一只爆竹，那是非要把“花生米”炸得粉身碎骨不可。

你看清楚了，现在我最大，你还敢跟我犟嘴，不抽你抽谁！

这份电报，史迪威一定要亲自送，他要亲眼看到蒋介石那血肉模糊的衰样，方能大快。

忍无可忍

第一个看到电文的不是蒋介石，而是和蒋介石坐在一个房间谈话的美国特使赫尔利。

赫尔利读后，脸色马上就变了，电报中除指责蒋介石“按兵不动或竟提议撤退”外，就是通牒式地要求对方立即任命史迪威为中国陆军总司令。

从头读到尾，满篇都是“赶紧”“否则”之类的话语，不是爆竹，简直就是一把把明晃晃的刺刀。

蒋介石毕竟是一国领袖，而且是美国前不久才口口声声承认的同盟国“四强领袖”，用这种口气跟他说话，也太过分了吧。

赫尔利本能地感到这样一份电文不能给蒋介石看，就劝史迪威暂时不要拿出来。

人家不是答应让你当总司令了吗？你已经“赢得了这场球赛”，何必再如此让人难堪！

可史迪威并不领情。

为什么不拿出来，这是总统的电文，你我有什么权利搁置？

赫尔利愣了一下，知道这史迪威现在正在风头上，九头牛都拉不回来，便直言相告，“你要送就自己送，如果要我替你转送，对不起，以后我就再也不能帮你跟中国人打交道了”。

那意思，你不给人家面子不要紧，顿顿脚就可以走路了，我还得天天在这里待着呢。

史迪威今天来了就没想走，你怕得罪人是吧，我本来就想自己送的！

电文有中英对照，这厮却非要让蒋介石当众出丑，当下就指着屋里一位英语好的，“那谁谁谁，你来翻译一下”。

此时宋子文、何应钦等人都在，赫尔利也是一中国通，知道中国人最重面子，赶紧站起来说，电文里有译文，就不要翻了，自己看就可以。

史迪威见没别人答应，只好将电报直接递给蒋介石。不过这小子可真够损的，他唯恐旁人不知道电文里写的是什么，还凑在旁边，踮着脚把中文内容全都念了出来——他做过外交官，中文没问题。

念完了，他假装微微地叹了一口气，找个位子坐了下来。那样子，好像他与此事完全无关，在为蒋介石感到惋惜似的。

电文一念完，房子里几乎所有人都震惊了，因为听那里面的内容，分明就是一副老子训儿子的口气，本来是两大盟国首脑的往来电文，却仿佛变成了希特勒给他的卫星傀儡国的信件。

除了一个人，那就是史迪威，他的内心里已经乐开了花，准备提前开香槟了。

蒋介石爱写日记，这美国佬也写日记。史迪威的日记是这样描述他当时的"欢乐心情"的：这是一包胡椒粉，现在交到了"花生米"手里。它像一把叉鱼枪，将会准确命中这小坏蛋的神经中枢，把他打个透穿！

让我好好地看看，十秒钟以后，"花生米"将会是怎样的表情。

然而，史迪威小小地失望了一下。

蒋介石一字一句地看完电文，神色如常，慢慢地说了四个字："我知道了。"

之后，他便无言地坐着，什么话也不说了，史迪威在日记中的记述是"失去语言能力"。

只有赫尔利从细节处看出了反常，他注意到蒋介石伸手去拿茶杯，结果却把盖子给盖反了。

自然，屋里的空气极其尴尬和沉闷，什么事也议不了。

史迪威并不真正了解中国人的性格，更不理解他自以为已经看得透透的蒋介石。

唯其沉默，才是最痛苦最愤怒的表现。

当众人皆散，屋子里只剩下蒋介石和宋子文，一个妹夫，一个大舅子，再没有外人。当着大舅的面，蒋介石也再无戴面具的必要，这个时候他开始抽噎地痛哭，眼泪很快打湿了军政强人的衣衫。

当天，蒋介石在日记中记下："此实为余平生最大之耻辱也。"

史迪威装无辜，却瞒不过阅人无数的蒋介石的眼睛。

当史迪威还沉浸在小孩子得逞似的兴奋时，蒋介石已经在思考，如何发动最后的反击。

史载，之后的五天，他一直“静居黄山”，对史迪威问题“凝思再三”。

这里的黄山，不是指安徽的黄山，而是蒋介石在重庆的黄山官邸。

到了摊牌的时候，不光是向史迪威，也是向美国，向罗斯福。

史迪威的确是错看了蒋介石。在两人打交道的过程中，后者一直“强自忍性”，百般退让，史迪威以他美国人的观点，认为蒋介石是怯懦，但他不知道蒋氏之所以可在盘根错节的国民党中取得统治地位，是因为此人固能忍人之所不能忍，一旦下了决心，却也拥有超乎异常的坚韧和顽强。

事实上，在决定再忍一把，将陆军总司令一职交给史迪威之前，他已产生了即使没有美国帮忙，自己也要独立撑下去的想法，即所谓“不能不有最后独立作战之打算也”。

现在，你们已经把我逼到墙角，忍无可忍，退无可退，该轮到我来给你们下通牒了吧。

传达这一“通牒”的是宋子文和孔祥熙。

宋子文找赫尔利，孔祥熙去拜访罗斯福，大致意思为：其一，总统的那个电文太过分了，是对一个独立国家主权的挑衅，实为美国之污点；其二，中国的情况很复杂，军人是不愿受外人之“侮辱”和“奴视”的，可是史迪威正好“侮辱”和“奴视”了我们。

罗斯福这才猛醒，稀里糊涂签下的那个电文真把蒋介石给逼急了。

此时，他面临着两个选择，要么撤换史迪威，要么放弃中国这个盟友。

虽然一段时间以来，他和史迪威一样，或者说是受了后者的影响，对中国战场极不满意，但不满意跟不需要毕竟还是两码事。

如果中国真的跟美国说拜拜，就极有可能出现这样一种情况，即中国会因顶不住压力，放弃对日本的抵抗，如此日本立刻可以把中国战场的兵力抽出来，转用于太平洋，这对美军来说可不是什么好事。

换言之，中国打仗不卖力，可能是浪费了美国纳税人的钱，而如果干脆不打仗了，那就不是光浪费钱的事，是要多死人的——美国人。

一直以来，美国政府都有这么一个习惯，怕死人。它算账精，不愿多花钱，可如果可以少死点人，那就情愿多花钱。

美国人命值钱，这是占第一位的大事。

只有换史迪威了。

罗斯福亲自和马歇尔交谈，试图说服对方把史迪威给免掉。

第一次，罗斯福找他谈，马歇尔仍持力保史迪威的态度，他说中国的事情不是人事原因，换一个史迪威并不能完全解决问题，而且陆军部除了史迪威之外，无人可换。

第二次再谈，罗斯福的态度不再是讨论，而是不换不行了——蒋介石既是一国元首，他说要换，那就有换的必要。

马歇尔知道很难挽回了。

蒋介石要罢免他的消息，史迪威也从各种渠道探听到了一丝风声，但他还未意识到对方那种破釜沉舟、背水一战的决心。

史迪威一边做出表面上的让步，说可以在必要时候撤回远征军主力，用于国内作战，另一边却做得更为极端，甚至命令“飞虎队”半数人员都不要办公，本来要援助中国的飞机也不再交出。

此举大大激怒了蒋介石，也使史迪威的留任失去了最后希望。

罗斯福发来电报，表示可以解除史迪威中国战区参谋长一职，但希望能让其继续指挥远征军。

蒋介石马上予以拒绝：要免全免，不会再给这个人以任何机会。

史迪威原本以为有马歇尔这个大哥罩着，会没事，但斧头落下，马歇尔也没了招。

10 月 18 日，美国被迫召回史迪威。

在无可奈何花落去的哀叹中，老乔终于结束了中国之行。不过，中国人并没有忘记他在打通国际交通线上所做出的贡献，后来，中印公路被正式命名为“史迪威公路”。

第十八章
愤怒的拳头

在召回史迪威的同时，罗斯福应蒋介石之请，重新任命魏德迈少将为新的中国战区参谋长。

人就是这么矛盾，你说要像陈纳德那样锋芒毕露、敢言人之所不敢言的吧，上面不肯用你，可是反过来，假设一贯沉静谦和、温良恭俭让，别人却很可能又不知道你。

魏德迈就是后面这一类型，他与史迪威一样毕业于西点军校，具备出色的参谋功底，但仕途并不顺利，乃至在军队中混了二十多年还只是一个尉官，直到太平洋战争爆发前后，才逐级递升为少将。

接到最新任命前，魏德迈的职位是东南亚战区副参谋长，这主要是因为史迪威跟英国人的关系也处得相当不好，马歇尔把他调去起一个缓冲作用。

别人升官都高兴，只有魏德迈拿着委任状想哭。

这个老实人没有史迪威那么大的心，从未设想过要做什么老大，而且他比史迪威小二十多岁，在中国只待过两年，对东方人情世故缺乏了解。

在魏德迈看来，史迪威是美国军方公认的“中国通”，连中国话都会说，这样的伙计都被炒了鱿鱼，可以想像未来的老板是个什么样的恶角色，我去，那不是白给吗？

可军令如山，不去不行。

中国悲剧

魏德迈曾希望史迪威能给自己一些建议，这样至少心理上还可以有个准备，免得一见面就被那个可怕的老板给弄得下不了台，然而史迪威在遭到免职后，连肚皮都给气炸了，早早便坐飞机回了美国，哪里还能找得着人。

10 月 31 日，怀着一颗惴惴不安的心，魏德迈硬着头皮来到重庆履职。

上了船就无法下去，魏德迈很快全身心地投入到自己的业务中去。他发现，此时中国国内战场的情况果然相当严重，历时半年之久的豫湘桂战役，已经从北到南，连着打垮了中国的三个战区：蒋鼎文第一战区、薛岳第九战区、张发奎第四战区。

这些战区至此名存实亡，各部队都成了残破之师，很多军只剩下三千人左右，连过去的一个师都不如，战斗力更无法应付实战需要。

前线军队的溃退混乱程度大大超出原先的想象，自桂林、柳州失守后，贵州也危在旦夕。

如果不是蒋介石提前做出了一个预防措施，大家真的就全完了。

11 月 6 日，蒋介石从尚有力量的战区中抽调人马，在贵州紧急组织起抗击兵团，并由汤恩伯领衔，正式任命其为黔桂湘边区总司令。

四天后，桂、柳同时失陷，横山勇第十一军追到贵州，在沿途部队已完全失去抗击能力的情况下，汤恩伯的抗击兵团成为保卫重庆和昆明的唯一一面屏障。

贵州独有的喀斯特地形给汤恩伯帮了大忙。

日军越往前走，山路越复杂陡峭，两边全是绝壁悬崖，很多军马不小心坠入崖底摔死，第十一军因此只能拉长相隔距离，呈一路纵队缓慢行军。

这样一来，守军用很少的兵力配上迫击炮便能防住一道狭窄路口，在贵州的那些青苔路上，日军尸体重叠，有的大队被打到只剩一个中队，被击毙的日军用门板抬着，晚间才能集中火葬，其状之惨，真无法用语言和笔墨来形容。

由于极度缺少军官，连名古屋这样的老师团也只得由上等兵来担任中队长，并且平均一天只能往前挪动两里路。

但问题是抗击兵团本身能力有限，这个兵团的大部分要从西北赶来，此时还在路上，因此人越打越少。

即便是乌龟，横山勇迟早也是能爬到重庆去的。

当看到这些从第一线传来的战报，并且设身处地地面对种种险境，魏德迈终于了解了他从前所不了解的中国人。

他们绝不是像史迪威和一些浮光掠影的美国人所描述的那样，愚蠢、怯懦、消极、什么都不干，相反，这个东方民族有着惊人的坚忍、耐力与牺牲精神。

一个最明显的事实是，在德国发动进攻后，法国六个星期便选择了屈膝投降，但日本发动全面侵华到现在整整七年过去了，中国仍在继续咬牙苦撑，而美国给予中国的援助，少到不及英、苏的一个零头。

魏德迈遂感慨之，他说，这是一个中国悲剧。

毫无疑问，蒋介石也是中国悲剧中的一分子。在与蒋介石交往的过程中，魏德迈发现这个传说的凶神并没有那么可怕，甚至还很可怜。事实上，那仅仅只是一个“松散联合政府的首领”，能把这么多并不完全服从于他的军队捏合在一起对日作战，已经是相当不易。

正是鉴于这些认识和评价，魏德迈走向了与史迪威完全不同，却与陈纳德相仿的道路。他相信，此时此刻，中国人需要的不是埋怨、威胁和压制，而是切切实实的帮助与支持。

11 月底，日军已进逼黔桂铁路的终点独山县，日本媒体公然揶揄魏德迈这位“新人”：过不多久，您只好到印度去办公了。

魏德迈确实有些慌了，他两次向蒋介石建议迁都，但后者拒绝讨论这个问题。

万不得已时，我就死守重庆，“决与此城共存亡”。

见此情景，魏德迈便说：“那好，我也不走，城在人在，城亡人亡。”

蒋介石非常感动，在中国人心目中，这种肯同生共死的人，那就是患难兄弟，生死之交。

可是，魏德迈真实的想法却不是这样。

欧美理念不同于东方，战场上打不过当然要撤退，实在不行还可以缴械投降，死战，那有什么价值呢？

魏德迈后来承认，他当时心里想的，其实是到昆明去组织“最坚强的防御工事”。

魏德迈并不是一个口是心非的人，之所以那么说，是因为他能体会到蒋介石此时此刻的心境，这个时候，你告诉他“不抛弃，不放弃”，比说其他任何话都强。

身边有了一个这么通情达理的美国将军辅佐，蒋介石的苦难日子也算到头了。

魏德迈的继任让蒋介石松了口气

魏德迈非常清楚自己的身份地位，知道最牛的伙计也不能压过老板，即使你直接代表了真理，也得给人家三分薄面，因此态度和语气都非常注意。

每提出和部署一个计划，他都不会像史迪威那样“摆在裤口袋里”，而是会向蒋介石提出建议——在充分领教史迪威那套“赶紧”“否则”的逼迫式打法后，蒋介石几乎有如沐春风的感觉。

根据魏德迈的建议，蒋介石的统帅部向缅甸的廖耀湘新六军发出回调令，而魏德迈提供的运输机，也迅速提高了汤恩伯抗击兵团的集结效率。

蒋介石由此对魏德迈产生了非常不错的印象，夸他“直谅勤敏，可谓毫无城府”，对魏德迈提出的建议，没有哪一条不欣然应允，并密切配合。

火花，就这么擦了出来。

蒋介石换了个好伙计，陈纳德也换了一个好老板。在陈纳德眼中，魏德迈处事公正，为人坦诚，这让他和他的空军都有了用武之地。

在陈纳德的指挥下，“飞虎队”成规模地在贵州上空活动，连扫射带轰炸，吓得日军白天都不敢生火做饭，唯恐炊烟被空中发现，以致招来霉运。

这还是轻的，最重要的是空军可以切断彼方的后勤补给。

凡是看到地面有日军的辎重运输队，陈纳德即实行连续无区别攻击战术，不给炸得稀巴烂绝不罢休。如果是单个的日军部队，尚可躲到村庄或隐蔽处进行防空，可船只、汽车、火车却没办法这么做。

由于运输相当困难，横山勇临时改变规则：以后主要运弹药，粮食自己想办法。

所谓想办法，其实就是抢，但当时十室九空，也到了抢无可抢的地步，许多日本兵便只好摘路边的香蕉充饥。

吃还能这么对付着，穿却不行。

时已冬季，气温骤降，日军全都穿着夏装，在阵阵寒风中冻得瑟瑟发抖。

12 月 2 日，横山勇在毫无胜算的情况下，向已侵占独山的前锋部队发出电报，将其撤回广西。

八年抗战中最惊险的一幕结束了（“八年来抗战之险恶，未有如今日之甚者也”），它让中方迎来了反败为胜的机会。

风中的承诺

史迪威在任时，曾有陈纳德要与他争夺在中国领导地位的说法。

事实上，一个空军指挥官，一个三军总指挥，若要争名夺位，陈纳德无论怎么往上蹿，都不可能跳得比史迪威高，何况陈纳德特立独行，从来不是过分贪慕名利的人。

战略思想的不同，才是两人之间的根本分歧所在。

史迪威是一个“陆军至上论者”，信奉刺刀下面找出路，认为像欧洲战场那样，决定战争的永远是陆军，空军作用不大，陈纳德则持完全相反的观点。

自常德会战以来，中美空军已打得日本航空队毫无还手之力，后者完全丧失制空权，因此，中国战场不同于欧洲战场，在这里，“飞虎队”只要能得到全力以赴的支持，切断对方的补给线绝无问题，而补给线一断，也就等于扼住了日本陆军的咽喉。

陈纳德的话，史迪威一句都听不进去，在他那里，“飞虎队”可有可无，甚至于沦为他向蒋介石施压的一个重要手段。

很长时间里，史迪威只能依靠一些老式机型去完成轰炸任务，有时连中美空军的补给都无法保证，即使在桂、柳即将失守的紧要关头，“飞虎队”仍在为缺乏足够的汽油而发愁，飞机只好一架架在机场上趴着，根本无法投入协同作战。

陈纳德本是一只空中老虎，然而在史迪威的压制下，却难以有所作为，特别是在看到自己的中国哥们薛岳落到悲惨境地的时候，更是又气又急。

魏德迈的到来，彻底改变了陈纳德的处境，不仅“飞虎队”的补给不再被卡脖子，老轰炸机由 B－29 所代替，并且陈纳德的空中作战计划也得到了充分欣赏和支持。

当空中老虎重新跃起，日军遭遇到了三年以来最猛烈的痛击。

12 月 18 日，“珍珠港纪念日”后第十天，七十七架 B－29 飞临汉口上空，组成了一道超级空中堡垒。

就像当年日机轰炸重庆，高射炮对这道密集的堡垒也无能为力，因为B－29在两万英尺的上空，炮弹够不着，只能在飞机身下形成毫无作用的弹幕。

空中堡垒随即开始投弹，其轰炸方式为四加一，即五架为一组，其中四架投掷燃烧弹，一架投掷高爆弹。

这两种炮弹都是第一次在中国战场上使用，其巨大的破坏力令人叹为观止，连美国空军指挥官后来在回忆中都指出，即使不用原子弹，仅靠它们来轰炸日本本土，也足以迫使日本投降。

高射炮鞭长莫及，飞机还是可以拦截的，何况B－29机群随身并没有战斗机用于护航，但经过中美空军的屡次打击，日本航空队已经既砢碜，又胆小，任外面炸得天昏地暗，它愣是装没听见，只是躲屋里装傻。

一个小时后，B－29轰炸机群对码头仓库的首轮轰炸结束，以为人家走了，部分日机才战战兢兢地升空做个样子。

不料露头之后，等待它们的却不是交差，而是覆没。

陈纳德在武汉周边埋伏了第十四航空队所能动用的全部战斗机。经过重甲改装，如今的“飞虎队”鸟枪换炮，除轰炸机变成“空中堡垒”外，战斗机的主力机型也由P－40战斧升级为P－51野马。

野马被称为“歼击机之王”，在太平洋战场上，连零式都只能甘拜下风，更别说其他日机机型，偏偏日本航空队的老飞行员也死得差不多了，新飞行员全是没有作战经验的菜鸟，导致其作战力下降到了末流的水平。

以超一流来对付末流，谁胜谁败，几乎是不动脑子都能想得出来的事情。

果然，当长翅膀的老虎突然杀出时，日本航空队就像散了伙的鸡群一样四处乱跑，总共四十六架日机被击毁，而“飞虎队”完好无损。

空战的同时，轰炸机群卷土重来，这次更牛，全部低空飞行。

高射炮，炸；飞机库，炸；储油库，炸。一个都不放过，也一个都不饶恕。

汉口是日军在华中的重要补给基地，储存着大量战略物资，但经过“12·18”大轰炸，大部分仓库和军营都变成了废墟。

飞虎队气势磅礴的攻击队形

此后的一个月，陈纳德继续一刻不停地发动他的空中反击战，日本航空队又被打掉了两百多架，以至再没有一架飞机能用以升空作战，这片天空，完全成了“飞虎队”的专属。

在自己的领域，陈纳德可以想怎么样就怎么样了，他开始把“欺负”的对象转向大陆交通线。

陆路，一天就摧毁了三十七辆机车，水路，将近四万吨船只被击沉，长江江面上日军连十吨的小汽船都保不住。

这条日本人付出高昂代价才获得的重要线路，实际上发挥的作用极其低微。

随着时间的延续，“飞虎队”逐渐明白东方流传的独孤求败是什么意思，因为空中可供他们灭掉的飞机越来越少了。

1945 年 3 月，打掉日机四十七架，已经很不过瘾。

4 月，一共只碰到三架，还是老式的俯冲轰炸机。

5 月到 7 月，一架也没有了。

飞虎队员们忍受不了这种无仗可打的寂寞，索性深入敌占区，从东北一直飞到越南，可他们还是失望了。

在这么广阔的区域内，竟然还是无日机的踪迹，曾在中国上空嚣张一时的日本航空队被完全消灭了。

在长达八年的时间里，陈纳德的唯一抱负就是帮助中国打败日本，他实现了自己的诺言，也因此被称为自马可波罗以来，最受中国人爱戴的外国人。

猪胖不是命好

如果现在要举一个冈村宁次最佩服的人，他肯定会说是那位“算命大师”——那人算的命不是灵，而是太灵了。

1944 年 11 月 24 日，冈村宁次接替畑俊六，担任“中国派遣军”司令官。

这回真高升了，“大师”的最后一句卜语完全应验。

冈村担任第六方面军司令官时，可真把他给委屈坏了，官既小，下面那个横山勇还三天两头地跟他闹别扭。

原先侵占桂林和柳州时，冈村依照过去南昌会战的经验，想激励弱旅，因此专门让田中久一第二十三军负责进攻柳州，可是横山勇侵占桂林后忘乎所以，根本就不管什么命令不命令，径直抢了田中久一的军功，弄得后者直翻白眼。

横山勇的自我感觉总是那么好，常挂他嘴边的话是：“在目前的大东亚战争中，能立即取得主动的，唯有本军的正面。”

冈村恨不得立即给这好赖不知的家伙一“二指禅”。

没有我运筹帷幄、输送粮草，你能决胜千里？

做这种人的领导真是倒了八辈子霉。冈村到南京上任后做的第一件事，就是把横山勇给撸下来，让他滚回国当西部军司令官，领着一帮妇女儿童玩竹枪去了。

冈村升了官，但天下没有免费的午餐，日本统帅部肯扔出这顶高帽，还是要把他当泥瓦匠使的。

很快，冈村就看出了不妙。自陈纳德发动空中反击战后，大陆交通线几乎无法正常使用，不仅物资输送和储存变得极其困难，就连高级司令官的安全有时都难以保障。

新任第十一军司令官冈部直三郎中将在广州视察时，突然遭到四架野马战斗机的攻击，虽有战斗机掩护，但还是受伤躺进了医院。

中美空军如此“猖獗”，这在以前是难以想象的。

怎么可能这样？“一号作战”特别是侵占了桂、柳后，不是把当地的飞行基地全部破坏掉了吗？

研究的结果，除了“空中堡垒”和野马都具有远航能力强的特点外，陈纳德又拥有了一批新的飞行基地，不能不说是其中最重要的原因。

换言之，日军破坏机场的速度快，而以吃苦耐劳著称的中国人重建机场的速度却更快。

在侵占桂、柳后，冈村发现中国军队的实力与他担任第十一军司令官时期已不可同日而语，对方已丧失了超过一半的正规部队，如果能乘胜而进，显然“重庆军”只能继续撤退。

可惜，犹如回光返照一般的“一号作战”，也几乎耗尽了日本仅余的最后一点潜力，在这次大规模连续作战后，日军大多数参战部队都减员了三分之一，有的仅剩一半。

坂西一良第二十军属于第六方面军的直辖部队，打仗的次数不多，强度也不高，但也死伤了七千多人，前沿主力部队的状况可想而知。

这么一算，别人虽然伤痕累累，但你也快瘫倒在地了，加上缺乏后勤补给，哪里还有能力再追那么远。

先想想怎样才能不挨飞机炸才是头等大事。

1945年1月29日，冈村在南京召集军以上司令官开会，确定要发动春季攻势，以捣毁中美空军的两大飞行基地：鄂北老河口和湘西芷江，这两个地方，一北一南，是陈纳德用以切断日军后勤补给的两把利剑。

本来这是开飞机的人的活，可是航空队哪里敢去，无奈，只能由陆军越俎代庖，给航空队擦屁股。

进攻老河口一战，是曾在豫中会战中击溃第一战区的内山第十二军，从步兵师团到特种部队都是一套班子，冈村也希望他们能一战得胜，像“一号作战”那样开个好头。

3 月 22 日，第十二军发起鄂北会战。

其时，李宗仁已调任汉中行营主任，在老河口负责的是第五战区新任司令长官刘峙，这也是他在抗战胜利前指挥的最后一仗。

中国军队在鄂北豫西的情况，和广西一样糟糕，刘峙手上可调度三个战区的人马：第一、第五、第十战区，然而，这么多落败之师加一块儿，也不一定能抵得上过去的一个汤集团。

好在刘峙有保定会战的教训，那场军事生涯上的滑铁卢在将他击落谷底的同时，也教会了他一条重要的生存法则。

这条法则就是：平原之上，步兵是扛不住坦克的。

人的思维通常都具有惯性，刘峙尝到的是苦头，内山感受的却是甜头，所以他的战术基本照搬过去击败汤恩伯的那一套，即用步兵突破正面，然后由隐蔽于步兵身后的车骑特种部队超越突进。

可惜，这么好的战术只能浪费了，因为刘峙根本就没准备固守平原，早早地就把那些地方给让了出来。

不过在撤退之前，刘峙挖断了公路。

“虎师团”战车第三师团一直在步兵身后鬼鬼祟祟，想占便宜，不料挖断的公路使它原形毕露，不得不一边填坑一边行进。

正好那几天又下大雨，道路变得更加泥泞松软，无奈之下，师团长山路秀男中将做出规定，摩托化步兵一律改成普通步兵，老老实实下车走路。

摩托车好办，坦克却不能下来推着走，就算在泥地里原地打转，你也没法子，这正应了“猪胖不是命好”那句话。

好不容易天晴了，可没等山路修好，有人就提溜着刀过来了。

“刘峙版”新生存法则：如果步兵不行，试试飞机！

坦克在步兵面前不可一世，见到飞机却也就跟遇到老鹰的小鸡崽差不多，除了撅着屁股到处躲，没有其他任何高招。

平原上一览无余，很难藏人，更别说藏坦克了，因为这东西目标太大，黑烟、炮管，甚至于身后的车辙印都可能暴露你的行踪。

对于富有经验的飞行员来说，只要把飞机降到一定高度，就总有办法发现，几颗反坦克弹下去，战车便成了废铁。

白天担惊受怕，晚上还难以合眼。

中美空军实行的是三班倒，自有值夜班的来伺候，而且这回还配备舞台灯光——照明弹和曳光弹，然后伴有大口径机枪的扫射和反坦克弹的轰炸。

自当年灵宝战役遭到胡宗南第一军痛击后，“虎师团”再次遭遇较大伤亡。最令人恼火的是，灵宝战役时，多少还可以看到并打击对面的守军，这次却只能挨打，不能还手。

随师团长前进的译电班乘着卡车，本来多高兴的事，起码用不着跟小兵一样走路，不料卡车被炸个正着，译电员死的死，伤的伤，电报密码本炸碎后纸屑乱飞，煞是有趣。

译电班直属师团司令部，连他们都这种待遇，其他人的处境可想而知，几乎一路都是提心吊胆。

内山原本指望“虎师团”能发挥快速机动作用，谁知事与愿违，坦克竟然还远远落在步兵后面。

与坦克相比，东洋马不一定非走公路不可，因此骑兵反而能够后来居上，抄小道跑到了前面。

3 月 27 日，骑兵旅团已到达距老河口以东不足五十里的区域。

刘峙一面对老河口飞机场进行紧急搬迁，一面围绕老河口，调度陆空两军对骑兵旅团进行打击。

老河口为丘陵地形，并不利于骑兵作战。骑兵旅团为此伤亡惨重，每个骑兵中队都被削掉三分之一，直到配属的步兵赶到，才最终占领老河口飞机场，但那里已经空空荡荡，花力气缴到的一些汽油和航空器材，也被飞机投弹给烧毁了。

谁斩谁的首

内山是久战之将，一伸手，就能知道对手处在什么样的水平和层次。

鄂北会战开始以来，守军的一招一式皆极有章法，即使攻到老河口，亦毫不慌乱，最重要的是它的损失很小，随时可以对已疲惫不堪的敌人展开反击。

显然，中国军队拥有一个非常有效的指挥中枢。

3 月 29 日，内山向骑兵第四旅团发出电令，下令执行“斩首行动”：绕过老河口，奇袭并歼灭位于老河口西北的第五战区司令长官部。

骑兵旅团长藤田茂少将毕业于陆士骑兵科，擅长于骑兵隐蔽突击战术，战前他特地训练了一支很神秘的小分队。

这支小分队的士兵全部背青龙刀、马步枪和手榴弹，军官则使用手枪、望远镜和地图，乍一看就是一支活脱脱的中国骑兵。

如果你这么认为，藤田茂一定会开心得连觉都睡不好，因为他就是要让别人有这种印象。

正式名称：特别挺进入斩队。

伪装成中国军队的日本“入斩队”

入斩队化装成中国撤退军队，趁黑夜出发，离第五战区司令长官部越来越近。

似乎刘峙的脑袋再也保不住了，可惜藤田茂初来乍到，忘记了自己身处什么地方。

豫西、鄂北、陕南，那是一个民风极其强悍的三角地带，即古之所谓“穷山恶水出刁民”。当地人全部尚武好斗，村村寨寨有枪有自卫团，过去军阀混战时，甭管哪路人马，路过时一定要打好招呼，否则砍你没商量。

日本人，那却是不用打招呼的，因为没得商量。

据说在豫西时，曾有一座寨子里的自卫团出面宴请驻于当地的日本军官吃西瓜，吃着吃着，他们忽然翻脸，七手八脚就把从大队长到翻译的八个日本人全给剁了。

要指出的是，那座寨子与日军大队部仅隔五百米，这些老百姓的胆量究竟有多大，就是不言而喻的事了。

入斩队跟他们的旅团长一样不知厉害，他们到达一条河边时，准备选择渡河点，就去向当地人问路。

这一问，什么伪装都白搭。

给入斩队担任向导兼翻译的是两名伪军，但不是当地伪军，是从豫东临时调来的，一说话，人家就发现口音不对。

入斩队队长自称是老河口防守部队的某某，却连中国话都说不利落，更是把老底都给抖搂出来了。

发现这些人原来是伪装的日军后，老百姓不是大惊失色，而是大喜过望。

靠请吃西瓜才剁了八个鬼子，勉强缴了几条枪，眼前起码有三十个鬼子，不仅有枪还有马，这该是多大一笔收成啊。

于是，一个村一个村地赶过来，他们的兴趣就是杀了鬼子后，再夺走枪和马。

没有人感觉恐惧和害怕，只是唯恐落后，仿佛面对的不是荷枪实弹的日本兵，而是生产队里准备分给大家的鱼和肉。

入斩队员都是从骑兵旅团里挑选出来的精兵，具备极强的作战能力，但周围上来包围的人密密麻麻，越来越多，粗粗估算一下，竟有一千多人，而且很多手里还有土枪土炮。

就算你是三十个下凡的天神，也敌不住一千个不要命的老百姓。

到入斩队撤回原出发点时，已伤亡了一半。

随着斩首行动的失败，从正面强攻老河口便成了藤田的无奈之选，而这却是骑兵旅团的最大弱项。

骑兵们大多没有经历过大的阵地战，只要对手火力一强，就赶紧躲起来，并闭着眼睛胡乱开枪。

刘峙的守城部队是从三个战区凑过来的，完全算不得主力精锐，所以起先精神也很紧张，可是一看对手更菜，马上就来了劲。

一遛马的，还敢跟我们叫号，不揍死你就太亏了。

攻城时，骑兵旅团完全陷入被动挨打的境地，敢攀登城墙的日本兵，有的被迫击炮弹炸碎，有的被密集的机枪子弹击中，在最前沿负责指挥的中队长都没有能活着回来的。

4 月 1 日，藤田下令终止进攻，换防撤退。

由于被打死的同伴太多，很多人一边走一边哭，这支曾在豫中会战中与“虎师团”一道击溃汤集团的骑兵旅团，至此遭到了歼灭性打击，联队只能缩编成中队，已不复能战。

六天后，内山以步兵师团和战车师团相配合，才最终侵占了老河口城。

防守老河口的，自头至尾只有一个普通步兵师（第一二五师），但这个师直到从城中撤出，仍从容不迫，最后的两天，他们仅阵亡两百多人，被俘五人，日军却伤亡了近四百人。

对于内山、冈村乃至整个“中国派遣军”来说，这可不是什么好兆头。

绝版青春

冈村宁次从来没肯放弃过他的西进战略，他如此卖力地进攻老河口和芷江，除了破坏中美空军的机场外，也是要把当地作为今后侵占中国大后方的跳板。

与鄂北会战相比，冈村更为关切的是湘西芷江会战。因为与老河口相比，芷江直接靠近中国后方，在这杆秤上，可以最后再测一测日本的国运和他本人的命运。

战前，他乘机飞往汉口和衡阳，以检查战役准备情况，但不看犹可，一看之下大惊失色。

无价可还

武汉几乎每天都遭到空袭，炸弹像长了眼睛一样，只炸重要的军事设施或运输部队，而不触及其他建筑，这表明中美空军完全掌握制空权，达到了随心所欲、想炸哪里就炸哪里的程度。

冈村敏感地意识到，战局已到濒危时刻。

想想真够悲催的，七年前，当他以第十一军司令官的身份侵占武汉时，日本举国上下，从军队到百姓，曾是怎样一种欢天喜地的景象，那时日本的东京等大城市都举行过庆祝会，很多人坚信，他们最终必能侵占整个中国，未料七年过去，不仅这一切即将化为泡影，连日本本土都在天天挨炸。

虽然冈村仍在不停地发表“精神万能”的训示，口口声声“只要敢斗，日本仍能取得最后胜利”，但他身为高级别指挥官，知道很多普通人不知道的内幕，因此心里其实并不糊涂。

真正糊涂的是那些前线官兵，他们被蒙在鼓里，还在苦苦作战，直至毫无价值地把性命丢在异国他乡。

冈村的心情变得十分沉重和失落。

衡阳之行，则给他那脆弱的小心灵又来了狠狠一击。

灭亡前的歇斯底里

侵占芷江的部队，担任主攻的是第一一六师团，这个师团自衡阳一战后已补入了大量新兵，但仍存在缺额，有的中队只有一百人，与满额编制有不小距离。

由于运输给养中断，第一一六师团隔三差五必须四处“扫荡”，其实就是从老百姓那里抢生活必需品，吃的喝的那些，就这还不能解决问题，专门拨出一批人去做生意，这使得他们的军事训练基本处于半停顿状态。

在冈村担任第十一军司令官的那个时代，每个师团都配备有整齐划一的山野炮，如今第一一六师团却只有山炮没有野炮，有的大队使用的还是日俄战争时遗留下来的老山炮。

在第一一六师团等主力出征芷江后，留守衡阳当地的就成了最弱部队，这个“最弱”已不是武汉会战时“最弱师团”的概念。

此弱非彼弱，是真正的弱，不掺杂一点“强”的因子。

两个临时编成的独立混成旅团，既无38式，也无歪把子，士兵拿的全是79式步枪——豫湘桂战役末期从中国军队手中缴获的武器。

兵员则更差，除了从各师团中抽出一部分尚算看得过眼外，其他很多是刚从国内刚征来的十七岁少年兵，这些小孩子原先只舞弄过竹枪，让他们原地警备防守都勉为其难。

从南京出发时，冈村胸中尚有些壮志，这一圈转下来，连他自己也对时局失去了部分信心。

回南京后，这位日本统帅部属意的“泥瓦匠”除了早上办办公外，从下午开始就去钓鱼或者下围棋，已经茫然不知所措了。

过去，冈村对暗地谈判最为不屑，以为毫无价值，但自此以后，他开始与重庆政府建立起无线电和口信联系，并经日本政府授权，明确了讲和条件：日军愿意在一年内全部撤至山海关以东。

但这一条件遭到蒋介石的断然拒绝，后者要求日军必须先撤出朝鲜再说。

冈村一听就火了，狂妄，狂妄，朝鲜多少年前就被日本并掉了，早就算是我们的领土，莫非我撤兵了，还要再割地给你不成？

冈村不知道，其实早在一年多前，中、英、美三国首脑会晤开罗，就已决定要联合用兵，迫使日本无条件投降。

大局早定，蒋介石不过是给对方一个主动投降的机会而已。

战后，冈村才知道这一内情，因此曾非常懊悔。

不过，当时的他可真给激怒了，想着中国人如此无礼，非得在湘西会战中给点教训不可。

以青春的名义

所有侵略芷江的日军部队，皆归入坂西第二十军名下，代号为“樱兵团”，指挥官为第二十军司令官坂西一良中将。

坂西一良毕业于陆大第三十期，与阿南惟几、石原莞尔是一个窝里出来的，此君的资历不如横山勇，但毛病差不多，就是都喜欢“犯上”，并以此为乐趣。

在日本国内的时候，有一次陆相林铣十郎大将在东京举行茶会，以招待预备役军人（即在乡军人）。此类茶会多属于应景性质，无非显示一下领导对你们的关怀体贴，大家昏昏欲睡，等到林铣十郎因事离开，会场上却突然热闹起来，并且焦点都集中于一个毛头小伙。

这小伙就是时任陆军省调查班长的坂西，但见他登上讲台，唾沫横飞，痛批了一顿“当权的老家伙们”，“想当年金戈铁马，看今朝花前月下，这帮老不死的尸位素餐，自己啥也做不了，反而阻挡我等建功立业之路，真真可恶，试问他们身上有哪一点对得起那些‘建国元勋和英勇烈士们’”？

一番话引得预备役军人们心潮澎湃，掌声噼里啪啦的，等到林铣十郎返回时，则群起而攻之。

这林铣十郎本来也不是盏省油的灯，“九一八”时曾在没有命令的情况下，就擅自从朝鲜调兵进入东北，因此被称为“越境将军”，如今终于也尝到了部下掀桌子的滋味。

当着气势汹汹的众人，林铣十郎只得赔礼道歉，过后越想越气，便毫不犹豫地给坂西穿小鞋，停了他的职。

坂西本来想出点风头，却不料戏演过了，被炒了鱿鱼，如果不是后来给土肥原当女婿，怕是这辈子都出不了头了。

人说坂西有神经病，但有些神经病是可以装的，比如坂西平时为人傲慢，爱挑剔上级的毛病，有时甚至毫无顾忌地破口大骂，但对土肥原从来都毕恭毕敬，言听计从，因为那是他的靠山，又比如事无巨细，坂西都要亲自处理，在某种程度上也是为了向上爬的需要——可以给人以勤勉的印象嘛。

没有阿南的脸蛋、石原的头脑，被称为“神经病”的坂西竟然也从关东军方面军司令官混到了樱兵团司令官，看上去似乎是运气使然，其实这就叫各人有各招。

在豫湘桂战役后期，横山勇曾穷追至独山，几乎把重庆政府逼入绝境。

坂西从来不认为自己比横山勇差，疯子能做到的，精神病也能做到，更何况樱兵团不是小股，而是大股。

道理是不错，只是场景已经变换。

早在1944年秋，当湘桂战场面临严重危机时，重庆政府号召知识青年暂时放下书本，投笔从戎。

当时，连蒋介石都送子参军，特令蒋经国和蒋纬国兄弟服役，一些政府高官也把子弟送去报名，中国历史上规模空前的知识青年参军热潮出现了。

一寸山河一寸血，十万青年十万军，原拟从全国招收十万知识青年，但到1945年1月，已正式登记十二万，共编组成九个师，冠以“青年远征军”（简称“青年军”）的名号。

十万青年十万军

这是自愿从军，不是拉壮丁，而知识青年也不同于文盲白丁，军队中每增加一个知识青年，就等于增加了十个普通士兵，组训后的青年军面貌焕然一新，被认为极有可能成为全国的模范军队。

由于抗战临近结束，青年军除有一部分参加了缅北大反攻以外，绝大部分并没有能参与对日作战，抗战胜利后便全部复员了，但这次从军运动无异于为大后方已极度委靡的民心士气带来了活力，尤其是初步扭转了国内争相逃避兵役的颓风，使得那些曾严重缺员的主力部队也很快得到人员补充。

然而，这个时候的美援却又成了问题。

有些人以为是撤换史迪威，从而惹怒罗斯福和马歇尔的缘故，但事情的实质不在这里，事件的实质是随着二战胜利在望，中国在盟国的战略天平上已经失去了原有的分量。

在此前美、英、苏联合召开的德黑兰会议上，斯大林已经明确答应罗斯福，击败德国后，苏联将在六个月内对日开战。

正是因为这句许诺，使中国战区由反攻日本的主要基地下降为辅助性基地。

美国人不愿再花力气对中国进行军援，最终提供的美械止步于十个军，即原来武装过的远征军，经过再三恳求，才又增加了三个军的装备，这样一共有十三个美械军。

其他部队都眼巴巴地在看着，蒋介石没有办法，只好把十三个美械军的预备装备也拿出来，打造了若干个半美械军，这样的结果，却是使得大家都既吃不饱，也饿不死。

好在人的问题解决了，剩下来的并不难办。

特异战术

芷江只是湘西的一座小山城，但它在军事上的地理位置却是如此重要，乃至被称为“滇黔门户，全楚咽喉”。

要占领芷江，就必须让东首的雪峰山点头，而在这座山上，早已是重兵云集。

蒋介石的统帅部不能允许再有第二个豫湘桂之败，因此对湘西会战倾全力而至，前后总计集结八个军达十二万人，其中大多数为美械或半美械装备的中央军精锐。

刚刚出任中国陆军总司令的何应钦亲自担纲湘西会战。想当年，他指挥长城抗战，多少人批评战术呆板，只会死守，十多年过去，终于有了证明自己的机会。

大家都一样乐观，在冈村和坂西看来，以往想寻找中国军队的主力都不得，这次你们自动聚一堆，正好来个连锅端。

冈村非常清楚，部队没有战斗力，再高明的指挥官都形同摆设，所以他专门从日本国内调来了第四十七师团，可是这个师团迟迟无法到达战场。

原因就是无论海路还是陆路，在遭到中美空军轰炸后，都已不能正常运输，第四十七师团大部分时间只能靠夜间步行，这样当然走不快。

坂西望眼欲穿，只等来了一个重广三马第一三一联队，其他部队仍在行进中。

再等战机就没了，不如一边打一边等，坂西按下了会战启动键。

1945年4月9日，第一一六师团奉命向雪峰山正面突击推进。

第一一六师团长原为岩永汪，但一个月前已被调回国，继任者为菱田元四郎中将。

菱田和坂西是陆士同学，出征之前，坂西特地来为他送行：所谓不是一家人不进一家门，咱兄弟可是田间地头，屋前屋后的感情。

菱田明白了对方的潜台词，小肩膀往上一抬。

第一一六师团是主攻部队，成败至关重要，小弟又初来乍到，岂能不卖力气。

让这两兄弟高兴的是，最初两天的战况称得上一帆风顺，部队在推进中未遇太大阻力。

太好了，继续往雪峰山深处插。

再插，发现战场已不是他们熟悉的战场。

对手操纵的不光有常见的步机枪，还有可以连发的冲锋枪，炮弹也不一样了，那是一种爆炸时声音异常尖厉的特殊炮弹——火箭筒。

湘西前线美械装备的中国官兵

缅北战场被搬到了国内，隐藏在雪峰山深处的是经过美械装备的中国军队。

不是每支经过美械装备的部队都很强，但这支军队足够强，因为他们是王牌中的王牌："虎部队"第七十四军。

第七十四军在抗战中也吃过亏，第二次长沙会战和常德会战就是例子，但即便是败，也败得绝不寒碜，日军往往必须付出同等甚至更大的代价，这也是"虎部队"令对手胆寒乃至痛恨的一大原因。

在第七十四军中，"虎贲"第五十七师擅守，一个师可以凭城与日军一个军角斗，而"文昌"第五十一师则擅攻，第一一六师团遭遇到的，正是"文昌师"。

"文昌师"师长周志道毕业于黄埔第四期，这个第四期出了很多将才，国民党内依名气高低有张灵甫、胡琏、阙汉骞、葛先才，共产党里还有林彪，可算是人才济济。

周志道名气不大，但是一样很会用兵。

第七十四军尚处于半美械状态，美械配不全，一个连只有三支冲锋枪，到营才有两个火箭筒，但整个师的武器集中起来，火力也已不弱，因此周志道在防守时，非常重视发挥第七十四军的传统绝活，即多角度集中射击：正射、斜射、侧射，让你躲都没地方躲。

传统的就是大家都会的，"文昌师"会，"虎贲师""榆林师"也会，这个算不得特色。

只有当阵地失守，"文昌师"必须进攻时，周志道才会亮出这个师的看家本领。

他先以迫击炮射击，对日军阵地进行压制破坏，然后再用步兵进行波状攻击。一般步兵进攻时，炮兵都要实行暂停或延伸，但"文昌师"为了确保攻击的猛烈程度，迫击炮却是一刻不停，连方向角度都不变。

这样打法，有时难免误伤自己人，然而即使这样，亦在所不惜。

以进攻疯狂著称的日军此前也未见识过这种打法，称之为"特异战术"。

在"特异战术"面前，第一一六师团伤亡逐渐增大，前进速度也越来越慢，不仅没能攻破守军防线，它的第一〇九联队还被“文昌师”等三个师给夹住了。

仇人相见

战局的发展，大大出乎坂西、菱田的预料，让他们意识到前面遇到了硬茬。

吃惊归吃惊，菱田师团长似乎时差仍没有完全倒过来，他从别的联队抽了一个步兵大队过去，不是为了给第一〇九联队解围，却是让后者继续进攻。

如果这是在一年前的豫湘桂战场上，或许菱田使出这一招就行了，但现在远远不够。

中方指挥官在空军协助下，犹如多了千里眼和顺风耳，马上就发现了菱田的增援企图，并派出打援部队在半路上堵住了那个步兵大队。

对第一〇九联队的围攻则还在继续，参与包围的三个师里面，仍以负责正面堵击的“文昌”第五十一师为最狠辣，周志道组织手榴弹投掷班，三人为一组，冲锋号一响，即用手榴弹向日军进行集中投掷。

各支部队都配有美军联络组，美国联络官们除提供作战建议外，主要负责用无线步话机指挥地空协同作战。

一时间，战斧和野马齐飞，秋水共长天一色，在立体化的围攻下，第一〇九联队伤亡惨重，至4月25日，该联队仅剩五百多人。

第一〇九联队既不能前进，菱田却又不让他们后退，说是要继续待援，以便夹击“文昌师”。

不是菱田特别无能，而是在完全失去制空权后，地面的日本陆军相应失去了特种侦察和联络手段，使得指挥官也变得钝拙木讷，与过去的灵活敏捷判若两人。

在首批援军被堵后，菱田寄希望的第二批援兵是剩下来的那两个联队。只要这两个联队能突破其正面，不仅可解第一〇九联队之围，也可牵制中国军队的主力，可谓一举两得。

但是，它们并没有能比自己的同伴更幸运一些，因为其正面是第七十四军最擅守的部队，重建后的“虎贲”第五十七师。

在两年前的常德会战中，“虎贲师”几近覆没，从此和第一一六师团结下了血海深仇。两年后再次重逢，立刻火星撞地球，官兵们如狼似虎，屡屡上演与日军进行面对面白刃肉搏的好戏，以至观战的美军联络官都看得目瞪口呆，伸出大拇指连连高呼 OK！

第一一六师团也在发狠，进攻一浪高过一浪，但在付出伤亡一千余人的代价后，仍不能实现突破。

“虎贲师”在这一战中诞生了一位叫周北辰的英雄，周英雄率领一个连与两倍之敌血战一周而阵地岿然不动。

战后，何应钦亲往视察，看到这座阵地前被打死的三百多日军，散兵壕内到处都是敌尸，不由大为惊叹。

打了一辈子仗，也没看到过一个步兵连可以取得如此大的成就。

美国人闻风而动，魏德迈代表盟国，授予不凡的中国连长以银质自由勋章，在中国国内战场上，这是军官所得到的第一枚盟国勋章。

飞刀，又见飞刀

有句俗语，“不能把所有的鸡蛋放在同一只篮里”，樱兵团司令官坂西看来深谙此道。

他至少准备了两只篮子，一只给正面的第一一六师团，一只给南北两支助攻部队：南为第五十八旅团，北为重马联队。

但是，何应钦也不是只拥有一把刀，雪峰山上他准备了很多把，而且把把锃亮。

南面的第五十八旅团遇到的是第七十四军的最后一个分支——“榆林”第五十八师。

与大出风头的另外两个师比起来，“榆林师”看上去似乎并不张扬，其实是矛坚盾也利。

他们采取诱敌深入的战术，先用一个营把第五十八旅团诱进口袋，然后主力突然借助丛林掩护，从两翼进行包抄，顿时杀得日军像没头苍蝇一样到处乱窜。

“榆林师”的脾气还不好，冲入对方阵地后，抓住残余的日本兵，啪啪啪，就是几个耳光，打得对方满眼直冒金花，还有的拳打脚踢，举起枪托朝屁股就是一下。

小样儿的，敢跟我们第七十四军作对，揍不死你！

日本俘虏因此把“榆林师”称为是厉害的中央军，落这群人手上多少得挨上两记。

南面的重马联队属于第四十七师团的先遣部队，据说以山地战见长，然而对面的第七十三军皆为湘省子弟，对山地战同样不陌生，而且该军系完全的美械军，拥有美式山炮等特种武器。

轻装潜行的日本兵却没有任何重武器，飞机坦克大炮都成了浮云，于是成排成排地被打倒在开阔的水稻田里，一时田水尽赤。

战局对日军十分不利，南、北、中三线不仅迟迟无法合拢，而且自身也开始沦于被动，只能自动自发地由攻势转为守势。

坂西的心这时才沉了下来，并且明白，仅仅一年不到，他所处的环境跟疯子横山勇那阵已经大为不同。

“精神病”平时人五人六，拽得不行，从来不把上司放在眼里，但境况如此，除了向上求援，再别无他法。

电报发过去，一封给冈部，一封给冈村：因中央军在芷江集中了“意想外之大量部队”，必须再向芷江增加两到三个师团。

求援电报无一例外被打了回票。不是不想派，而是派不出来。

日本在特种情报战上还差着美国老大一截，关键情报一个也不知道，都是在屋里瞎猜的。

从冈部到冈村，再到日本统帅部，都以为美军要从中国东部沿海登陆，正着急慌忙地往那里部署兵力呢，而照坂西的说法，既有“意想外之大量部队”，再增加两到三个师团显然是不够的，起码得派去七个师团才有用，这怎么可能？

说得大一点，坂西是为了抬高自己，撇清责任，不料，他搬起的石头却砸了自个的脚。

必杀技

见日军攻势受挫，何应钦立即召唤自己的必杀技：此前驻于常德的胡琏第十八军。

第十八军是陈诚“土木系”的顶梁柱，又是美械军标准，何应钦看重，坂西也知道，所以早早就在常德附近布置第六十四师团，想用这种人盯人的办法来缠住对方，使其无法进入芷江战场。

日军真是到了青黄不接的时候。第六十四师团是那种最差劲的“速成师团”，其作为基础的独混旅，原先只是在泰兴和新四军主力相持，在那些地方，这个独混旅大部分时间倒也能混混，一会儿“铁壁合围”，一会儿“梳篦式扫荡”，很像样。

可移到正面战场，特别是面对中国的美械王牌军时，内囊就完全出来了，竟然被对方像耍猴一样耍得团团乱转，胡琏仅留下一支小部队用于牵制，就轻松将其摆脱。

我们要到雪峰山去打主力，哪有时间陪你这种小泥鳅玩儿。

胡琏率第十八军昼夜兼程，在崎岖的山路中一天强行军八十里，终于在何应钦需要的时候赶到跟前。

好钢要用在刀刃上，关键是怎么使用。

何应钦最初是想用于雪峰山正面，这样居高临下，必能给坂西以粉碎性打击，则湘西会战可以全胜告终。

正要授出兵符令箭，有幕僚献计：坂西是以主力用于正面，两翼较为薄弱，如从其侧翼出击，则更有把握。

何应钦依计而行，并于 5 月 4 日发布了总攻击令。

其实，这时从正面也好，由侧翼也罢，双方胜负大半都已确定，只在于能取得多大范围的胜果，从这个意义上讲，侧翼包抄可断敌后路，不失为最佳选择。

胡琏领命后，立即向樱兵团的侧背猛进，沿途日军特别是辎重部队混乱异常，狼狈不堪。

后院起火，坂西赶紧让刚刚到达的第四十七师团大部队就地扑火。

第十八军当时只有第十一师接受过美械装备和训练，因此参战部队名为一军，其实只有一师，而对阵的第四十七师团却拥有两个联队，为了尽快打通后方，第四十七师团还破天荒地采用了刺刀肉搏加人海战术。

在肉搏战上，刺刀肉搏一直是日军的特长，与之相比，中国军队主要出彩在手榴弹肉搏方面，即使到抗战后期也是如此。

进攻第十八军阵地的日本兵一律上刺刀，阵形排得黑压压一片，以往这样冲上去，一般都能打开缺口。

可这次是例外。胡琏第十八军不用手榴弹，用冲锋枪，数步之内密集扫射，把二愣子们全打成了筛子。

第六方面军司令官冈部直三郎原先是不想再增派部队的，但一看，如果雪峰山的大门被“雪山飞狐”完全关住，樱兵团将是全军覆没的严重后果，不增不行了。

正好，广西有一个第三十四师团，按照原计划，是要调到宁沪沿海去防止美军登陆的，冈部便把它临时拨给坂西应急。

第三十四师团在上高会战中曾差点被第七十四军全歼，后来才得以整补重建，算得上是经历过大风大浪的老部队，这个师团上去后，终于使得包围圈露出口子。

5 月 9 日，“中国派遣军”司令官冈村宁次在败局已定的情况下，向第六方面军下达了中止湘西会战的命令，但他不知道，这时候日军早就提前溃退，网里的那些小鱼小虾正顺着口子狂奔猛逃哩。

等你下命令，我们的骨头都不知道得扔哪里去了。

在其他联队的接应下，最早被围困的第一〇九联队总算从包围圈中跑了出来，但他们的溃退之路几乎就是一条死亡之路，一路上被前堵后追，又死了很多人，归建时官兵已所剩无几。

6 月 7 日，湘西会战以中方完胜结束。在会战最紧张的时刻，何应钦曾用飞机运来廖耀湘新六军作为预备队，但还没等“东方巴顿”发威，仗就打完了。

据樱兵团第二十军的统计，共伤亡两千多人，引人注目的是还增加了

欢呼胜利

一项以前没有过的数字，叫做“病死”人数。

在坂西提供的报表上，湘西会战日军共“病死”了两千多人，几乎等同于战场伤亡。

据他解释，情况是这样的：由于雪峰山打得太苦，士兵体力消耗过大，作战时因精神高度集中和紧张，尚能支撑，可等逃回原驻地，人一松弛下来，就突然纷纷倒地，然后再也站不起来，结果就是“病死”了。

坂西的“病”还不只这么多，除了“病死”的外，还有“病”得没死的，这个数字相当惊人——湘西会战期间，足足有两万三千多！

只有活着的人明白真相。

冈村宁次的参谋长曾在家信中透露，湘西会战，日军成了中国军队“案板上的肥肉”。

第一一六师团无疑是案板上最大的一块，这个师团从参加常德会战起，打过很多苦仗恶仗，但湘西雪峰山之败让他们永世难忘。

该师团的主要兵源地在京都，直到四十年后，师团的幸存老兵向自己的儿孙们讲起当时作战的惨烈场面时仍心有余悸，对大批京都人在山区埋骨的地方仍能记得清清楚楚。

显然，被人家按在砧板上做成馒头馅的滋味是很不好受的，尤其不好对外交代，坂西虽号称“神经病”，却并不傻，他选择了有意无意地把伤亡率往“神经”和“病”上凑。

终结者

湘西会战结束后，发生了一个小插曲。

何应钦陪同美军将领到雪峰山前线视察，并向有功将士授勋，回来时天降大雨，大家急忙下山。刚刚走过一座小木桥，排阵一样的溪水赶到，一下子便将木桥冲得无影无踪。

见此情形，众人“相顾愕然”。

这个春天，这个战局，犹如此天此山此水此桥，虽然还有惊，但再也无险。

日本驻西南的第六方面军开始陆续撤往东北和华北，在他们身后，汤恩伯兵团紧跟不放，实施了战略性追击。

日军沿途大量伤亡，连作为主力的第三、第十三师团亦不例外。老兵对类似的场面已熟视无睹，最惨的是独混旅里那些刚入伍不久的十七岁少年兵，他们接受不了前后左右同学同乡的非死即伤，精神临近崩溃，一路撤一路哭。

此时，中国统帅部已制订代号为“冰人”“白塔”的总反攻计划，敌后战场上的八路军、新四军以及部分国民党军队也展开了局部反攻。胜利是必然的，只不过谁也想不到会来得那么快。

陈纳德曾经断言，亚洲战场不同于欧洲战场，在这里，空军有最大的发挥余地。

自 1944 年底，美国对日本本土展开战略性空中打击。当年 11 月，超过一百架 B－29 轰炸机来到东京上空，那种满天下饺子的壮观景象，足以让日本人印象深刻。

不过，这次大轰炸仍没有能够达到盟军所追求的那种效果，心里还是有些不得劲。

作战都得讲究对天文地理的掌握，空战也是如此。日本城市房屋大多为木结构，这让盟军产生灵感，决定采用中国传统的“火攻”之术。

1945年3月9日，空中堡垒再次光临东京，这次不是一百架，而是三百架，不是普通炸弹，而是燃烧弹。

三千吨燃烧弹，让东京变成一片火海，房屋被烧毁五分之一，七万多人被烧死烧伤。

到7月，除京都等文化名城得以豁免外，日本大半城市都“享受”到类似待遇，不是被炸平就是被烧毁，模样整得比猪八戒他老姨还要难看。

7月16日，正在参加波茨坦会议的美国总统杜鲁门接到国内报告，得知一种“特种炸弹”已经试验成功，遂授权在会议结束后进行投放。

这次将不是蜻蜓点水，而是一次性击穿心脏，就像波茨坦公告所宣称的那样，日本要么投降，要么毁灭。

8月6日，美军航空队在广岛投入了“特种炸弹”。

仅仅一颗，但当它爆炸时，广岛所有的建筑物都不复存在，近十四万人伤亡。

一颗“特种炸弹”竟然拥有如此强大的威力，不仅广岛老百姓，就连日本统帅部也惊骇莫名，派去考察的军事专家则发出了一声哀叹。

这就是传说中无坚不摧、杀人于无形的核武器——原子弹，日本其实也已经在研究和试制，只是让美国走到了前面。

还没等日本人回过味来，时隔三天，第二颗原子弹又落入长崎。

两颗原子弹扮演了终结者的角色，日本统帅部至此终于明白，“不投降即毁灭”绝不是随口说说的，盟军用不着再登陆中国沿海或日本本土，靠空中决战即能将东瀛三岛从地图上完全抹去。

8月15日，已经被原子弹炸得“五内俱裂”的裕仁天皇发布停战诏书。

除成为空架子的关东军已被苏军消灭外，关内的“中国派遣军”遵令向中国政府无条件投降，而在这之前，它们的失败和灭亡也只是时间的问题了。

即将参加受降仪式的部分中方代表笑逐颜开

一个东方民族对另一个东方民族的生死对决，终于有了最后的结果。

老兵不死

再说说“七七事变”的亲历者刘汝明。

武汉会战末期，全军大撤退，日军沿公路追击，而刘汝明就带着手枪队守在公路旁。从那里路过的零星小部队都觉得很安心，连步伐都放慢了，因为他们以为刘汝明既然在这里，路边至少有一个军。

其实，刘汝明身边除了手枪队，并没有大部队，他执意不走，是要等自己的后续人马。对于他来说，南下的第二十九军与他是生死不能相离的，即便危难时刻，也决不能放弃其中的任何一个人。

但人还是在不断地少下去，经过八年抗战，第二十九军在正面战场上战死了很多人。

几个灵魂人物，宋哲元、张自忠、萧振瀛先后去世，其中以张自忠声望最隆，死的时候也最壮烈。

又过了若干年，刘汝明到了台湾，一起去的还有冯治安和秦德纯。三人退役后在乡下买了块地皮，准备住到一起，但是秦德纯因夫人多病，不方便在乡下长住，最后只有刘、冯两人搬了过去。

哥俩对门而居，每天傍晚，冯治安必定会站在门口，大声叫刘汝明出来聊天，话题自然还是脱不开那些戎马倥偬的岁月，以及那些屈辱和荣耀。

但是有一天，刘汝明忽然听到消息，冯治安患病被送进了医院，等他急急忙忙赶过去时，这位朝夕相处的兄弟已经不治。

又隔一年，秦德纯也去世了。

时间是一个多么残忍的过程，它让你不断地告别，告别青春，告别激情，告别朋友，全然不顾在那一刻，你早已是泪流满面。

晚年的刘汝明无比寂寥。

回望来路，当那些袍执兄弟的雄武英姿，又一一呈现眼前的时候，这位职业军人总是难以自持。

他希望有一天能有机会重新踏上故土，并想象着那时的情景。

“如果我们仍然人神有隔，我必一一到你们灵前去祭吊的。(《刘汝明回忆录》)”

1957 年，刘汝明病逝台湾。

麦克阿瑟说，老兵永远不死，只是慢慢凋零。

愿把这句话献给所有的抗战老兵。

谨以此书献给正面抗日战场上那些无名的中国军人